fRENCH CONVERSATiONAL REViEW GRAMMAR

THIRD EDITION

TAPES

NUMBER OF REELS:	24 (seven-inch, full-track)
SPEED:	3¾ IPS
RUNNING TIME:	18 hours (approximate)

MATERIALS RECORDED:

All conversations at normal speed. The first twelve conversations are repeated by phrases with pauses for student repetition.

All questions in four-phased sequences: cue—pause for student response—correct response by native speaker—pause for student repetition.

Audiolingual exercises (approximately 30 minutes per lesson) in four-phased sequences. Taped exercises are identified in the text.

The lesson readings at normal speed for listening comprehension.

**AN AMERICAN BOOK COMPANY
MODERN LANGUAGE PUBLICATION**

FRENCH CONVERSATIONAL REVIEW GRAMMAR

THIRD EDITION

RUDOLPH J. MONDELLI

PACE COLLEGE

PIERRE FRANÇOIS

STATE UNIVERSITY OF NEW YORK,
NEW PALTZ

 VAN NOSTRAND REINHOLD COMPANY
New York   Cincinnati   Toronto   London   Melbourne

Van Nostrand Reinhold Company Regional Offices:
New York   Cincinnati   Chicago   Millbrae   Dallas

Van Nostrand Reinhold Company International Offices:
London   Toronto   Melbourne

Published by Van Nostrand Reinhold Company
450 West 33rd Street, New York, N. Y. 10001

Published simultaneously in Canada by
Van Nostrand Reinhold Ltd.

10 9 8 7 6 5 4 3 2 1

Text design by Morris Karol
Cover by Saul Schnurman

PREFACE

In addition to retaining its overall objective of presenting a systematic review of French structure, along with a great deal of oral and written practice, the Third Edition of *French Conversational Review Grammar* also has as an important aim the integration of the reading-comprehension skill. Each lesson includes a selection of prose, poetry, or drama accompanied by either a detailed series of questions, a *thème, or explication de texte.*

We have retained the basic organization and all of the key features of previous editions, which have proved themselves eminently practical in intermediate courses that enroll students with varied basic preparation in French. It continues to be the book's aim to present a thorough review of fundamentals, along with ample practice in the four major skills.

A number of other significant changes have been made in the *Third Edition*: (1) Recognizing the achievement level of review courses today, we have eliminated most of the English equivalents of grammatical examples, especially since much of the vocabulary occurs in the conversations. We have retained English only where it seemed appropriate to point up comparative idiomatic differences with French. (2) We have reduced the scope of the longer, more repetitive exercises in order to conform more closely to language-laboratory requirements. (3) We have provided new or substantially revised English-French composition exercises. (4) We have added in the Appendix lists of verbs used with or without prepositions before infinitives. (5) The addition of photographs and an endpaper map of France will, we hope, enhance the use of all the materials for the student.

Each of the twenty-four lessons consists of these major sections:

Conversation: In the *conversations*, which deal with both everyday situations and cultural topics, the authors have made every effort to keep the language uncontrived and spontaneous. The conversations apply the inductive technique as much as practical by proceeding from the known to the unknown. Points of grammar, idiomatic expressions, and verb forms featured in a lesson are used actively in the conversations before their formal presentation and explanation in *Grammaire*. Each *conversation* is accompanied by a set of questions and by a section of directed dialog designed to extend the student's oral experience.

Expressions à retenir: The *expressions à retenir* include idioms and expressions pertaining to the lesson conversation. They form the basis of one of the later exercises.

Grammaire: In *Grammaire*, structural principles are thoroughly reviewed. Frequency, difficulty, and importance have determined the order of topics. For example, the subjunctive, since it is extensively used in French conversation, is presented starting with Lesson Thirteen. Grammar topics are consecutively numbered throughout the book for easy reference.

Exercices: The exercises concentrate on thorough practice in listening and comprehending, repeating and varying patterns, substituting, and completing. All directions are in French.

Composition: The *composition* includes two types of exercises: (1) recasting English sentences into French; (2) a detailed topic outline which guides the student in the preparation of a "free" composition.

Dictée: Dictation from the conversation of the lesson.

Lecture: The readings have been drawn from classical and modern authors and present a diversity of materials. When these are not complete works, the excerpts focus on a major idea of the work. Intrinsic merit and readability were the main criteria for selection, but the fact that the reading affords unusually close reinforcement of the grammatical principle of the lesson was also an important factor.

For classes having three or four meetings a week, a minimum of one lesson a week may easily be completed. The following procedure is recommended:

First day: The *conversation, questions, dialogue, expressions à retenir*, and idiom exercise.

Second day: Review of *grammaire*, the structural exercises, and *dictée*.

Third and fourth days: The composition materials, the *lecture* with accompanying *questionnaire, thème*, or *explication de texte*.

The authors wish to thank their many friends who have given generously of their knowledge and time in reviewing portions of the manuscript. They are especially grateful to Mrs. Jacqueline François and Mrs. Raffaella Mondelli for their invaluable help at all stages of the writing.

A new tape program accompanies the Third Edition of *French Conversational Review Grammar*. Information about the tapes appears opposite the title page of this book.

CONTENTS

DIX-NEUVIÈME LEÇON   256

VINGTIÈME LEÇON   268

VINGT ET UNIÈME LEÇON   282

VINGT-DEUXIÈME LEÇON   300

VINGT-TROISIÈME LEÇON   314

fRENCH CONVERSATiONAL REViEW GRAMMAR

THIRD EDITION

LEÇON 1

I. CONVERSATION: Arrivée à Orly (*Bande 1*)

PIERRE:	Bonjour, Philip.
PHILIP:	Bonjour, Pierre. Comment allez-vous?
PIERRE:	Pas trop mal, merci. Et vous?
PHILIP:	Très bien.
PIERRE:	Avez-vous fait bon voyage?
PHILIP:	Oui, excellent! . . . Je vous suis, n'est-ce pas?
PIERRE:	Non . . . Allez reconnaître vos bagages à la douane.
PHILIP:	Où est-ce?
PIERRE:	Allez tout droit jusqu'au bout du couloir.
PHILIP:	Où est-ce qu'on se retrouve?

2

PIERRE: Dans le Hall des Arrivées. Je suis avec la sœur d'un ami.
(A *la douane*)

LE DOUANIER: Vous avez quelque chose à déclarer?

PHILIP: Non, rien de spécial . . . des cadeaux et des affaires personnelles.

LE DOUANIER: Bon, ça va, monsieur . . . Passez!

PHILIP: Maintenant . . . Y a-t-il une cabine téléphonique par ici?

PIERRE: Oui . . . Allez au bureau des P.T.T. (Postes-Télégraphes-Téléphones). C'est à gauche—en face du marchand de journaux

PHILIP: Parfait! Je vais envoyer un télégramme aux amis de mes parents.

PIERRE: D'accord! Vous avez de l'argent français?

PHILIP: Oui, merci. Je vous retrouve dehors . . .

Questionnaire (*Bande 1*)

Répondez aux questions suivantes:

1. Comment allez-vous, monsieur (mademoiselle)?
2. Philip a-t-il fait bon voyage?
3. Où va-t-il reconnaître ses bagages?
4. Où est la douane?
5. Où Pierre et Philip vont-ils se retrouver?
6. Avec qui est Pierre?
7. Qu'est-ce que le douanier demande à Philip?
8. A-t-il quelque chose à déclarer?
9. Y a-t-il une cabine téléphonique près de la douane?
10. Où se trouve le bureau des P.T.T.?
11. A qui Philip va-t-il envoyer un télégramme?

Dialogue

Demandez à un(e) étudiant(e):

1. comment il (elle) va. [L'étudiant(e) répondra à toutes les questions posées.]
2. s'il (si elle) aime les voyages.
3. de nommer deux grands aéroports aux États-Unis.

Aéroport d'Orly
French Embassy Press & Information Division

 4. ce que fait un douanier.
 5. ce que l'on doit déclarer à la douane.
 6. à quelles occasions on envoie des télégrammes.
 7. s'il (si elle) a un frère ou une sœur; et comment il ou elle s'appelle.
 8. ce qu'il (elle) dit quand il (elle) rencontre un ami.
 9. ce qu'il (elle) dit quand il (elle) quitte un ami.
10. où on trouve des marchands de journaux.

II. EXPRESSIONS A RETENIR

à droite; à gauche	*to the right; to the left*
au bout de	*after, at the end of*
avez-vous fait bon voyage?	*did you have a pleasant journey?*
	did you have a nice trip?
ça va	*it's all right, everything's fine, O.K.*
comment allez-vous?	*how are you?*
d'accord!	*agreed! fine! O.K.!*
en face de	*opposite*
envoyer un télégramme	*to send a telegram*
par ici	*over here, this way*
passer à la douane	*to pass (through) customs*
pas trop mal, merci	*pretty well, thank you; all right (fine), thank you*
tout droit	*straight ahead*

III. GRAMMAIRE

1. Gender of Nouns (Le genre des noms)

MASCULINE: le bagage
             le frère
FEMININE: la cabine
             la sœur

French nouns are either masculine or feminine. To fix the correct gender of a noun in your mind, learn the definite article with each noun you encounter.

2. Plural of Nouns (Le pluriel des noms)

le télégramme   les télégrammes
la chose   les choses
l'ami   les amis

The plural of most French nouns is formed by adding **s** to the singular.

3. Definite Article (L'article défini)

le   before a masculine singular noun beginning with a consonant: **le téléphone.**
la   before a feminine singular noun beginning with a consonant: **la leçon.**
l'   before any singular noun beginning with a vowel or mute **h**: **l'argent; l'homme.**
les before all plural nouns: **les téléphones; les leçons; les amis; les hommes.**

4. Indefinite Article (L'article indéfini)

un   before a masculine singular noun: **un couloir; un hôtel.**
une before a feminine singular noun: **une valise; une adresse.**
des before all plural nouns: **des couloirs; des valises; des adresses.**

Note:

(1) In French, the definite and indefinite articles are repeated before each noun in a series:

le frère et **la sœur**
un télégramme et **une lettre**

(2) In a negative statement, **un, une** is normally replaced by **de:**

Positive: **Je vais envoyer un télégramme** à mes parents.
Negative: **Je ne vais pas envoyer de télégramme** à mes parents.

5. Contraction (La contraction)

Allez-vous **au bureau des** P.T.T.?
Le professeur explique la leçon **aux étudiants.**
Il aime parler **du voyage** qu'il a fait.
Il y a une cabine téléphonique près **des magasins.**

The propositions **à** (*at, to*) and **de** (*from, of*) contract with the definite articles **le** and **les** as follows:

à + le = au   (au restaurant)   de + le = du   (du restaurant)
à + les = aux (aux restaurants) de + les = des (des restaurants)

Note: The prepositions à and de never contract with the definite articles **la** and **l'**:

à + la = à la (à la poste)   de + la = de la (de la poste)
à + l' = à l' (à l'hôtel)   de + l' = de l' (de l'hôtel)

6. Possession (La possession)

l'arrivée **de** Philip
la sœur **d'**un ami
le journal **du** monsieur
les bagages **des** voyageurs

In French, possession is expressed by **de** (*of*) plus noun.

7. Uses of the Definite Article (Les emplois de l'article défini)

J'aime **la musique.**
Les livres sont intéressants.
Tout le monde aime **la liberté.**
Nous admirons **le courage.**

The definite article is used in French (contrary to English) before nouns used in a generic sense (that is, nouns indicating the entire class) and before abstract nouns.

8. Regular Conjugations (Les conjugaisons régulières)

Regular verbs in French are grouped into three conjugations, according to the ending of the infinitive:

1st conjugation: verbs ending in **-er**: **entrer**

2nd conjugation: verbs ending in **-ir**: **remplir**

3rd conjugation: verbs ending in **-re vendre**

The stem of a verb is obtained by dropping the infinitive ending:

entr*er*   *-*entr
rempl*ir*   rempl
vend*re*   vend

9. Present Indicative of -er Verbs (Le présent de l'indicatif des verbes en -er)

To form the present indicative of regular -er verbs, add the endings -e, -es, -e, -ons, -ez, -ent to the stem of the infinitive:

MODEL: **entrer**

AFFIRMATIVE

j'**entre**	*I enter, am entering, do enter*
tu **entres**	*you enter, are entering, do enter*
il (elle) **entre**	*he (she) enters, is entering, does enter*
nous **entrons**	*we enter, are entering, do enter*
vous **entrez**	*you enter, are entering, do enter*
ils (elles) **entrent**	*they enter, are entering, do enter*

NEGATIVE

je n'**entre** pas	*I am not entering, I do not enter*
tu n'**entres** pas	
il (elle) n'**entre** pas	
nous n'**entrons** pas	
vous n'**entrez** pas	
ils (elles) n'**entrent** pas	

AFFIRMATIVE INTERROGATIVE

est-ce que j'**entre?**	*am I entering? do I enter?*
entres-tu?	
entre-t-il? **entre**-t-elle?	
entrons-nous?	
entrez-vous?	
entrent-ils? **entrent**-elles?	

NEGATIVE INTERROGATIVE

est-ce que je n'**entre** pas?	*am I not entering? do I not enter?*
n'**entres**-tu pas?	
n'**entre**-t-il pas? n'**entre**-t-elle pas?	
n'**entrons**-nous pas?	
n'**entrez**-vous pas?	
n'**entrent**-ils pas? n'**entrent**-elles pas?	

Note:

(1) A verb is made negative by placing **ne** before the verb and **pas** after it. (**Ne** becomes **n'** before a vowel or mute **h**.) In the negative interrogative, however, **pas** is placed after the subject pronoun.

(2) The subject pronouns **il, elle,** ... and elles ... refer to ...ons or things. They have the follow...

> **il** *he* or *it* (m.)
> **elle** *she* or *it* (f.)   ...ey (f.)

> Où est **Pierre?** — **Il** est dans le Hall des Arrivées.
> Où est **la douane?** — **Elle** est au bout du couloir.

(3) The subject pronoun **vous** (*you*) is the conventional pronoun for addressing one or more persons. The familiar singular pronoun **tu** is used to address a relative, an intimate friend, a child, or an animal.

IV. EXERCICES

A. *Répétez les phrases suivantes en employant les pronoms indiqués (Attention aux verbes!) (Bande 1):*

1. Il téléphone d'une cabine téléphonique. (je)
2. Je vous retrouve dans le Hall des Arrivées. (il)
3. Nous parlons à la sœur d'un ami. (elles)
4. Cherches-tu le bureau des P.T.T.? (vous)
5. Elle montre les bagages au douanier. (nous)
6. Ils aiment voyager en avion. (elle)
7. Vous n'arrivez pas toujours à l'heure. (tu)
8. Je ne travaille pas au bureau de poste. (ils)

B. *Mettez le sujet et le verbe au pluriel (Bande 1):*

MODÈLE: *Il gagne* beaucoup d'argent.
Ils gagnent beaucoup d'argent.

1. Il ne reste pas longtemps à Orly.
2. Je commande un bon dîner français.
3. Elle loue une chambre à l'Hôtel Crillon.
4. Donnes-tu de l'argent aux pauvres?
5. Il me demande si j'ai quelque chose à déclarer.
6. Elle ne demeure plus à New York.
7. Je présente Philip à M. Lebrun.
8. Prépares-tu la leçon avant de sortir?

C. *Répétez les phrases suivantes en substituant des pronoms personnels aux mots indiqués (Bande 1):*

MODÈLE: Nous cherchons la douane. (Et Robert?)
             Il cherche aussi la douane.

1. Il regarde la télévision. (Et les enfants?)
2. J'aime aller au cinéma. (Et Marie?)
3. Tu voyages beaucoup. (Et Nicole et Pierre?)
4. Nous admirons le courage. (Et le soldat?)
5. Jean-Pierre fume trop. (Et Louise et Henriette?)
6. Ils étudient le français. (Et Robert et moi?)
7. Elle passe un mois à Paris. (Et ses parents?)
8. Ils quittent l'hôtel à dix heures. (Et Jacques?)
9. J'adore cette petite auberge. (Et Jeannette?)

D. *Mettez les phrases suivantes à la forme négative, puis à la forme interrogative (Bande 1):*

MODÈLE: Il retrouve Philip dans le Hall des Arrivées.
             Il ne retrouve pas Philip dans le Hall des Arrivées.
             Retrouve-t-il Philip dans le Hall des Arrivées?

1. Elles ont fait bon voyage.
2. Il va reconnaître ses bagages à la douane.
3. Elle est avec la sœur d'un ami.
4. Il y a une cabine téléphonique près d'ici.
5. Vous envoyez un télégramme à vos parents.
6. Nous dînons chez les Dupont ce soir.
7. Tu écoutes un programme à la radio.
8. Ils habitent Paris depuis longtemps.
9. Elle aime les voyages.
10. Nous cherchons une chambre à louer.

E. *Répétez les phrases suivantes en substituant les mots indiqués (Attention aux contractions!):*

1. Il donne un coup de téléphone *à l'oncle* de Robert.
   (parents, frère, ami, tante)
2. Y a-t-il un bon restaurant *près de l'hôtel?*
   (gare, bureau de tabac, grands magasins, aéroport)
3. A quelle heure allez-vous *à l'école?*
   (boulangerie, librairie, église, garage, épicerie)
4. L'adresse *du café* est 8 rue de Verdun.
   (banque, étudiants, Marie-Thérèse, poste, musée)

5. Nous allons souvent au cinéma.
   (théâtre, opéra, concert, bibliothèque, université)
6. Allez tout droit jusqu'au bout *du couloir*.
   (rue, boulevard, avenue, parc, jardin)
7. Parle-t-il *au professeur*?
   (chauffeur de taxi, douaniers, jeune fille, marchand de journaux)

F. *Mettez les phrases suivantes au pluriel* (*Bande 1*):

1. La jeune fille raconte une histoire à l'enfant.
2. Le douanier ne parle pas longtemps au voyageur.
3. Il donne la valise au porteur.
4. Le train n'arrive pas toujours à l'heure.
5. Le professeur de français passe souvent l'été en France.
6. Monte-t-elle dans la voiture?
7. L'Américain aime le vin français.
8. La nièce de Mme Germain ne demeure plus à New York.
9. L'étudiant apporte un complet à nettoyer.
10. Je vais étudier une comédie de Molière.

G. *Employez dans des phrases complètes huit des expressions à retenir qui se trouvent à la section II.*

V. COMPOSITION

A. *Dites, puis écrivez en français:*

1. Good morning, Peter. I'm looking for Robert. Where is he?
2. He's at the end of the corridor. He's passing through customs.
3. The customs officer is examining his baggage.
4. Customs officers always ask travelers if they have anything to declare, don't they?
5. Aren't Nicole's parents also arriving today?
6. Yes and she's renting a room for them because they're spending a month here with friends.
7. Is Robert going to meet us here or in the lobby of the Arrival Building?
8. He's meeting us at the little restaurant near the post office.
9. Isn't there a phone booth here?—There's one opposite the customs office near the newsdealer.
10. Patience, Peter!—You're right! Patience is a quality that one (**on**) doesn't find often today.

11. I'm going to phone Nicole's friend, Jeannette. She likes music. I think I'll invite her to tomorrow's concert.

B. *Philip, étudiant américain, va passer un an à Paris. Il va suivre des cours à la Sorbonne. Il arrive très tôt le matin à l'aéroport d'Orly. Racontez:*

(1) les formalités à l'aéroport;
(2) l'accueil (*welcome*) qu'il reçoit de la part de ses amis;
(3) l'atmosphère générale dans le Hall des Arrivées;
(4) les renseignements au sujet d'une chambre d'hôtel;
(5) son départ en taxi vers l'hôtel.

VI. DICTÉE

A tirer de la première conversation.

VII. LECTURE

MOLIÈRE: Le Bourgeois gentilhomme (*Bande 1*)

La vie de Molière (1622–1673), *né Jean-Baptiste Poquelin, est peu connue. Il fut auteur, acteur et directeur de troupe. Après un long séjour en province, il s'installe à Paris et se met à écrire ses meilleures pièces:* Les Précieuses ridicules, *premier grand succès,* Le Misanthrope, L'Avare, Tartuffe, Le Bourgeois gentilhomme, Les Femmes savantes, Le Malade imaginaire.

Dans Le Bourgeois gentilhomme, *Molière ridiculise un bourgeois, Monsieur Jourdain, un riche marchand de drap du siècle de Louis XIV. Il n'a jamais fait d'études mais il veut commencer à étudier pour ressembler aux nobles; en imitant leurs manières, il espère ainsi devenir lui aussi un «gentilhomme». Il prend sa première leçon avec un professeur (Acte II, Scène IV, d'après Molière).*

Molière
French Embassy Press & Information Division

MONSIEUR JOURDAIN: Apprenez-moi l'orthographe.

LE PROFESSEUR: Pour étudier cette matière, il faut commencer par une exacte connaissance des lettres et de la différente manière de les prononcer toutes . . . ; les lettres sont divisées en voyelles, ainsi dites voyelles parce qu'elles expriment les voix; et en consonnes ainsi appelées consonnes parce qu'elles sonnent avec les voyelles; il y a cinq voyelles ou voix, *a, e, i, o, u*.

MONSIEUR JOURDAIN: J'entends tout cela.

LE PROFESSEUR: La voix A se forme en ouvrant fort la bouche: A.

MONSIEUR JOURDAIN: A, A, oui.

LE PROFESSEUR: La voix E se forme en rapprochant la mâchoire d'en bas de celle d'en haut: A, E.

MONSIEUR JOURDAIN: A, E, A, E, oui. Ah, que cela est beau!

LE PROFESSEUR: Et la voix I, en rapprochant encore davantage les mâchoires l'une de l'autre et écartant les deux coins de la bouche vers les oreilles: A, E, I.

MONSIEUR JOURDAIN: A, E, I, I, I, I, I; cela est vrai.

LE PROFESSEUR: La voix O se forme en rouvrant les mâchoires et rapprochant les lèvres par les deux coins, le haut et le bas: O.

MONSIEUR JOURDAIN: O, O; il n'y a rien de plus juste, A, E, I, O, I, O; cela est admirable, I, O, I, O.

LE PROFESSEUR: L'ouverture de la bouche fait justement comme un petit rond et représente un O.

MONSIEUR JOURDAIN: O, O, O, vous avez raison, O; Ah, la belle chose que de savoir quelque chose.

LE PROFESSEUR: La voix U se forme en rapprochant les dents et

(line numbers in left margin: 5, 10, 15, 20, 25, 30)

[Numbers identify lines on which words occur.]

1 orthographe f.: façon d'écrire correctement les mots; manière dont on écrit un mot
3 connaissance f.: idée
10 entendre: ici, comprendre
11 bouche f.: *mouth*
14 rapprocher: mettre plus près *to bring together*
14 mâchoire f.: *jawbone*
18 écarter: séparer
19 coin m.: *corner*
19 oreille f.: *ear*
22 lèvre f.: *lip*
26 ouverture f.: action d'ouvrir, *opening*
30 dent f.: *tooth*

allongeant les deux lèvres en dehors, les ap-
prochant aussi l'une de l'autre: U.

MONSIEUR JOURDAIN: U, U, cela est vrai. Ah, pourquoi n'ai-je pas
étudié plus tôt pour savoir tout cela.

31 allonger: *to lengthen*

QUESTIONNAIRE

1. Qui est Molière?
2. Quelles sont ses meilleures pièces?
3. Qui Molière ridiculise-t-il dans *Le Bourgeois gentilhomme?*
4. Monsieur Jourdain a-t-il fait des études?
5. Qu'espère-t-il devenir en imitant les manières des nobles?
6. Qu'apprend-il avec son professeur?
7. Par quoi faut-il commencer pour étudier cette matière?
8. Comment les lettres sont-elles divisées?
9. Pourquoi les voyelles sont-elles appelées ainsi?
10. Les consonnes sonnent-elles avec les voyelles?
11. N'y a-t-il pas six voyelles?
12. L'Y se prononce-t-il comme un «i»?
13. Comment se forme la voix A?
14. Comment se forme la voix E?
15. Comment se forme la voix I?
16. Comment se forme la voix O?
17. Le professeur donne-t-il des explications justes?
18. Comment se forme la voix U?
19. Prononcez distinctement toutes les lettres de l'alphabet.

LEÇON 2

I. CONVERSATION: A l'hôtel *(Bande 2)*

L'HÔTELIER: Monsieur désire?

PHILIP: Je voudrais une chambre avec salle de bains—pour une nuit—s'il vous plaît.

L'HÔTELIER: Pour une personne?

PHILIP: Oui . . . une petite chambre agréable qui donne sur la rue . . .

L'HÔTELIER: Eh bien! Voyons . . . Il me reste une belle chambre avec lavabo. Ça vous convient?

PHILIP: Oui. Permettez-moi de me présenter. Je m'appelle Philip Martin.

L'HÔTELIER: Très heureux de faire votre connaissance, monsieur. Vous êtes Américain?

PHILIP: Oui, je suis de New York.

L'HÔTELIER: Mais vous parlez très bien le français.

PHILIP: Nous parlons français à la maison—ma mère est d'origine française.

L'HÔTELIER: Oh! Je comprends! Tenez, voici votre clé . . . la femme de chambre va prendre vos valises.

PHILIP: Est-ce que je remplis une fiche?

L'HÔTELIER: Oui . . . vous mettez simplement votre nom, votre prénom et le numéro de votre passeport.

PHILIP: Oh! Mais d'ici nous avons une vue magnifique des quais!

L'HÔTELIER: N'est-ce pas? Une autre chose—la salle de bains est au fond du couloir, près de l'ascenseur.

PHILIP: Merci. Bonsoir, monsieur. A demain.

L'HÔTELIER: Je vous en prie. Bonne nuit, monsieur.

Questionnaire (*Bande 2*)

Répondez aux questions suivantes:

1. Quelle sorte de chambre Philip voudrait-il?
2. Désire-t-il une chambre pour une personne ou pour deux?
3. Que reste-t-il à l'hôtelier?
4. Que dit l'hôtelier quand Philip se présente?
5. Quelle est la nationalité de Philip?
6. D'où vient-il?
7. Pourquoi parle-t-il bien le français?
8. Qu'est-ce que l'hôtelier donne à Philip?
9. Qui va prendre ses valises?
10. Qu'est-ce que l'hôtelier donne à remplir à Philip?
11. Quelle vue a-t-on de la chambre?
12. Où se trouve la salle de bains?

Dialogue

Demandez à un(e) étudiant(e):

1. ce qu'il (elle) dit quand il (elle) présente un ami à quelqu'un.
   [L'étudiant(e) répondra à toutes les questions posées.]
2. quelle est sa nationalité.
3. comment il (elle) s'appelle.
4. sur quoi donnent les fenêtres de sa chambre.
5. ce qu'il (elle) dit pour s'informer s'il y a des chambres libres dans un hôtel.
6. de nommer les meubles de sa chambre.
7. ce qu'il (elle) doit écrire sur la fiche d'hôtel.
8. ce que c'est que le loyer.
9. s'il (si elle) préfère une chambre avec salle de bains à une chambre avec lavabo. Pourquoi ou pourquoi pas?

II. EXPRESSIONS A RETENIR

à demain	(*I'll*) *see you tomorrow, until tomorrow*
au fond de	*in the rear of, in the back of, at the bottom of*
ça vous convient?	*does that suit you? is that suitable to you? is that agreeable to you?*
d'ici	*from here*
donner sur	*to face, to look out on, to overlook*
il me reste	*I have left*
je m'appelle	*my name is*
je vous en prie	*you're welcome, please, I beg of you, don't mention it*
l'eau courante (chaude et froide)	(*hot and cold*) *running water*
permettez-moi de me présenter	*permit me to introduce myself*
tenez!	*well! here! look!*
très heureux de faire votre connaissance	*how do you do, I'm happy to make your acquaintance, I'm glad to meet you*
une chambre pour une (deux) personne(s)	*a single (double) room*

III. GRAMMAIRE

10. Uses of the Definite Article (Les emplois de l'article défini) (continued)

(a) **Le latin** n'est pas facile.
Va-t-il étudier **l'italien?**
Je ne comprends pas **l'allemand.**

The definite article is used in French before the names of languages. The definite article is usually omitted, however, before names of languages following **en** and **de** or the verb **parler** directly:

Il dit cela **en anglais.**
J'étudie ma leçon **d'espagnol.**
Nous parlons français à la maison.

But

Vous parlez très bien **le français.**

(b) **Le capitaine Dubois** n'est pas encore arrivé.
Le professeur Dillon est Américain.
Où est **le docteur Morel?**

But

Bonjour, **docteur!** Comment allez-vous?

The definite article is used before titles, except in direct address.[1]

11. Agreement of Adjectives (L'accord des adjectifs)

(a) un garçon **intelligent**   des garçons **intelligents**
une jeune fille **intelligente**   des jeunes fille **intelligentes**

French adjectives normally agree in gender and number with the noun they modify.

The feminine singular of a regular adjective is formed by adding e to the masculine form.[2]

[1] In direct address, military titles require the possessive adjective: Comment allez-vous, **mon capitaine?**

[2] If the masculine singular of the adjective already ends in e, the masculine and feminine forms are the same:

un **autre** ascenseur
une **autre** chose

The plural of an adjective is formed by adding s to the singular form.

(b) L'hôtelier et la femme de chambre sont **Français**.
M. et Mme Sauvin sont très **gentils**.

An adjective modifying two or more nouns of different genders is masculine plural.

12. Position of Adjectives (La place des adjectifs)

(a) un passeport **français**
une vue **magnifique**
un cadeau **spécial**
une histoire **amusante**

The normal position of most descriptive adjectives in French is after the noun. Many common adjectives, however, regularly precede the noun they modify:

autre	*other*
beau	*beautiful, fine, handsome*
bon	*good*
court	*short*
gentil	*nice*
grand	*large, big, great*
gros	*big, fat*
jeune	*young*
joli	*pretty*
long	*long*
mauvais	*bad*
nouveau	*new*
petit	*little, small*
tel	*such*
vieux	*old*

(b) une **petite** chambre **agréable**
une **jolie** maison **rouge**
un **jeune** homme **intelligent**

When two adjectives modify the same noun, each keeps its normal position.

13. Possessive Adjective (L'adjectif possessif)

(a) The possessive adjective has the following forms:

M. SING.	F. SING.	M. & F. PLURAL	
mon	ma	mes	*my*
ton	ta	tes	*your*
son	sa	ses	*his, her, its*
notre	notre	nos	*our*
votre	votre	vos	*your*
leur	leur	leurs	*their*

(b) Michèle met **son nom** sur la fiche.
Je vais envoyer un télégramme à **mes parents**.
Les voyageurs vont reconnaître **leurs bagages** à la douane.
Ma mère est d'origine française.

The possessive adjective agrees in gender and number with the thing possessed (the noun that follows), *not* with the possessor.

(c) **mon** oncle et **ma** tante
son père et **sa** mère

The possessive adjective must be repeated before each noun in a series.

(d) **mon arrivée**
ton école
son histoire

The forms **mon, ton, son** are used instead of **ma, ta, sa** before a feminine singular noun beginning with a vowel or mute **h**.

(e) L'hôtelier a une clé à **la main**.
The hotel keeper has a key in his hand.
Il se lave **la figure**.
He is washing his face.
Elle baisse **les yeux**.
She lowers her eyes.

The definite article is normally used instead of the possessive adjective before nouns denoting parts of the body or articles of clothing, provided there is no ambiguity regarding the possessor. Compare:

Il a les mains dans **les poches**.
He has his hands in his pockets.
Il met la main dans **ma poche**.
He puts his hand in my pocket.

14. Present Indicative of -ir Verbs (Le présent de l'indicatif des verbes en -ir)

To form the present indicative of regular -ir verbs, add the endings -is, -is, -it, -issons, -issez, -issent to the stem of the infinitive:

MODEL: **remplir**

AFFIRMATIVE

je remplis	*I fill, am filling, do fill*
tu remplis	
il (elle) remplit	
nous remplissons	
vous remplissez	
ils (elles) remplissent	

NEGATIVE

je ne remplis pas	*I am not filling, I do not fill*
tu ne remplis pas	
il (elle) ne remplit pas	
nous ne remplissons pas	
vous ne remplissez pas	
ils (elles) ne remplissent pas	

AFFIRMTIVE INTERROGATIVE

est-ce que je remplis?	*am I filling?, do I fill?*
remplis-tu?	
remplit-il? remplit-elle?, etc.	

NEGATIVE INTERROGATIVE

est-ce que je ne remplis pas?	*am I not filling?, do I not fill?*
ne remplis-tu pas?	
ne remplit-il pas? ne remplit-elle pas?, etc.	

15. Present Indicative of -re Verbs (Le présent de l'indicatif des verbes en -re)

To form the present indicative of regular -re verbs, add the endings -s, -s, -, -ons, -ez, -ent to the stem of the infinitive:

MODEL: **vendre**

AFFIRMATIVE

je vends	*I sell, am selling, do sell*
tu vends	
il (elle) vend	

nous **vendons**
vous **vendez**
ils (elles) **vendent**

NEGATIVE

je ne **vends** pas   *I am not selling, I do not sell*
tu ne **vends** pas
il (elle) ne **vend** pas
nous ne **vendons** pas
vous ne **vendez** pas
ils (elles) ne **vendent** pas

AFFIRMATIVE INTERROGATIVE

est-ce que je **vends?**   *am I selling?, do I sell?*
vends-tu?
vend-il? **vend**-elle?, etc.

NEGATIVE INTERROGATIVE

est-ce que je ne **vends** pas?   *am I not selling?, do I not sell?*
ne **vends**-tu pas?
ne **vend**-il pas? ne **vend**-elle pas?, etc.

Note: The third person singular of **-re** verbs whose stem is **p** have **t** as their ending: **rompre** *to break*: il (elle) **rompt.**

IV. EXERCICES

A. *Répétez les phrases suivantes en employant les pronoms indiqués* (*Attention aux verbes!*) (*Bande* 2):

1. Il réussit toujours à trouver une chambre avec salle de bains. (ils)
2. Je remplis d'abord une fiche d'hôtel. (il)
3. Elle ne réfléchit pas avant de parler. (elles)
4. Vous parlez très bien le français. (tu)
5. Elle désire une chambre pour une personne. (je)
6. Attends-tu l'autobus depuis longtemps? (vous)
7. Il descend dans un hôtel de première classe. (nous)
8. Je perds toujours la clé de ma chambre. (elle)

B. *Mettez le sujet et le verbe au pluriel* (*Bande* 2):

1. Il arrive de bonne heure à l'aéroport d'Orly.
2. Je réussis toujours à mes examens.
3. Rends-tu la fiche à l'hôtelier?

4. Elle répond à toutes les questions du douanier.
5. Ne travailles-tu pas jusqu'à six heures du soir?
6. Il ne finit pas ses devoirs à l'heure.
7. J'entends venir le métro.
8. Il remplit tous les verres.
9. Où attends-tu l'autobus?
10. Il étudie la leçon de français.

C. *Remplacez l'article défini par l'adjectif possessif indiqué* (Bande 2):

1. La mère est-elle d'origine française? (their)
2. Où va-t-on reconnaître les bagages? (his)
3. Qui va prendre les valises? (our)
4. Je demeure près de l'école. (my)
5. Ils ont peur des examens oraux. (their)
6. J'ai réussi à trouver l'adresse. (her)
7. La petite chambre n'a pas de salle de bains. (my)
8. A qui montres-tu le passeport? (your)
9. Ils nous attendent près de l'hôtel. (their)
10. Elle a fini de lire le journal. (her)
11. Où apportez-vous les chemises à laver? (your)

D. *Transformez les phrases suivantes selon le modèle* (*Attention aux adjectifs possessifs!*) (Bande 2):

MODÈLE: Elles me donnent leur adresse. (Et Michel?)
　　　　 Il me donne aussi son adresse.

1. Nous attendons nos amis. (Et Georges?)
2. Tu voyages avec tes parents. (Et Jacques et Paul?)
3. Elle demeure près de son université. (Et vous?)
4. Je vais écrire ma composition. (Et Jacqueline?)
5. Il finit son travail. (Et Pierre et vous?)
6. Ils passent leurs vacances à Paris. (Et nous?)
7. Il me parle de son accident. (Et Nicole?)
8. Nous obéissons à nos professeurs. (Et Marie et Jeannette?)
9. Elles rendent visite à leur grand-mère. (Et Antoine?)
10. Je laisse ma voiture dans mon garage. (Et les Sauvin?)
11. Il a une belle vue de sa chambre. (Et vous?)
12. Ils sont contents de leur appartement. (Et Madeleine et vous?)

E. *Répétez les phrases suivantes en substituant les mots indiqués* (*Attention aux adjectifs!*) (Bande 2):

MODÈLE: Ce papier est important. (Et cette règle?)
　　　　 Cette règle est importante.

1. Cette robe est élégante. (Et ces manteaux?)
2. Ces exercices sont courts. (Et cette leçon?)
3. Cet étudiant est intelligent. (Et ces étudiantes?)
4. Ce roman est intéressant. (Et cette pièce?)
5. Cette bibliothèque est grande. (Et ces bâtiments?)
6. Ces jeunes gens sont charmants. (Et ces dames?)
7. Cette phrase est facile. (Et ce mot?)
8. Cette boîte est lourde. (Et ces bagages?)
9. Ce jardin est joli. (Et ces maisons?)
10. Ce programme est amusant. (Et cette histoire?)
11. Cet homme est très jeune. (Et cette femme?)

F. *Répétez chaque phrase avec la forme correcte de l'adjectif indiqué* (*Bande 2*):

MODÈLE: Il nous raconte toujours des anecdotes. (amusant)
Il nous raconte toujours des anecdotes amusantes.

1. Il me donne une fiche à remplir. (spécial)
2. D'ici on a une vue des quais. (beau)
3. Il y a deux ascenseurs au fond du couloir. (autre)
4. Il me reste une chambre avec lavabo. (joli)
5. Y a-t-il beaucoup de restaurants à Paris? (bon)
6. La vendeuse lui a montré des cravates. (bleu)
7. New Rochelle est une petite ville. (américain)
8. La Normandie et la Bretagne sont des provinces. (français)

G. *Répétez chaque phrase avec les formes correctes des adjectifs indiqués* (*Bande 2*):

1. Il demeure dans une maison près de la poste. (big, green)
2. Ma mère a acheté une table. (pretty, round)
3. Nous commandons un dîner. (good, French)
4. Mon ami a une voiture. (little, gray)
5. Je voudrais une chambre qui donne sur la rue. (nice, little)
6. Il n'y a pas d'arbres dans leur jardin. (old)
7. Ils n'aiment pas écrire les exercices. (other, difficult)
8. Elle lui a donné une chemise pour Noël. (beautiful, blue)

H. *Complétez les phrases suivantes:*

1. J'étudie _____ anglais et _____ français, mais je n'étudie pas _____ italien.
2. _____ professeur Dillon a dit cela en _____ allemand.

3. Hier, j'ai rencontré mon ami, _____ docteur Duval. Je l'ai salué
   en disant: «Bonjour, _____ docteur, comment allez-vous?»
4. _____ Américains aiment _____ vin français.
5. Les enfants se brossent _____ dents et se peignent tous les
   matins.
6. _____ hommes désirent _____ liberté.
7. Mon frère a _____ mains dans _____ poches.
8. _____ chats et _____ chiens sont des animaux domestiques.

I. *Employez dans des phrases complètes huit des expressions à retenir
    qui se trouvent à la section II.*

V. COMPOSITION

A. *Dites, puis écrivez en français:*

1. Who is the charming young lady who is speaking to your father?
2. She's our neighbor's daughter. She's very pretty, isn't she?
3. She has blue eyes and blond hair.
4. She is learning to speak Italian because she's going to spend a
   month with her relatives in Italy.
5. The girl who is filling out the slip near her is her friend Diane.
6. She's a young American student who is studying French at the
   Sorbonne.
7. She wants to improve her French pronunciation as much as
   possible.
8. Ah, here's Dr. Morel. Good morning, doctor. Permit me to introduce my friend, Professor Dillon.
9. I'm very glad to meet you, sir. Are you an American, Professor
   Dillon?
10. Yes, I'm from New Rochelle. It's a small city near New York.
11. But you speak French very well!
12. We speak French at home. My parents are of French origin.
13. Professor Dillon is looking for a nice little room to rent. Does
    Mrs. Sauvin have any rooms with bath, doctor?
14. No, but she has a large single room with a washbasin.
15. Is there a nice view from the room? — A magnificent view. The
    windows face the Seine.
16. Before going to see it, I want to wash my hands and face.
17. Fine. I'll wait for you here.

B. *Vous venez d'arriver dans une ville avec vos parents. Vous êtes en voiture et vous cherchez un hôtel pour y passer la nuit. Vous demandez des renseignements à un agent de police. Racontez:*

(1) votre dialogue avec l'agent de police;
(2) votre arrivée à l'hôtel;
(3) votre conversation avec l'hôtelier;
(4) vos impressions sur la façon dont vous avez été reçu(e).

VI. DICTÉE

A tirer de la deuxième conversation.

VII. LECTURE

JOSEPH DE MAISTRE: Un petit échantillon de conjugaison (*Bande 2*)

Joseph de Maistre (1753–1821) est un écrivain plein de flamme, célèbre par Les Soirées de Saint-Pétersbourg. Un gentilhomme sicilien qui l'avait connu en Russie disait de lui, «Il ressemble à notre Etna: il a de la neige sur la tête et le feu dans la bouche». Dans sa correspondance, il nous apparaît cependant comme le plus affectueux, le plus tendre des pères. Voici le texte d'une lettre qu'il écrivit de Turin à sa fille aînée, Adèle.

Turin, 3 juin 1797

. . . J'ai été aussi très content du verbe *chérir* que tu m'as envoyé. Je veux te donner un petit échantillon de conjugaison; mais je m'en tiendrai à *l'indicatif;* c'est bien assez pour une fois.

Je te *chéris,* ma chère Adèle; tu me *chéris* aussi et maman te *chérit;* nous vous *chérissons* également, Rodolphe et toi, parce que vous êtes   5
tous les deux nos enfants et que vous nous *chérissez* aussi, également,

échantillon m.: *sample*   . 3 s'en tenir à: *to abide by*
1 envoyer: *send*

Joseph de Maistre
French Embassy Press & Information Division

l'un et l'autre; mais c'est précisément parce que vos parents vous
chérissent tant qu'il faut tâcher de le mériter tous les jours davantage.
Je te *chérissais*, mon enfant, lorsque tu ne me *chérissais* point encore;
et ta mère te *chérissait* peut-être encore plus, parce que tu lui as coûté   10
davantage. Nous vous *chérissions* tous les deux, lorsque vous ne *chéris-*
siez encore que le lait de votre nourrice, et que ceux qui vous *chéris-*
saient n'avaient point encore le plaisir du retour. Si je t'*ai chérie* depuis
le berceau, et si tu m'*as chéri* depuis que tu as pu te dire: «mon papa
m'*a* toujours *chérie*»; si nous vous *avons chéris* également, et si vous   15
nous *avez chéris* de même, je crois fermement que ceux qui *ont* tant
chéri ne changeront point de cœur. Je te *chérirai* et tu me *chériras*
toujours, et il ne sera pas aisé de deviner lequel des deux *chérira* le
plus l'autre. Nous ne *chérirons* cependant nos enfants, ni moi, ni votre
maman, que dans le cas où vous *chérirez* vos devoirs. Mais je ne veux   20
point avoir de soucis sur ce point, et je me tiens pour sûr que votre
papa et votre maman vous *chériront* toujours.

Marque-moi, mon enfant, si tu es contente de cette conjugaison,
et si tous les temps y sont (pour l'indicatif). Adieu, mon cœur.

8 tant: en si grande quantité; en si grand
  nombre
8 tâcher: s'efforcer de; essayer
8 davantage: plus; plus longtemps
12 lait m.: *milk*
12 nourrice f.: *wet nurse*

14 berceau m.: lit d'un bébé; enfance
  (fig.)
18 aisé: *easy*
18 deviner: *to guess*
21 souci m.: *worry*
24 temps m.: *tense*

THÈME

Do I cherish you? Yes, I cherish you, my dear Adele, because you
cherish me. Your mother cherishes you and we cherish you both because
you are our children and because you cherish us.

What does cherish mean, you ask. The Larousse dictionary says that it
means to love tenderly; to be very attached to. It means many little things,
Adele, many little tasks. When you desire to please your mother and me,
when you help your brother with his work, when you improve at school,
you show us that you cherish us. You have to try to deserve it more each
day.

LEÇON 3

I. CONVERSATION: A la préfecture de police (*Bande 3*)

PHILIP:	Pardon, monsieur l'agent . . . où est la préfecture de police, s'il vous plaît?
L'AGENT DE POLICE:	La voilà, juste en face de vous—c'est un de ces gros bâtiments . . .
PHILIP:	Ah oui! . . . je le vois—c'est tout près. Merci, monsieur l'agent.
	(*Dans les bureaux de la préfecture*)
L'AGENT:	Oui, monsieur? C'est pour quoi?
PHILIP:	Je voudrais une carte d'identité—je suis étranger.
L'AGENT:	Depuis combien de temps êtes-vous en France?

PHILIP:	Depuis avant hier.
L'AGENT:	Vous aimez la France?
PHILIP:	Oui, beaucoup. On m'a reçu à bras ouverts.
L'AGENT:	Vous avez votre passeport et vos photos d'identité?
PHILIP:	Oui, je les ai. Tenez, prenez-les . . .
L'AGENT:	Quelle est votre nationalité?
PHILIP:	Je suis Américain—je suis né à New York.
L'AGENT:	Votre profession?
PHILIP:	Je suis étudiant. Je vais suivre des cours à la Sorbonne . . .
L'AGENT:	Très bien. Un de mes fils y est . . . Où habitez-vous?
PHILIP:	Je vais chercher une chambre à la Fondation des États-Unis[1] . . . c'est boulevard Jourdan, je crois.
L'AGENT:	C'est cela . . . c'est tout. Allez à la caisse—c'est le guichet à côté de vous.
PHILIP:	Pardon . . . et pour avoir une bonne carte de métro, où dois-je aller?
L'AGENT:	Allez au Syndicat d'Initiative[2] . . . ce n'est pas très loin d'ici.

[1] **La Fondation des États-Unis:** part of the Cité Universitaire, which serves as a residence and cultural center for students.

[2] **Le Syndicat d'Initiative:** Tourists' Information Bureau.

Questionnaire (*Bande 2*)

Répondez aux questions suivantes:

1. Qu'est-ce que Philip demande à l'agent de police?
2. Où est la préfecture de police?
3. Pourquoi Philip est-il allé aux bureaux de la préfecture?

4. Depuis combien de temps Philip est-il en France?
5. Comment l'a-t-on reçu?
6. Qu'est-ce que Philip donne à l'agent?
7. Quelle est sa nationalité?
8. Où est-il né?
9. Quelle est la profession de Philip?
10. Qu'est-ce qu'il va faire à la Sorbonne?
11. Où va-t-il chercher une chambre?
12. Où se trouve la Fondation des États-Unis?
13. Où est la caisse?
14. Où Philip doit-il aller pour avoir une bonne carte de métro?

Dialogue

Demandez à un(e) étudiant(e):

1. ce que c'est que la préfecture de police. [L'étudiant(e) répondra à toutes les questions posées.]
2. pourquoi on a besoin d'une carte d'identité.
3. depuis combien de temps il (elle) est au «college».
4. pourquoi il (elle) voudrait visiter la France.
5. quels cours il (elle) suit.
6. où il (elle) est né(e).
7. ce que c'est qu'une caisse.
8. où on doit aller pour obtenir un passeport.
9. quelle est sa profession.
10. ce que l'on trouve dans un Syndicat d'Initiative.

II. EXPRESSIONS A RETENIR

à côté de	*beside, next to*
avant hier	*the day before yesterday*
c'est cela (ça)	*that's it, that's right*
c'est tout	*that's all*
c'est tout près	*it's very near*
depuis combien de temps?	*how long?*
recevoir quelqu'un à bras ouverts	*to receive someone with open arms*
suivre un cours	*to take a course*

French Embassy Press & Information Division

III. GRAMMAIRE

16. Uses of the Definite Article (Les emplois de l'article défini) (continued)

L'Afrique, l'Asie et l'Europe sont des continents.
La France et l'Italie l'ont reçu à bras ouverts.
La Normandie, la Bretagne et la Provence sont des provinces françaises.

The definite article is used in French before the names of continents, countries, and provinces.[1]

17. Personal Pronouns; Direct Objects (Les pronoms personnels; compléments directs)

(a) Forms

SINGULAR		PLURAL	
me	*me*	nous	*us*
te	*you* (familiar)	vous	*you*
le	*him, it* (m.)	les	*them*
la	*her, it* (f.)		

(b) Position

Il **m'**attend en face de la caisse.
L'agent de police ne **nous** comprend pas.
Ils **vous** cherchent à la préfecture de police.

Je ne **le** vois pas.
La cherche-t-elle?
Ne **les** avez-vous pas?

But

Prenez-**le.**
Vends-**la.**
Apportons-**les.**

The direct personal pronoun object normally stands immediately before the verb, except in the affirmative imperative.[2]

[1] Note, however, that the definite article is always omitted after **en** (*in* or *to*):

Philip voyage **en Europe.**
Depuis combien de temps êtes-vous **en France?**

[2] In a verb + infinitive phrase, the personal pronoun object stands immediately before the infinitive:

Où allez-vous suivre le cours? — Je vais **le** suivre à la Sorbonne.

Note:

(1) **Me, te, le, la** become **m', t', l', l'** before a word beginning with a vowel or mute **h.**

(2) The pronoun objects precede **voici** and **voilà:**

Où est votre carte de métro? — **La** voici.
Où sont vos photos d'identité? — **Les** voilà.

18. Irregular Plural of Nouns and Adjectives (Le pluriel irrégulier des noms et des adjectifs)

le bras	les bras
le fils	les fils
le choix	les choix
la voix	les voix
le nez	les nez
le **gros** bâtiment	les **gros** bâtiments
un homme **sérieux**	des hommes **sérieux**

Nouns ending in **s, x,** or **z** in the singular, and adjectives ending in **s** or **x** in the masculine singular, remain unchanged in the plural.

19. Present Indicative of *avoir* and *être* (Le présent de l'indicatif des verbes *avoir* et *être*)

(a) Present indicative of **avoir** (*to have*)

j'**ai**	nous **avons**
tu **as**	vous **avez**
il (elle) **a**	ils (elles) **ont**

(b) Present indicative of **être** (*to be*)

je **suis**	nous **sommes**
tu **es**	vous **êtes**
il (elle) **est**	ils (elles) **sont**

IV. EXERCICES

A. *Répétez les phrases suivantes en employant les pronoms indiqués* (*Bande* 3):

1. Je suis à Paris depuis avant hier. (nous)

2. Il n'a pas les mains dans les poches. (je)
3. N'es-tu pas étudiant à la Sorbonne? (il)
4. A-t-elle une bonne carte de métro? (tu)
5. Je ne suis pas d'origine anglaise? (elles)
6. A-t-il assez d'argent français? (vous)
7. Elle me pose toujours les mêmes questions. (ils)
8. Je vous attends dans les bureaux de la préfecture. (elle)

B. *Répétez les phrases suivantes en remplaçant les noms par des pronoms personnels* (Bande 3):

    MODÈLE: N'avez-vous pas *les billets?*
                Ne *les* avez-vous pas?

1. Il ne prête jamais sa voiture.
2. Ne voyez-vous pas ce gros bâtiment?
3. Écrivez ici le numéro du passeport.
4. Voilà la caisse juste en face de vous.
5. Je n'entends jamais Nicole le matin.
6. Envoyons le télégramme maintenant.
7. N'as-tu pas les photos d'identité?
8. Quand va-t-elle étudier les poètes romantiques?
9. Je ne comprends pas la leçon d'aujourd'hui.
10. Nous rencontrons nos amies au Syndicat d'Initiative.
11. Aidons la pauvre malade.

C. *Répondez aux questions suivantes en remplaçant les noms par des pronoms personnels* (Bande 3):

    MODÈLE: Rencontrez-vous *vos amis* en ville?
                Oui, je *les* rencontre en ville.

1. Envoyez-vous les paquets par avion?
2. Trouvez-vous votre chambre agréable?
3. Aimez-vous beaucoup les journaux français?
4. Apportez-vous le linge à laver?
5. Écoutez-vous quelquefois la radio le soir?
6. Connaissez-vous le musée du Louvre?
7. Attendez-vous l'autobus depuis longtemps?
8. Avez-vous votre carte de métro?
9. Voyez-vous souvent vos amis français?
10. Allez-vous acheter ces chaussettes?

D. *Répétez les phrases suivantes en substituant les mots indiqués* (Bande 3):

MODÈLE: Ce manteau est gris. (Et ces gants?)
Ces gants sont gris.

1. Ce gâteau est savoureux. (Et ces hors-d'œuvre?)
2. Ce mur est épais. (Et ces tapis?)
3. Ce travail est dangereux. (Et ces voyages?)
4. Cet animal est gros. (Et ces chiens?)
5. Ce bijou est précieux. (Et ces diamants?)
6. Ce chat est gras. (Et ces animaux?)
7. Ce propriétaire est généreux. (Et ces messieurs?)
8. Ce poisson est frais. (Et ces légumes?)
9. Ce jeune homme est amoureux. (Et ces jeunes gens?)
10. Ce roman est mauvais. (Et ces articles?)
11. Ce mari est jaloux. (Et ces enfants?)

E. *Répondez aux questions suivantes en employant les mots indiqués*
   (*Bande* 3):

1. Où se trouvent les Alpes? (Europe)
2. Où est Rouen? (Normandie)
3. Où aimeriez-vous passer vos vacances? (France—Suisse)
4. Où allez-vous l'année prochaine? (Italie—Allemagne)
5. Quels pays préférez-vous? (Mexique—Angleterre—Danemark)
6. Où avez-vous l'intention d'aller cet été? (Afrique—Asie)
7. Où fait-on de la belle dentelle? (Bretagne—Lorraine)
8. Quelle est une des plus vieilles provinces de la France? (Provence)
9. Quels pays voudriez-vous visiter? (Portugal—Espagne)
10. Quel est un des plus grands continents? (Amérique)

F. *Employez dans des phrases complètes les expressions à retenir qui se
   trouvent à la section II.*

V. COMPOSITION

A. *Dites, puis écrivez en français:*

1. Where are the photos of your trip? I'd like to show them to
   my sons.
2. Here they are. Show them to Philip too.
3. Philip is going to France. He's going to take courses at the
   Sorbonne.
4. France is a beautiful country. They say (**on dit**) it's the country
   of wines.

5. That's true, but Italy and Spain also have excellent wines.
6. Are Philip's relatives expecting him?—They are waiting for him in Paris with open arms.
7. What other countries would Philip like to visit?
8. Switzerland and Portugal. But there are also many other interesting countries to see.
9. Almost all of the old countries of Europe have marvellous monuments.
10. You have a good map of Paris; why don't you lend it to Philip?
11. Here it is. Take it. Give it to Philip.
12. Does Philip have his passport. He mustn't forget to carry it always.

B. *Vous êtes à Paris avec un de vos amis français. Vous devez aller à la préfecture de police pour y chercher votre carte d'identité et de là vous voulez vous rendre au Syndicat d'Initiative. Écrivez le dialogue entre vous et votre ami. Vous lui demanderez, par exemple:*

(1) où se trouve la préfecture de police;
(2) comment y aller—à pied, en taxi, en métro ou en autobus;
(3) à qui vous devez vous adresser;
(4) les papiers que vous devez apporter avec vous;
(5) comment aller au Syndicat d'Initiative en sortant de la préfecture de police;
(6) les renseignements qu'on peut obtenir concernant les musées de la ville, les excursions, les restaurants . . . etc.

VI. DICTÉE

A tirer de la troisième conversation.

VII. LECTURE

JULES ROMAINS: UNE CONSULTATION CHEZ UN MÉDECIN DE CAMPAGNE (*Bande 3*):

Jules Romains (né en 1885), romancier et dramaturge contemporain, a fait jouer avec le plus grand succès Knock ou Le Triomphe de la médecine.

Cette comédie burlesque met en scène un faux médecin réussissant à persuader tous les habitants d'un village qu'ils sont malades, et à s'enrichir grâce à la crédulité sans borne des gens. L'œuvre du romancier est impressionnante: on en retiendra la vaste série des Hommes de bonne volonté, *peuplée de très nombreux personnages, et des plus divers.*

La scène racontée ici, extraite de Knock, *se déroule dans le cabinet de consultation du médecin. Le docteur Knock vient d'arriver dans la commune. Les paysans ne vont pas souvent chez le médecin parce que cela coûte cher. Pour les attirer, le docteur décide que la première visite de ceux qui habitent la commune ne leur coûtera rien. La première cliente est une dame en noir qui pense être en bonne santé.*

KNOCK:	Ah! voici les consultants. . . . C'est vous qui êtes la première, madame? (*Il fait entrer la dame en noir et referme la porte.*) Vous êtes bien du canton?
LA DAME EN NOIR:	Je suis de la commune. 5
KNOCK:	De Saint-Maurice même?
LA DAME:	J'habite la grande ferme qui est sur la route de Luchère.
KNOCK:	Elle vous appartient?
LA DAME:	Oui, à mon mari, et à moi. 10
KNOCK:	Si vous l'exploitez vous-même, vous devez avoir beaucoup de travail?
LA DAME:	Pensez! monsieur, dix-huit vaches, deux bœufs, deux taureaux, la jument et le poulain, six chèvres, une bonne douzaine de cochons, sans 15 compter la basse-cour.

1 consultant m.: malade, patient
4 canton m.: subdivision d'un arrondissement. La France comprend des départements qui sont divisés administrativement en arrondissements lesquels sont divisés eux aussi en cantons. Un canton comprend plusieurs communes (villages).
10 mari m.: *husband*
11 exploiter: tirer un profit de; mettre en valeur

13 vache f.: *cow*
13 bœuf m.: *ox*
14 taureau m.: *bull*
14 jument f.: femelle du cheval
14 poulain m.: jeune cheval
15 chèvre f.: *goat*
15 cochon m. *pig*
16 basse-cour f.: partie d'une ferme où l'on élève la volaille (*poultry*)

From *Knock ou Le Triomphe de la médecine*, by Jules Romains. Paris, © Editions Gallimard. Reprinted by permission.

KNOCK:	Diable! Vous n'avez pas de domestiques?
LA DAME:	Dame si. Trois valets, une servante et les journaliers dans la belle saison.
20 KNOCK:	Je vous plains. Il ne doit guère vous rester de temps pour vous soigner.
LA DAME:	Oh! non.
KNOCK:	Et pourtant vous souffrez.
LA DAME:	Ce n'est pas le mot. J'ai plutôt de la fatigue.
25 KNOCK:	Oui, vous appelez ça de la fatigue (*Il s'approche d'elle.*) Tirez la langue. Vous ne devez pas avoir beaucoup d'appétit.
LA DAME:	Non.
KNOCK:	Vous êtes constipée.
30 LA DAME:	Oui, assez.
KNOCK:	(*Il l'ausculte.*) Baissez la tête. Respirez. Toussez. Vous n'êtes jamais tombée d'une échelle, étant petite?
LA DAME:	Je ne me souviens pas.
35 KNOCK:	(*Il lui palpe et lui percute le dos, lui presse brusquement les reins.*) Vous n'avez jamais mal ici, le soir, en vous couchant? Une espèce de courbature?
LA DAME:	Oui, des fois.
40 KNOCK:	(*Il continue de l'ausculter.*) Essayez de vous rappeler. Ça devait être une grande échelle.
LA DAME:	Ça se peut bien.
KNOCK:	(*Très affirmatif.*) C'était une échelle d'environ trois mètres cinquante, posée contre un mur.
45	Vous êtes tombée à la renverse. C'est la fesse gauche, heureusement, qui a porté.
LA DAME:	Ah! oui!

---

17 diable: *goodness!; good gracious!*
18 journalier m.: *day laborer*
20 plaindre: témoigner de la compassion; déplorer
21 soigner: *to care for*
26 langue f.: *tongue*
30 assez: *a bit*
31 ausculter: examiner
31 baisser: *to lower*
31 respirer: *to breathe*

31 tousser: *to cough*
32 échelle f.: *ladder*
35 palper: toucher avec la main
35 percuter: explorer par petits chocs (*tap*)
35 dos m.: *back*
36 rein m.: *kidney*; les reins: *lower back*
38 courbature f.: *stiffness*
39 des fois: *sometimes*
45 fesse f.: *buttock*

KNOCK:	Vous aviez déjà consulté le docteur Parpalaid?
LA DAME:	Non, jamais.
KNOCK:	Pourquoi? 50
LA DAME:	Il ne donnait pas de consultations gratuites. (*Un silence*)
KNOCK:	(*Il la fait asseoir.*) Vous vous rendez compte de votre état?
LA DAME:	Non. 55
KNOCK:	(*Il s'assied en face d'elle.*) Tant mieux. Vous avez envie de guérir, ou vous n'avez pas envie?
LA DAME:	J'ai envie.
KNOCK:	J'aime mieux vous prévenir tout de suite que ce sera très long et très coûteux. 60
LA DAME:	Ah! Mon Dieu! Et pourquoi ça?
KNOCK:	Parce qu'on ne guérit pas en cinq minutes un mal qu'on traîne depuis quarante ans!
LA DAME:	Depuis quarante ans?
KNOCK:	Oui, depuis que vous êtes tombée de votre 65 échelle.
LA DAME:	Et combien est-ce que ça me coûterait?
KNOCK:	Qu'est-ce que valent les veaux, actuellement?
LA DAME:	Ça dépend des marchés et de la grosseur. Mais on ne peut guère en avoir de propres à moins 70 de quatre ou cinq cents francs.
KNOCK:	Et les cochons gras?
LA DAME:	Il y en a qui font plus de mille.
KNOCK:	Eh bien! ça vous coûtera à peu près deux cochons et deux veaux. 75

51 gratuit: qui ne coûte rien
57 avoir envie de: vouloir
57 guérir: *to be cured*
59 prévenir: *to warm*
63 mal m.: *pain*

68 veau m.: le petit de la vache
70 propre: bon
73 font, 3ème personne du pluriel du présent du verbe faire: *go for*

QUESTIONNAIRE

1. Qui est Knock?
2. La dame en noir est-elle de la commune?

3. Qu'est-ce qu'un canton?
4. Où habite la dame en noir?
5. Où se trouve la grande ferme de la dame en noir?
6. A qui appartient-elle?
7. Quels sont les animaux de sa ferme?
8. Nommez les animaux d'une basse-cour.
9. La dame en noir a-t-elle des domestiques?
10. Le docteur Knock plaint-il la dame parce qu'elle n'a pas le temps de se soigner?
11. Souffre-t-elle?
12. Est-elle vraiment malade?
13. Qu'est-ce que le médecin lui demande de faire?
14. Que fait le médecin pendant l'auscultation?
15. Quand est-elle tombée d'une échelle?
16. Comment la dame est-elle tombée?
17. Pourquoi n'avait-elle jamais consulté le docteur Parpalaid?
18. La dame se rend-elle compte de son état?
19. Est-ce que sa maladie sera longue et coûteuse?
20. Combien valent les veaux actuellement?
21. Et les cochons?
22. Combien est-ce que cela lui coûtera?

LEÇON 4

I. CONVERSATION: Au restaurant *(Bande 4)*

PIERRE: Où sommes-nous?

PHILIP: 5, rue de la Bastille—chez Bofinger . . .

PIERRE: On y mange très bien, paraît-il . . .

PHILIP: Oui. Allons-y, si vous voulez. J'aime beaucoup la cuisine française.

PIERRE: Comme vous voulez . . . parce que je commence à avoir faim.

(Au restaurant)

PIERRE: Garçon, s'il vous plaît! . . . Une table pour deux—près de la fenêtre.

LE GARÇON	Certainement, monsieur . . . tout de suite! Préférez-vous dîner au menu . . . ou à la carte?
PIERRE:	A la carte, je pense. Quelles sont les spécialités de la maison?
LE GARÇON	La choucroute alsacienne et le homard à l'américaine . . .
PIERRE:	Non . . . pas de choucroute, c'est trop lourd le soir. Qu'est-ce que vous avez au menu?
LE GARÇON	Des hors-d'œuvre, du potage, un tournedos grillé, des légumes et du dessert.
PIERRE:	Non—ça non plus. Je vais prendre du poulet, des pommes de terre au four et des haricots verts.
LE GARÇON	Qu'est-ce que monsieur va prendre?
PHILIP:	Je voudrais d'abord une salade de tomates, puis un bifteck, des frites et des petits pois.
LE GARÇON	Comment voulez-vous votre bifteck? . . . Bien cuit, saignant ou à point?
PHILIP:	A point, s'il vous plaît.
LE GARÇON	Et comme boisson? Voici la carte des vins . . .
PIERRE:	Apportez-nous du vin rouge . . . un Bourgogne, par exemple! . . . et une bouteille d'eau minérale.
LE GARÇON	Et comme dessert? Des fruits, de la glace . . .?
PIERRE:	Avez-vous de la pâtisserie?
LE GARÇON	Oui, monsieur . . . des tartes aux pommes et aux fraises.
PIERRE:	Apportez-nous une tarte aux pommes, une glace au chocolat et des pêches.
LE GARÇON	Vous prenez du café?
PIERRE:	Oui . . . Deux filtres.
	(*Plus tard*)
PIERRE:	Garçon! L'addition, s'il vous plaît!
LE GARÇON	Voilà, monsieur. Le service est compris.

Questionnaire (*Bande 4*)

Répondez aux questions suivantes:

1. Où se trouve le restaurant Bofinger?
2. Pourquoi Pierre et Philip décident-ils d'y aller?
3. En entrant dans le restaurant, que demande Pierre au garçon?

4. Est-ce que Pierre veut dîner à la carte ou selon le menu?
5. Quelles sont les spécialités de la maison?
6. Pourquoi Pierre ne désire-t-il pas de choucroute?
7. Qu'y a-t-il au menu?
8. Qu'est-ce que Pierre va commander?
9. Est-ce que Philip prend la même chose?
10. Comment veut-il son bifteck?
11. Qu'est-ce que le garçon va apporter comme boisson?
12. Qu'est-ce que les deux amis prennent comme dessert?
13. Que demande-t-on au garçon à la fin d'un repas?

Dialogue

Demandez à un(e) étudiant(e):

1. comment il (elle) aime le bifteck. [L'étudiant(e) répondra à toutes les questions posées.]
2. quelle différence il y a entre un dîner à la carte et un dîner selon le menu.
3. quels légumes il (elle) préfère.
4. en quoi consistent les hors-d'œuvre.
5. de nommer un potage français.
6. quelle sorte de pommes de terre il (elle) préfère.
7. ce qu'il (elle) laisse au garçon après le dîner.
8. de nommer deux fromages français.
9. ce qu'il (elle) prend d'habitude quand il (elle) dîne au restaurant.
10. quels fruits il (elle) préfère.
11. ce que c'est qu'un filtre.
12. ce qu'il prend d'habitude comme boisson.

II. EXPRESSIONS A RETENIR

avoir besoin de	*to need*
avoir faim; avoir soif	*to be hungry; to be thirsty*
bien cuit; saignant; à point	*well done; rare; medium*
le menu	*the complete dinner; the menu*
dîner au menu	*to have the complete dinner*
le plat du jour	*today's special*
on y mange très bien	*the food is very good here*

prendre quelque chose | to have something to eat or drink
non plus | either, neither
se mettre à table | to sit down (to eat)
tout de suite | immediately

III. GRAMMAIRE

20. Partitive (L'article partitif)

Je vais prendre **du poulet.**
Avez-vous **de la pâtisserie?**
Apportez-nous **de l'eau minérale.**
Voudriez-vous **des haricots verts?**

A "partitive" denotes an indefinite quantity or part of a whole (English "some" or "any"). Before a noun, the partitive is generally expressed in French by **de** + definite article. The partitive must always be expressed in French even when "some" or "any" is merely implied in English.

Note: The definite article is generally omitted when the partitive noun follows a *negative* verb:

Ne prenez-vous pas **de café?**
Je ne désire pas **de potage.**

21. Irregular Plural of Nouns and Adjectives (Le pluriel irrégulier des noms et des adjectifs) (continued)

(a) le bureau | les bureaux
le cadeau | les cadeaux
le feu | les feux
le neveu | les neveux

beau | beaux
nouveau | nouveaux

Nouns and adjectives ending in **au** or **eau**, and nouns ending in **eu**, form the plural by adding **x** to the singular.

(b) l'animal | les animaux
le journal | les journaux
le travail | les travaux

oral | oraux
spécial | spéciaux

Nouns and adjectives ending in **al**, and a few nouns ending in **ail**, form the plural by changing **al** and **ail** to **aux**.

Exceptions:

le bal	*the dance*	les bals	*the dances*
le détail		les détails	

22. Cardinal Numbers (Les adjectifs numéraux cardinaux)   1–10

1	un (une)	6	six
2	deux	7	sept
3	trois	8	huit
4	quatre	9	neuf
5	cinq	10	dix

Note:

(1) With the exception of **un, une,** cardinal numbers are invariable in French.

(2) The final consonant of **cinq, six, huit,** and **dix** is not pronounced before words beginning with a consonant: **cinq biftecks, dix pêches.**

(3) The **x** of **deux, six,** and **dix,** and the **s** of **trois** are pronounced [z] before a word beginning with a vowel or a mute **h**: **deux étudiants, six hôtels.**

(4) The **f** of **neuf** is pronounced [v] before a few words beginning with a vowel or mute **h**: **neuf ans, neuf heures, neuf hommes, neuf autres.**

(5) No linking or elision occurs before **huit**: **le huit mars.**

23. Repassez dans l'appendice le présent de l'indicatif du verbe **vouloir** (*to wish, want*).

IV. EXERCICES

A. *Répétez les phrases suivantes en employant les pronoms indiqués (Bande 4):*

1. Comment veut-il le bifteck? (vous)
2. Elle commence à avoir faim. (je)

3. Nous voulons une table pour deux. (ils)
4. D'habitude il choisit du vin rouge. (nous)
5. A-t-il une chambre avec salle de bains? (tu)
6. Veux-tu des frites avec le rosbif? (il)
7. J'aime beaucoup la cuisine française. (elle)
8. Ils ne veulent pas déjeuner seuls. (nous)
9. A quelle rue sommes-nous? (ils)
10. Elle ne veut pas dîner chez Maxim. (elles)

B. *Répétez les phrases suivantes en substituant les mots indiqués précédés de l'article partitif convenable:*

1. Prends-tu du pain grillé pour le petit déjeuner?
   (jus d'orange, œufs, café)
2. Je vais commander du vin rouge.
   (bière, eau minérale, dessert)
3. Apportez-nous du fromage, s'il vous plaît.
   (poulet, frites, salade)
4. Voudriez-vous d'abord des hors-d'œuvre?
   (potage, tomates, viande)
5. Avez-vous de la pâtisserie?
   (sucre, crème, lait)
6. Ici on vend des journaux.
   (légumes, chocolat, glace)
7. Elle va acheter des petits pois.
   (farine, huile, haricots verts)
8. Voulez-vous des fraises?
   (pommes, gâteau, pêches)

C. *Répondez aux questions suivantes en mettant soit l'article défini soit l'article partitif devant les noms indiqués (Bande 4):*

MODÈLES: Qu'est-ce que vous allez acheter? (poires)
Je vais acheter des poires.

Qu'est ce qui coûte cher en France? (tabac)
Le tabac coûte cher en France.

1. Qu'est-ce que les Anglais aiment? (thé)
2. Qu'est-ce qu'on vend dans une boulangerie? (pain)
3. Qu'est-ce qui est une vertu? (charité)
4. Qu'est-ce qu'on prend pour un mal de tête? (aspirine)
5. Qu'est-ce qu'on voit dans un jardin? (fleurs)
6. Qu'est-ce qui est louable? (patience)
7. Qu'est-ce que vous cherchez? (journaux)

8. Qu'est-ce que vous allez prendre? (porc)
9. Qu'est-ce que vous voulez comme dessert? (tartes aux fraises)
10. Quels animaux sont dangereux? (lions)
11. Qu'est-ce que vous envoyez à vos amis? (photos)
12. Quels légumes aimez-vous? (carottes)
13. Qu'est-ce que vous buvez? (bière)

D. Répondez négativement aux questions suivantes (Bande 4):

MODÈLE: Allez-vous prendre du poulet?
          Non, je ne vais pas prendre de poulet.

1. Avez-vous des bagages à reconnaître?
2. Vend-on de la bière ici?
3. Veux-tu de la glace comme dessert?
4. Allez-vous commander de l'eau minérale?
5. Remplissent-ils des fiches pour l'hôtelier?
6. Est-ce que Nicole prend du café?
7. As-tu de l'argent français?
8. Cherchent-elles des chambres à louer?
9. Désirez-vous de la pâtisserie?
10. Apporte-t-on des hors-d'œuvre avant le dîner?
11. Y a-t-il de la place?
12. Ont-elles du travail à faire?

E. Transformez les phrases suivantes selon le modèle (Bande 4):

MODÈLE: Cette leçon est orale. (Et ces examens?)
          Ce sont des examens oraux.

1. Cette entreprise est nationale. (Et ces musées?)
2. Cette législation est sociale. (Et ces mouvements?)
3. Cette composition est trop générale. (Et ces sujets?)
4. Cette peinture est très originale. (Et ces tableaux?)
5. Cette situation est internationale. (Et ces problèmes)
6. Cette coutume est régionale. (Et ces traits?)
7. Cette fête est spéciale. (Et ces prix?)
8. Cette armée est loyale. (Et ces généraux?)
9. Cette chaise est nouvelle. (Et ces stylos?)
10. Cette cathédrale est belle? (Et ces châteaux?)

F. Mettez les noms et les adjectifs au pluriel (Bande 4):

1. Il me parle d'un projet municipal.
2. Le feu est parfois dangereux.

3. Quel beau vitrail!
4. Je n'aime pas lire ce journal provincial.
5. Nous allons parler d'un métal précieux.
6. Mon neveu est très studieux.
7. Où est votre nouveau manteau?
8. Il va acheter un cadeau spécial.

G. *Répondez aux questions suivantes* (*Bande 4*):

Combien font:	1 et 2	2 et 7
	3 et 4	3 et 2
	4 et 5	7 et 3
	6 et 2	5 et 1
	9 et 1	2 et 5

Combien font:	10 moins 5	5 moins 2
	7 moins 2	6 moins 3
	9 moins 3	4 moins 2
	8 moins 4	10 moins 6
	3 moins 1	9 moins 7

H. *Employez dans des phrases complètes huit des expressions à retenir qui se trouvent à la section II.*

V. COMPOSITION

A. *Dites, puis écrivez en français:*

1. I'm beginning to be hungry. Let's go for dinner at Charles'.
2. As you wish. It's a good restaurant and it's near here at 8 Madeleine Street.
3. Pierre says the food is very good there. One can have a good dinner there for 10 francs.
4. Do they have lobster on the menu?
5. No, but there's roastbeef, chicken, and steak.
6. I don't want any roastbeef. I'm going to have chicken, fried potatoes, salad, a strawberry tart and coffee.
7. And you, Philip, what are you going to order?—I think I'll have a steak, well done, baked potatoes, peas and ice cream.
8. And what do you wish to drink: wine, beer, or mineral water? —A bottle of red wine, please.
9. We also need two knives.

10. Are you going to study for your oral examinations tomorrow, Philip?

11. Yes, but first I must (**dois**) visit the Bureau of Public Works.

B. *Vous voulez aller déjeuner dans un restaurant de votre ville. Vous entrez dans le restaurant et appelez le garçon. Vous lui demandez s'il lui reste de la place. Écrivez un court dialogue sur les points suivants:*

(1) ce que le garçon vous suggère (le menu, la carte et les spécialités de la maison);

(2) votre choix (hors-d'œuvre, légumes, dessert . . .);

(3) ce que vous désirez boire.

VI. DICTÉE

A tirer de la quatrième conversation.

VII. LECTURE

PHILIPPE SOUPAULT: ENCORE LA LUNE (*Bande 4*)

Dans ce court poème, Philippe Soupault (né en 1897) place la lune dans son univers physique en la rapprochant de l'eau, de l'air, du soleil, de la terre et des points cardinaux.

Mais par son appel personnel («je te salue lune lune bleue»), le poète la situe aussi dans un monde humain et poétique fait de couleurs et de lyrisme.

Claire comme l'eau
bleue comme l'air
visage du feu et de la terre
je te salue lune lune bleue
fille du Nord et de la Nuit.

From *Chansons des Buses et des Rois* (1921-1937), by Philippe Soupault. Paris, Editions Eynard.

THÈME

In this short poem, the poet first compares the moon to the physical universe, air, water, sun, earth, and the cardinal points. In the poetic universe of Philippe Soupault, the moon also bears a human face, the face of a young girl, daughter of the North and the Night.

LEÇON 5

I. CONVERSATION: La Fondation des États-Unis
(Bande 5)

PHILIP:	Hé! Taxi! . . . Conduisez-moi à la Fondation des États-Unis, boulevard Jourdan.
LE CHAUFFEUR:	Je prends les quais, n'est-ce pas?
PHILIP:	Oui, prenez-les. Prenez le chemin le plus court.
LE CHAUFFEUR:	Ça y est! . . . Nous y sommes . . .
PHILIP:	Combien je vous dois?
LE CHAUFFEUR:	Dix francs, s'il vous plaît.
	(A *la Fondation des États-Unis*)
LA SECRÉTAIRE:	Oui, monsieur? Comment vous appelez-vous?

PHILIP: Philip Martin. Je vous ai écrit il y a trois semaines pour réserver une chambre.

LA SECRÉTAIRE: Asseyez-vous, Attendez-moi . . . je vais chercher votre dossier.

PHILIP: Avez-vous encore de la place?

LA SECRÉTAIRE: Oui . . . il nous reste quelques chambres individuelles.

PHILIP: Combien est-ce par jour?

LA SECRÉTAIRE: L'été, c'est dix francs . . . ce qui fait moins de deux dollars. Tenez! Remplissez cette demande d'admission . . .

PHILIP: Est-ce que je la remplis complètement?

LA SECRÉTAIRE: Non. Ne la remplissez pas complètement—nous avons votre dossier . . . mais signez au bas de la page.

PHILIP: C'est tout?

LA SECRÉTAIRE: Oui. Voici votre clé. La Fondation fournit les draps et les couvertures, sauf le savon et les serviettes de toilette.

PHILIP: Pouvez-vous me montrer ma chambre?

LA SECRÉTAIRE: Oui, bien sûr! Je vais vous montrer en même temps la bibliothèque et les salles de travail.

Questionnaire (Bande 5)

Répondez aux questions suivantes:

1. Comment Philip va-t-il à la Fondation des États-Unis?
2. Quel chemin le chauffeur prend-il?
3. Que demande la secrétaire à Philip?
4. Quand Philip lui a-t-il écrit?
5. Que va-t-elle chercher?
6. Y a-t-il encore de la place?
7. Combien coûte la chambre par jour?
8. Qu'est-ce que Philip doit remplir?
9. Pourquoi ne remplit-il pas complètement la demande d'admission?
10. Que fournit la Fondation?
11. Qu'est-ce que la secrétaire va montrer à Philip?

La Fondation des États-Unis

French Embassy Press & Information Division

Dialogue

Demandez à un(e) étudiant(e):

1. où il (elle) voudrait habiter. [L'étudiant(e) répondra à toutes les questions posées.]
2. ce qu'il (elle) dit au chauffeur quand il (elle) prend un taxi.
3. s'il (si elle) a une chambre à l'université ou en dehors de l'université.
4. ce qu'il (elle) doit faire pour réserver une chambre.
5. ce qu'on lui fournit en louant une chambre.
6. quel est le loyer de sa chambre ou de son appartement.
7. où se trouve la bibliothèque.
8. combien font deux dollars en francs français.
9. ce qu'il y a dans la salle où il (elle) travaille.
10. ce qu'il (elle) voudrait montrer aux personnes qui visitent son université.

II. EXPRESSIONS A RETENIR

aller chercher	*to go for, to go and get*
au bas de	*at (on) the bottom of*
bien sûr	*certainly, of course, yes indeed*
ça y est!	*that's it! all right!*
comment vous appelez-vous?	*what's your name?*
en même temps	*at the same time*
fournir quelque chose à quelqu'un	*to supply someone with something*
il y a trois semaines	*three weeks ago*
par jour	*a day, per day*
réserver une chambre	*to reserve a room*

III. GRAMMAIRE

24. Personal Pronouns; Indirect Objects (Les pronoms personnels, compléments indirects)

(a) Forms

SINGULAR		PLURAL	
me	(*to*) *me*	nous	(*to*) *us*
te	(*to*) *you*	vous	(*to*) *you*
lui	(*to*) *him*, (*to*) *her*	leur	(*to*) *them*

(b) Position

Le garçon apporte la carte des vins **à Pierre.**
Le garçon **lui** apporte la carte des vins.

Il écrit une lettre **à la secrétaire.**
Il **lui** écrit une lettre.

Envoyez-vous un télégramme **à vos parents?**
Leur envoyez-vous un télégramme?

Elle **me** montre ma chambre.
Combien je **te** dois?

The indirect personal-pronoun object normally stands immediately before the verb.[1]

Note:

(1) The first and second persons singular and plural of the indirect objects (**me, te, nous, vous**) have the same forms as the direct objects.

(2) The indirect object pronoun **lui** may mean "to him" or "to her."

(3) Before a verb, **leur** (*to them*) is an indirect object pronoun. Before a noun, **leur** (*their*) is a possessive adjective.

25. Imperative (L'impératif)

Remplissez cette demande d'admission.
Vendons la voiture.
Ne **signe** pas ton nom au bas de la page.
Ayez de la patience.
Ne **soyons** pas en retard.

The imperative is the form of command. The imperatives of nearly all verbs are identical with the second person singular and the second and first persons plural of the present indicative, without the subject pronouns:

---

[1] In a verb + infinitive phrase, the personal pronoun object stands immediately before the infinitive:

Je vais **lui** demander des renseignements.
On vient de **me** donner votre adresse.

entrer:	**entre**[1]	*enter* (familiar)
	entrez	*enter*
	entrons	*let us enter*
remplir:	**remplis**	*fill* (familiar)
	remplissez	*fill*
	remplissons	*let us fill*
vendre:	**vends**	*sell* (familiar)
	vendez	*sell*
	vendons	*let us sell*

Irregular imperatives of verbs studied thus far:

avoir:	**aie, ayez, ayons**
être:	**sois, soyez, soyons**
vouloir:	**veuillez**[2]

26. Position of Personal Pronoun Objects in the Imperative (La place des pronoms compléments à l'impératif)

Remplis **cette** fiche.
Remplis-**la**.

Réservons **les chambres**.
Réservons-**les**.

Prenez **le savon**.
Prenez-**le**

Donnez cinq francs **au chauffeur**.
Donnez-**lui** cinq francs.

Écrivons **à nos sœurs**.
Écrivons-**leur**.

In the affirmative imperative, the pronoun objects (both direct and indirect) follow the verb and are attached to it by a hyphen. In the negative imperative, however, the pronoun objects assume their regular position—before the verb:

Ne **la** remplis pas.
Ne **les** réservons pas.
Ne **le** prenez pas.

---

[1] The familiar imperative of **-er** verbs drops final **s**, except when followed by **y** or **en**.

[2] **Veuillez** (+ infinitive) has the meaning of *Please* or *Have the kindness*: **Veuillez venir avec moi.** *Please come with me.*

Ne **lui** donnez pas cinq francs.
Ne **leur** écrivons pas.

Note: **Me** and **te** become **moi** and **toi** after the verb:

Suivez-**moi.**

But

Ne **me** suivez pas.

27. Repassez dans l'appendice le présent de l'indicatif du verbe **pouvoir**
(*to be able, can, may*).

IV. EXERCICES

A. *Répétez les phrases suivantes en employant les pronoms indiqués*
(*Bande 5*):

1. Peut-il me montrer ma chambre? (vous)
2. Tu ne peux pas le faire. (il)
3. Ne pouvons-nous pas réserver ces chambres? (elles)
4. Il veut prendre le chemin le plus court. (je)
5. Elle ne fournit pas de serviettes. (nous)
6. Avez-vous encore de la place? (tu)
7. Veulent-ils me conduire à la gare? (il)
8. Ne pouvez-vous pas prendre ce train? (elle)
9. Je suis tranquille maintenant. (ils)
10. Je la remplis complètement. (vous)

B. *Mettez les phrases suivantes à l'impératif affirmatif et à l'impératif*
négatif (*Bande 5*):

MODÈLE: Nous parlons français à la maison.
          Parlons français à la maison.
          Ne parlons pas français à la maison.

1. Vous signez votre nom au bas de la page.
2. Nous choisissons le plat du jour.
3. Tu réponds à leurs questions.
4. Nous déclarons tout au douanier.
5. Vous conduisez Philip à l'aéroport.
6. Nous sommes prudents.

7. Tu téléphones à ton père.
8. Vous remplissez cette demande d'admission.
9. Nous prenons le chemin des quais.
10. Tu commandes un bifteck.
11. Nous buvons du vin.
12. Vous mettez votre nom sur la fiche.
13. Vous avez de la patience.
14. Nous suivons un cours de littérature.
15. Nous allons dîner chez Maxim.

C. *Répétez les phrases suivantes en remplaçant les noms par des pronoms personnels (Bande 5):*

MODÈLE: Elle loue un appartement *à ces dames.*
Elle *leur* loue un appartement.

1. Il demande à l'étudiant ce qu'il veut.
2. Elle obéit toujours à ses parents.
3. Écrivez-vous souvent à votre amie?
4. Qu'est-ce qu'ils expliquent aux touristes?
5. Elle répond très poliment à Philip.
6. Il offre une pâtisserie à Nicole.
7. Que raconte-t-il à Thérèse?
8. Nous allons dire cela à Jean.
9. Combien donnes-tu au chauffeur de taxi?
10. Elle dit à son mari d'être à l'heure.

D. *Répondez aux questions suivantes selon les modèles. Employez d'abord les noms indiqués, puis remplacez ces noms par des pronoms personnels (Bande 5):*

MODÈLES: Qu'est-ce que vous étudiez? (la leçon de français)
J'étudie la leçon de français.
Je l'étudie.

A qui écrit-il? (à son frère)
Il écrit à son frère.
Il lui écrit.

1. A qui pose-t-elle une question? (au professeur)
2. Que vient-il de réserver? (la chambre)
3. A qui parlent-ils? (à mes sœurs)
4. A qui donnes-tu un pourboire? (au garçon)
5. Que choisit-elle? (la robe bleue)
6. A qui rendez-vous le livre? (à Marie)

7. Qu'est-ce qu'il veut voir? (les salles de travail)
8. Que cherchent-ils? (les dossiers)
9. Qui grondez-vous sévèrement? (les enfants)
10. A qui demande-t-elle une explication? (à son mari)
11. Qu'est-ce que vous allez chercher? (les couvertures)
12. Qui attendez-vous? (la secrétaire)
13. A qui va-t-elle montrer la bibliothèque? (à Philip)
14. Qu'est-ce qu'il finit de remplir? (la fiche)
15. A qui présentes-tu tes papiers? (à l'agent de police)

E. *Répondez aux questions suivantes selon les modèles, en remplaçant les noms par des pronoms personnels* (Bande 5):

MODÈLES: Je commande *la spécialité de la maison?*
           Oui, commandez-*la*.
           Non, ne *la* commandez pas.

           J'écris *à vos sœurs?*
           Oui, écrivez-*leur*.
           Non, ne *leur* écrivez pas.

1. J'annonce tout de suite les nouvelles?
2. Je déclare tout au douanier?
3. Je parle sérieusement aux jeunes gens?
4. J'écoute la radio ce soir?
5. Je visite le musée demain?
6. Je téléphone à Mlle Durand?
7. Je répète les phrases à haute voix?
8. Je donne cinq francs au garçon?
9. Je prends le chemin des quais?
10. Je dis cela à Mme Germaine?
11. Je fournis les couvertures?
12. Je réponds à ce monsieur?

F. *Répétez les phrases suivantes en ajoutant les équivalents français des pronoms personnels indiqués* (Bande 5):

1. Passez le sel, s'il vous plaît. (me)
2. Ne pouvez-vous pas finir ce soir? (them)
3. Elle veut montrer en même temps la bibliothèque. (you)
4. Il loue une belle chambre au premier étage. (us)
5. Ne transmettez pas ce message. (to them)
6. Je vais envoyer un télégramme aujourd'hui. (him)
7. Disons la vérité. (her)

8. Ils parlent toujours en français. (to me)
9. Ne racontez pas cette histoire. (them)
10. Voulez-vous chanter maintenant? (it)

G. *Employez dans des phrases complètes huit des expressions à retenir qui se trouvent à la section II.*

V. COMPOSITION

A. *Dites, puis écrivez en français:*

1. We sent you a telegram a week ago to reserve a room.
2. Wait for me here. I'll go get your folder.
3. Do you still have some rooms left?
4. I'm reserving a double room with bath for you at ten dollars a day.
5. Do you supply us with sheets and blankets?
6. Yes, and if you want towels and soap, ask the chambermaid for them.
7. Here's an application. Fill it out completely and return it to my secretary.
8. Don't write your name and address here, write them on the bottom of the page.
9. Can you show us our room?
10. Of course, and I want to show you the library at the same time. Let's take the elevator.
11. Here's your key. Don't lose it, please.

B. *Nous sommes en septembre—c'est la rentrée universitaire. Vous venez d'arriver à votre «college» et immédiatement vous vous mettez à la recherche d'une chambre. Écrivez une courte composition en suivant ce plan:*

(1) Votre arrivée à l'université (en taxi, en train, en voiture . . .);
(2) Vos premiers contacts avec l'administration, vos camarades de classe;
(3) Les cours que vous allez suivre et les professeurs qui vont donner ces cours;
(4) Les conditions matérielles offertes aux étudiants: logement, bureau de placement, facilités de travail;
(5) En conclusion, vos impressions sur votre première journée à l'université.

VI. DICTÉE

A tirer de la cinquième conversation.

VII. LECTURE

ALPHONSE DE LAMARTINE: Invocation (*Bande 5*)

Alphonse de Lamartine (1790–1869) est l'un des plus grands poètes romantiques. Il a exprimé, dans une poésie sentimentale, souvent religieuse, lyrique et musicale, les sentiments qu'il éprouvait en face de la nature, en face de la vie et de la mort. Ses principaux recueils de poèmes sont: Premières méditations poétiques (1820), Nouvelles méditations (1823), Harmonies poétiques et religieuses (1830), Jocelyn (1836).

Seul au rendez-vous pris l'année précédente avec Julie Charles au lac du Bourget, près d'Aix-les-Bains, Lamartine évoque les heures passées avec celle qu'il a aimée et qui se trouve à présent malade à Paris. Ce passage du poème Le Lac *reflète toute l'angoisse du poète devant la fuite du temps et son désir d'éterniser son amour.*

«O temps, suspends ton vol! et vous, heures propices,
 Suspendez votre cours!
Laissez-nous savourer les rapides délices
 Des plus beaux de nos jours!

5 «Assez de malheureux ici-bas vous implorent:
 Coulez, coulez pour eux;
Prenez avec leurs jours les soins qui les dévorent;
 Oubliez les heureux.

«Mais je demande en vain quelques moments encore,
10 Le temps m'échappe et fuit;
Je dis à cette nuit: ‹Sois plus lente›; et l'aurore
 Va dissiper la nuit.

1 vol m.: *flight*	10 échapper: *to escape*
6 couler: *to flow on*	10 fuir: *to flee, fly away*
7 soin m.: attention	12 dissiper: *to scatter*

Alphonse de Lamartine
French Embassy Press & Information Division

«Aimons donc, aimons donc! de l'heure fugitive,
    Hâtons-nous, jouissons!
L'homme n'a point de port, le temps n'a point de rive;   15
    Il coule, et nous passons!»

14 se hâter: *to hasten*   15 rive f.: *shore*
14 jouir: *to enjoy*   16 passer: *to pass by*

THÈME

In this passage, the poet remembers the hours spent with Julie Charles and he invokes Time: "Oh Time, suspend your flight! and you, propitious hours, suspend your course!" Thus begins the sixth stanza of the poem. The poet wants to taste the swift delights of his happiest days. It is in vain that he asks for a few more moments. He says to the night, "Go more slowly," for dawn is going to scatter the night. "Let's love," cries the poet. "Let's enjoy the fleeting hour, for man has no harbor and time has no shore."

LEÇON 6

I. CONVERSATION: Les bouquinistes (*Bande 6*)

PIERRE: Quelle belle journée, n'est-ce pas!

PHILIP: Oui . . . on ne se croirait jamais en automne.

PIERRE: Si . . . car les nuits sont tout de même plus fraîches!

PHILIP: Oui, vous avez raison . . . Qu'est-ce que l'on fait?

PIERRE: Quelle heure est-il?

PHILIP: Il est onze heures et demie. Pourquoi?

PIERRE: Suivez-moi . . . nous allons traverser le Pont Saint-Michel et regarder les étalages des bouquinistes.

PHILIP: Où sont-ils?

PIERRE: Ils sont tous installés le long du quai. Les voyez-vous?

PHILIP: Ah, oui! Mais que vendent tous ces marchands?

PIERRE: Ils vendent à bon marché de vieux livres, de vieilles estampes et même des timbres-poste.

PHILIP: Ils vendent toutes sortes de choses, si je comprends bien.

PIERRE: Oui. Tenez, par exemple . . . Arrêtons-nous un moment . . . Voici de vieilles pièces et voilà des gravures intéressantes.

PHILIP: Somme toute, si on s'y connaît, on peut trouver de véritables occasions.

PIERRE: Eh oui! Tiens! Voici un bel exemplaire—et c'est un vieil exemplaire—des *Essais* de Montaigne!

PHILIP: La reliure est un peu abîmée, mais à ce prix . . . dix-huit francs —c'est une affaire sensationnelle!

PIERRE: Prenez votre temps . . . Vous pouvez jeter un coup d'œil sur les revues et les fameuses images d'Épinal.

PHILIP: C'est magnifique! On ne voit vraiment cela qu'à Paris . . .!

Questionnaire *(Bande 6)*

Répondez aux questions suivantes:

1. En quelle saison sommes-nous?
2. Comment sont les nuits en automne?
3. Pourquoi Pierre veut-il traverser le Pont Saint-Michel?
4. Où sont les étalages des bouquinistes?
5. Qu'est-ce que les bouquinistes vendent à bon marché?
6. Vendent-ils d'autres choses?
7. Si on s'y connaît, que peut-on trouver chez les bouquinistes?
8. Qui était Montaigne et qu'a-t-il écrit?
9. Que dit Philip de la reliure de l'exemplaire des *Essais*?
10. Sur quoi Philip peut-il jeter un coup d'œil?

Dialogue

Demandez à un(e) étudiant(e):

1. ce que c'est qu'un bouquiniste. [L'étudiant(e) répondra à toutes les questions posées.]
2. où il (elle) a déjà vu des bouquinistes.
3. s'il n'y a des bouquinistes qu'à Paris.

French Embassy Press & Information Division

4. ce qu'il (elle) achèterait à un bouquiniste.
5. pourquoi il (elle) aime les vieilles éditions.
6. quelle sorte de reliure il (elle) aime.
7. s'il (si elle) préfère les livres reliés ou brochés.
8. pourquoi il (elle) aime ou n'aime pas les livres de poche.
9. s'il (si elle) fait collection de timbres.
10. ce qu'on peut mettre dans un album.

II. EXPRESSIONS A RETENIR

à bon marché	*cheap*
avoir raison; avoir tort	*to be right, to be wrong*
c'est une occasion	*it's a bargain*
en automne	*in autumn*
jeter un coup d'œil sur	*to glance, look at*
le livre de poche	*the pocket book*
le long de	*along*
somme toute	*finally, in short, on the whole*
s'y connaître à (en) quelque chose	*to know all about something, to be a good judge (expert) of something*
tout de même	*anyhow, just the same, all the same*
un livre broché	*a paper-bound book, paperback*
un livre d'occasion	*a second-hand book*
un livre relié en toile	*a cloth-bound book*
un livre relié en cuir	*a leather-bound book*

III. GRAMMAIRE

28. Irregular Feminine of Adjectives (Le féminin irrégulier des adjectifs)

(a)
délicieux	délicieuse
fameux	fameuse
heureux	heureuse
jaloux	jalouse
sérieux	sérieuse

Most adjectives ending in x in the masculine singular change x to se in the feminine.

(b) actif   active
    bref   brève
    neuf   neuve

Adjectives ending in **f** in the masculine singular change **f** to **ve** in the feminine.

(c) **individuel**   **individuelle**
    personnel   personnelle
    quel   quelle
    pareil   pareille

    bon   bonne
    alsacien   alsacienne
    italien   **italienne**

    bas   basse
    gras   grasse
    gros   grosse

    sot   sotte
    muet   muette
    violet   **violette**

Most adjectives ending in **el, eil, on, ien, s, t** in the masculine singular double the consonant and add **e** in the feminine. Exceptions:

    français   **française**
    gris   grise
    prêt   prête
    idiot   **idiote**

(d) **blanc**   **blanche**
    franc   franche
    sec   sèche
    public   **publique**

Adjectives ending in **c** in the masculine singular change **c** to **che** or **que** in the feminine.

(e) **long**   longue

Adjectives ending in **g** in the masculine singular change **g** to **gue** in the feminine.

(f) **cher**   **chère**
    étranger   étrangère
    léger   légère

    complet   complète
    secret   secrète

Adjectives ending in **er** or **et** in the masculine singular change **er** to **ère** and **et** to **ète** in the feminine.

(g) flatteur   flatteuse
     menteur   menteuse
     trompeur   trompeuse

Most adjectives ending in **eur** in the masculine singular change **eur** to **euse** in the feminine. Exceptions:

     meilleur   meilleure
     supérieur   supérieure

(h) The following irregular feminine adjective forms do not come under any of the above classifications:

     doux   douce
     faux   fausse
     frais   fraîche
     favori   favorite
     roux   rousse

29. The Adjectives *beau, nouveau, vieux* (Les adjectifs *beau, nouveau, vieux*)

M. SING.	M. PL.	F. SING. & PL.
beau, bel	beaux	belle(s)
nouveau, nouvel	nouveaux	nouvelle(s)
vieux, vieil	vieux	vieille(s)

The adjectives **beau, nouveau,** and **vieux** have two forms in the masculine singular. The forms **bel, nouvel,** and **vieil** are used before masculine singular nouns beginning with a vowel or mute **h:**

un **beau** pont
un **nouveau** stylo
un **vieux** timbre-poste

But

un **bel** étalage
un **nouvel** ami
un **vieil** exemplaire

30. The Adjective *tout* (L'adjectif *tout*)

Montrez-moi **tout le dossier.**
Remplissez **toute la fiche.**
Tous les étalages des bouquinistes sont installés le long du quai.
Jetez un coup d'œil sur **toutes les revues.**
Nous allons en France **tous les ans.**
Je vais écrire à **toutes les familles.**

The adjective **tout** is usually followed by the definite article. It has the following forms and meanings:

tout	toute	*the whole, the entire*[1]
tous	toutes	*all, every*

Note the following idiomatic usages:

toute la journée	*the whole day*
tous les jours	*every day*
tout le monde	*everyone, everybody*
en tout cas	*at any rate, in any case*

31. Cardinal Numbers (Les adjectifs numéraux cardinaux) 11–20

11	onze		16	seize
12	douze		17	dix-sept
13	treize		18	dix-huit
14	quatorze		19	dix-neuf
15	quinze		20	vingt

Note:

(1) The final consonants of **dix-sept, dix-huit,** and **dix-neuf** are pronounced, except before a word beginning with a consonant or aspirate **h.**

(2) No linking or elision occurs before **onze: le onze mai.**

32. Repassez dans l'appendice le présent de l'indicatif et l'impératif du verbe **écrire.**

---

[1] **Tout, toute,** used without an article before the noun, means *every, any, all:*

Tout livre a ses mérites.	*Every book has it merits.*
Il n'a pas perdu **toute** bonté.	*He hasn't lost all goodness.*
Tout autre résultat m'aurait fâché.	*Any other result would have made me angry.*

IV. EXERCICES

A. *Répétez les phrases suivantes en employant les pronoms indiqués*
   (*Bande* 6):

   1. Nous leur écrivons au moins une fois par semaine. (elles)
   2. A qui écrit-elle? (tu)
   3. Il ne lui écrit jamais de longues lettres. (je)
   4. Vous pouvez jeter un coup d'œil sur ces revues. (nous)
   5. Veux-tu regarder les étalages des bouquinistes? (vous)
   6. Elles vendent toutes sortes de choses. (il)
   7. Il a toujours raison. (ils)
   8. J'écris à l'hôtel pour réserver une chambre. (elle)

B. *Répétez les phrases suivantes en substituant les mots indiqués*
   (*Bande* 6):

   MODÈLE: Ces hommes sont jaloux. (Et cette femme?)
             Cette femme est jalouse.

   1. Ces tableaux sont fameux. (Et cette statue?)
   2. Ces livres sont instructifs. (Et cette brochure?)
   3. Ces essais sont sensationnels. (Et cette pièce?)
   4. Ces professeurs sont parisiens. (Et cette étudiante?)
   5. Ces chiens sont gros. (Et cette chatte?)
   6. Ces pardessus sont gris. (Et cette cravate?)
   7. Ces mouchoirs sont blancs. (Et cette chemise?)
   8. Ces boulevards sont longs. (Et cette avenue?)
   9. Ces bagages sont légers. (Et cette valise?)
   10. Ces diamants sont faux. (Et cette pierre?)
   11. Ces portraits sont flatteurs. (Et cette peinture?)
   12. Ces objects sont neufs. (Et cette bicyclette?)
   13. Ces timbres sont vieux. (Et cette gravure?)
   14. Ces légumes sont frais. (Et cette viande?)
   15. Ces garçons sont heureux. (Et cette jeune fille?)

C. *Répétez chaque phrase avec la forme correcte de l'adjectif indiqué*
   (*Bande* 6):

   MODÈLE: Il y a une blanchisserie près de mon hôtel. (bon)
             Il y a une bonne blanchisserie près de mon hôtel.

   1. Voici un exemplaire des *Essais* de Montaigne. (beau)

   2. La Citroën est une petite voiture. (léger)
   3. Il va suivre un cours d'histoire. (ancien)
   4. Nous avons lu les romans de Balzac. (tout)
   5. Je désire un verre d'eau. (frais)
   6. Nous pouvons jeter un coup d'œil sur ces images. (fameux)
   7. Avez-vous écrit l'adresse sur la fiche? (complet)
   8. Il nous reste encore quelques chambres. (individuel)
   9. Elle est morte après une maladie. (long)
  10. J'aime beaucoup la musique. (italien)
  11. Ces estampes sont intéressantes. (vieux)
  12. Il me fait prononcer les deux lignes. (dernier)
  13. Elle lui donne des serviettes. (blanc)
  14. Au Moyen Age on donnait les pièces sur une grande place.
      (public)
  15. Mon amie Laure vient d'arriver. (cher)

D. **Transformez les phrases suivantes selon le modèle** (Bande 6):

   MODÈLE: Cette femme est belle. (Et cet homme?)
             C'est un bel homme.

   1. Ce livre est vieux. (Et cette gravure?)
   2. Ce paysage est beau. (Et cet endroit?)
   3. Cette pièce est nouvelle. (Et cet essai?)
   4. Cette couverture est vieille. (Et ce drap?)
   5. Cette gare est belle. (Et cet aéroport?)
   6. Cette actrice est vieille. (Et cet acteur?)
   7. Ce tableau est beau. (Et cette peinture?)
   8. Cette estampe est nouvelle. (Et ce timbre?)
   9. Cette chambre est belle. (Et cet appartement?)
  10. Cette marchande est vieille. (Et ce bouquiniste?)
  11. Ce métro est nouveau. (Et cet édifice?)
  12. Cet étalage est beau. (Et cet exemplaire?)
  13. Ce collège est vieux. (Et cette université?)

E. **Répétez chaque phrase avec l'équivalent français de l'adjectif indiqué**
   (Bande 6):

   1. L'année prochaine je vais suivre des cours de sciences. (natural)
   2. Est-ce la porte à droite ou à gauche? (first)
   3. Les estampes ne m'intéressent pas beaucoup. (old)
   4. Nous allons étudier les poètes symbolistes. (all)

5. Laquelle de ces voitures préférez-vous? (foreign)
6. Il y a toujours une queue à cette heure-là. (long)
7. Combien coûtent ces blouses? (white)
8. Versailles est une ville près de Paris. (famous)
9. Molière a créé de vrais types. (universal)
10. Voici un exemplaire de *Phèdre*. (fine)
11. Y a-t-il beaucoup de routes en France? (good)
12. A-t-elle une conception de l'art? (false)
13. J'aime les pommes. (sweet)
14. Voici une édition des œuvres de Balzac. (complete)

F. *Additionnez*:

Combien font:
11 et 2	14 et 6
4 et 7	15 et 4
6 et 7	9 et 3
8 et 9	7 et 8
10 et 2	13 et 3

G. *Multipliez*:

Combien font:
3 fois 4	9 fois 2
5 fois 3	7 fois 2
6 fois 3	2 fois 10
2 fois 8	4 fois 4
4 fois 5	6 fois 2

H. *Employez dans des phrases complètes huit des expressions à retenir qui se trouvent à la section II.*

V. COMPOSITION

A. *Dites, puis écrivez en français*:

1. Let's stop for a moment. I'd like to glance at those old prints.
2. Take your time. I want to look at all those bookdealers' displays.
3. What do the bookdealers sell?—All sorts of interesting things: old books, old coins, stamps, etc.
4. Look, here's a beautiful copy of the complete works of Corneille.

5. The binding is a little damaged, but at this price, twelve francs, it's a real bargain.
6. I'm going to buy it for my dear friend, Nicole.
7. It has all of her favorite plays.
8. Does Nicole go to your school, Pierre?—No, she goes to one of the new public schools.
9. Generally, these schools are very good.
10. I love to hear Nicole speak French because she has a beautiful voice.
11. You're right, but I find that she is a little too serious.
12. Nicole is an excellent student. Her whole family is very proud of her.

B. *Vous venez de vous arrêter à l'étalage d'un bouquiniste. Vous cherchez à droite et à gauche une édition rare parmi les vieux livres. Écrivez sous forme de dialogue la conversation que vous avez avec le marchand. Vous lui demanderez par exemple:*

(1) s'il possède l'édition en question;
(2) si l'édition est complète;
(3) le prix;
(4) s'il peut baisser son prix car la reliure est abîmée.
(5) En conclusion, vous pouvez parler du livre que vous venez d'acheter à si bon prix et des belles gravures et estampes que vous avez admirées.

VI. DICTÉE

A tirer de la sixième conversation.

VII. LECTURE

CHARLES CROS: LE HARENG SAUR (*Bande 6*)

Charles Cros (1842–1888) a fait des études d'autodidacte. C'est un poète mais aussi un homme de science qui, à l'Exposition Universelle de 1867, présente un télégraphe automatique de son invention. Dix ans plus tard, il remet à l'Académie des Sciences un «paléophone» qui n'est autre que le premier phonographe que va inventer Edison l'année suivante. Il est aussi l'animateur et le fondateur de plusieurs cercles: «Les Hydropathes», les cercles du «Chat noir» et des «Zutistes» (le dernier a pour devise: «Rien pour l'Utile, Tout pour l'Agréable»).

Malgré l'admiration d'artistes comme Manet, Charles Cros, le poète de l'absurde et de la solitude, reste complètement ignoré et même méconnu. Il ne devait avoir sa revanche posthume que grâce aux surréalistes qui vont le célébrer comme un de leurs inspirateurs.

Le beau est toujours bizarre.

Charles Baudelaire

Il était un grand mur blanc—nu, nu, nu
Contre le mur une échelle—haute, haute, haute,
Et, par terre, un hareng saur—sec, sec, sec.

Il vient, tenant dans ses mains—sales, sales, sales,
Un marteau lourd, un grand clou—pointu, pointu, pointu,   5
Un peloton de ficelle—gros, gros, gros.

Alors il monte à l'échelle—haute, haute, haute,
Et plante un clou pointu—toc, toc, toc,
Tout en haut du grand mur blanc—nu, nu, nu.

Il laisse aller le marteau—qui tombe, qui tombe, qui tombe,   10
Attache au clou la ficelle—longue, longue, longue,
Et, au bout, le hareng saur—sec, sec, sec.

bizarre adj.: *peculiar*	5 lourd: *heavy*
1 Il était: Il y avait	5 clou m.: *nail*
1 nu: *bare*	6 peloton m.: *ball*
2 échelle f.: *ladder*	6 ficelle f.: *string*
3 saur: salé; fumé	8 planter: *to drive in*
3 sec: *dry*	8 toc: *tap, rap*
4 tenir: *to hold*	10 laisser aller: *to let fall*
4 sale: *dirty*	10 tomber: *to fall*
5 marteau m.: *hammer*	12 bout m.: *end, tip*

Il redescend de l'échelle—haute, haute, haute,
L'emporte avec le marteau—lourd, lourd, lourd;
15   Et puis, il s'en va ailleurs—loin, loin, loin.

Et, depuis, le hareng saur—sec, sec, sec,
Au bout de cette ficelle—longue, longue, longue,
Très lentement se balance—toujours, toujours, toujours.

J'ai composé cette histoire—simple, simple, simple,
20   Pour mettre en fureur les gens—graves, graves, graves,
Et amuser les enfants—petits, petits, petits.

13 redescendre: *to step down again*   18 lentement: *slowly*
14 emporter: *to carry away*   20 mettre en fureur: *to annoy*
14 s'en aller: *to go away*   20 grave: *serious*

QUESTIONNAIRE

1. Qui est Charles Cros?
2. Quelles études a-t-il faites?
3. Qu'a-t-il présenté à l'Exposition Universelle de 1867?
4. Qu'a-t-il remis à l'Académie des Sciences dix ans plus tard?
5. De quels cercles était-il l'animateur et le fondateur?
6. Quelle est la devise du cercle des "Zutistes"?
7. Quel est l'artiste qui a admiré Charles Cros?
8. Quand Charles Cros aura-t-il sa revanche?
9. Grâce à qui?
10. Quel est le titre de la poésie?
11. Combien y a-t-il de strophes dans cette poésie?
12. Décrivez le mur. Comment est-il?
13. Qu'y a-t-il contre le mur?
14. Et par terre? Qu'est-ce qui se trouve par terre?
15. Qui est-ce qui vient?
16. Que tient l'homme dans ses mains?
17. Comment sont les mains de l'homme? Pourquoi?
18. Quelles sont les différentes actions qu'accomplit l'homme?
19. Que fait le hareng saur à présent?
20. Pourquoi le poéte a-t-il composé cette histoire?

Leçon 7

I. CONVERSATION: Au bureau de tabac *(Bande 7)*

LE BURALISTE: Comment allez-vous, M. Martin? . . . Je ne vous ai pas vu depuis huit jours!

PHILIP: Ça va mieux. J'ai attrapé un rhume et je me suis arrêté de fumer pendant quinze jours.

LE BURALISTE: Vous savez . . . ce n'est pas étonnant avec le temps que nous avons eu—un jour, if fait beau, le lendemain, il fait froid!

PHILIP: Je n'ai jamais vu cela de ma vie!

LE BURALISTE: Croyez-moi . . . avec toutes leurs expériences scientifiques, ils ont fini par dérégler le temps—je vous le dis.

PHILIP: Ah! Vous êtes bien Français . . . superstitieux!

LE BURALISTE: A part cela, qu'est-ce que vous prenez aujourd'hui?

PHILIP: Donnez-moi donc un paquet de Chesterfield . . .

LE BURALISTE: Je regrette. Je n'ai plus cette marque en ce moment.

PHILIP: Ça ne fait rien—je vais prendre un paquet de Gitanes avec filtre.

LE BURALISTE: C'est tout? . . . Vous avez pris votre journal?

PHILIP: Oui . . . . mais vous avez oublié de me donner des allumettes?

LE BURALISTE: Pas du tout! Vous savez qu'en France le tabac et les allumettes sont le monopole de l'État. Il faut les payer.

PHILIP: Ah! Aux États-Unis, on nous les donne automatiquement avec chaque paquet de cigarettes.

LE BURALISTE: Vous ne prenez rien d'autre?

PHILIP: Si . . . je vais prendre aussi des cartes postales.

LE BURALISTE: Quelles cartes avez-vous choisies—celles à trente ou à cinquante?

PHILIP: Celles à cinquante en couleur. Donnez-moi aussi cinq timbres à quatre-vingt-cinq et dix à quarante.

LE BURALISTE: Vous ne prenez pas de billet de loterie cette fois-ci? C'est demain le tirage.

PHILIP: Non, non, non! Je n'ai jamais de chance!

Questionnaire (Bande 7)

Répondez aux questions suivantes:

1. Depuis combien de temps le buraliste n'a-t-il pas vu Philip?
2. Pourquoi Philip s'est-il arrêté de fumer?
3. Quel temps fait-il?
4. Quelle marque de cigarettes Philip demande-t-il au buraliste?
5. Qu'est-ce que le buraliste a oublié de donner à Philip?
6. Qu'est-ce qui est le monopole de l'État en France?
7. Faut-il payer les allumettes aux États-Unis?
8. Quelles cartes postales Philip a-t-il choisies?

9. Combien de timbres veut-il?
10. Pourquoi ne prend-il pas de billet de loterie?
11. Quand sera le tirage?

Dialogue

Demandez à un(e) étudiant(e):

1. ce qu'on vend dans un bureau de tabac. [L'étudiant(e) répondra à toutes les questions posées.]
2. quelle marque de cigarettes il (elle) préfère.
3. s'il (si elle) préfère les cigarettes avec filtre ou sans filtre.
4. depuis combien de temps il (elle) fume.
5. à quoi sert un briquet.
6. où il (elle) achète ses cigarettes.
7. s'il (si elle) préfère les cigarettes américaines aux marques étrangères.
8. ce que c'est qu'un cendrier.
9. ce que c'est qu'un étui à cigarettes.
10. quel temps il fait aujourd'hui.

II. EXPRESSIONS A RETENIR

à part cela	*aside from that, apart from that*
attraper un rhume	*to catch (a) cold*
avoir de la chance	*to be lucky*
ça ne fait rien	*it makes no difference, it (that) doesn't matter*
ça va mieux	*I'm better, I feel better*
en ce moment	*at this moment, right now*
finir par faire quelque chose	*to end in (by) doing something*
huit jours; quinze jours	*a week; two weeks*
il fait beau; il fait mauvais	*the weather is fine; the weather is bad*
il fait froid; il fait chaud	*it's cold (weather); it's warm, it's hot (weather)*
le briquet; le cendrier	*the (cigarette) lighter; the ash tray*
l'étui à cigarettes	*the cigarette case*
pas du tout	*not at all*
rien d'autre?	*anything else? nothing else?*

III. GRAMMAIRE

33. Past Participle of Regular Verbs (Le participe passé des verbes réguliers)

(a) To form the past participle of regular verbs, add the appropriate ending (é, i, or u) to the infinitive stem:

1st Conjugation:	parlǝr	parlé
2nd Conjugation:	remplir	rempli
3rd Conjugation:	vendre	vendu

(b) The following are the irregular past participles of verbs studied thus far:

avoir	eu
être	été
écrire	écrit
pouvoir	pu
vouloir	voulu

34. Uses of the Past Participle (Les emplois du participe passé)

(a) une leçon écrite
une langue parlée
La porte est fermée.

The past participle may be used as an adjective, either after a noun or as a predicate after the verb être. When so used, it agrees in gender and number with the noun it modifies.

(b) Il a acheté un paquet de cigarettes.
Elle est entrée dans le bureau de tabac.

The past participle is used with the auxiliary verb avoir or être to form the compound tenses.

35. Compound Past (Le passé composé)

(a) j'ai parlé   *I spoke, have spoken, did speak*
tu as parlé
il (elle) a parlé
nous avons parlé
vous avez parlé
ils (elles) ont parlé

(b) j'ai rempli   (c) j'ai vendu
     tu as rempli   tu as vendu
     il (elle) a rempli   il (elle) a vendu
     nous avons rempli   nous avons vendu
     vous avez rempli   vous avez vendu
     ils (elles) ont rempli   ils (elles) ont vendu

(d) j'ai eu (été, écrit, voulu)
     tu as eu (été, écrit, voulu)
     il (elle) a eu (été, écrit, voulu)
     nous avons eu (été, écrit, voulu)
     vous avez eu (été, écrit, voulu)
     ils (elles) ont eu (été, écrit, voulu)

The compound past of most verbs consists of the present tense of
the auxiliary verb **avoir** plus the past participle of the main verb.

Note: The compound past may have three equivalents in
English. **J'ai parlé** may mean *I spoke, I have spoken* or *I did
speak*; **j'ai eu**, *I had, I have had, I did have.*

36. Use of the Compound Past (L'emploi du passé composé)

J'ai écrit à la secrétaire il y a trois semaines.
Philip **a attrapé** un rhume.
Vous **avez oublié** de me donner mes allumettes.
Hier nous **avons regardé** les étalages des bouquinistes.
Avez-vous **pris** votre journal?
Il **a** beaucoup **appris** dans votre cours.

The compound past is normally used in conversation, correspondence,
and informal writing to express a completed past action or to report
a fact.

Note:

(1) When the compound past is used negatively, **ne** precedes the
     auxiliary verb and **pas** follows it:

     Je **n'**ai **pas** acheté de cartes postales.
     N'ont-ils **pas** fait bon voyage?

(2) In the compound past, the direct and indirect object pronouns
     precede the auxiliary verb:

     Où **l'**avez-vous acheté?
     Je ne **vous** ai pas vu depuis huit jours.
     Il **m'**a écrit il y a une semaine.

37. Agreement of Past Participle (L'accord du participe passé)

Avez-vous rempli **votre demande?** — Oui, je l'ai remplie.
Elle a lu **les journaux.** Elle **les** a **lus.**
Quelles cartes avez-vous choisies?
Quels livres vous a-t-il vendus?

The past participle of a verb conjugated with **avoir** agrees in gender and number with the *preceding direct object,* noun or pronoun.[1] This agreement is in most past participles merely a matter of spelling and does not affect pronunciation.

38. Repassez dans l'appendice le présent de l'indicatif, l'impératif et le passé composé du verbe **lire.**

IV. EXERCICES

A. *Répétez les phrases suivantes en employant les pronoms indiqués* (*Bande* 7):

1. Elle lit le journal chaque matin. (je)
2. Où a-t-il lu cela? (vous)
3. Qu'est-ce qu'ils lisent? (il)
4. Nous n'avons pas lu cet article. (elles)
5. Il ne veut pas prendre de billet de loterie. (je)
6. J'ai voulu lui rendre visite. (ils)
7. Elle ne peut pas sortir ce soir. (nous)
8. Il a pu arriver facilement à temps. (tu)
9. Je leur écris de temps en temps. (elle)
10. Il lui a écrit il y a huit jours. (nous)

B. *Transformez les phrases suivantes selon le modèle* (*Bande* 7):

MODÈLE: J'ai payé à la caisse. (Et Charles?)
Il a payé à la caisse.

---

[1] Note that the past participle also agrees with the relative object pronoun **que** referring back to a feminine or plural noun in the main clause and functioning as a preceding direct object in the relative clause:

Voici **les timbres** qu'ils m'ont donnés.
Voilà **la lettre que** j'ai écrite.

1. Ils ont perdu leur temps à bavarder. (Et Paulette?)
2. Il a vendu à bon marché toutes sortes de choses. (Et ses amis?)
3. Elle a réussi à ses examens. (Et Robert et moi?)
4. J'ai attrapé un rhume. (Et M. Martin?)
5. Ils ont choisi des cartes en couleur. (Et vous?)
6. Vous avez oublié de me donner des allumettes. (Et le buraliste?)
7. Tu lui as écrit pour réserver une chambre. (Et les Sauvin?)
8. J'ai lu des journaux français. (Et Antoine et sa sœur?)
9. Nous avons rempli toutes ces fiches. (Et la secrétaire?)
10. Elle lui a montré la bibliothèque. (Et Madeleine et vous?)
11. Il a téléphoné à ses parents. (Et Nicole et Jacqueline?)

C. *Remplacez le présent par le passé composé* (Bande 7):

MODÈLE: Ils *regardent* les étalages.
          Ils *ont regardé* les étalages.

1. Quelles cartes choisissez-vous?
2. Il les accompagne au bureau de tabac.
3. Qu'est-ce que ces marchands vendent?
4. Je commence à avoir faim.
5. Nous pouvons jeter un coup d'œil sur les revues.
6. L'histoire qu'il vous raconte n'est pas vraie.
7. Le professeur lit les compositions.
8. Combien de fois par mois écrit-il à sa mère?
9. Elle veut me prêter son parapluie.
10. Pendant le dîner, les deux amis causent un peu.
11. Sont-elles fatiguées?
12. Je n'ai jamais de chance.
13. Elle ne peut pas se lever à l'heure.
14. Où attends-tu l'autobus?

D. *Répondez aux questions suivantes en remplaçant les compléments directs par des pronoms* (Bande 7):

MODÈLE: Avez-vous envoyé *les paquets* par avion?
          Oui, je *les* ai envoyés par avion.

1. Avez-vous payé les cigarettes?
2. As-tu pris les cartes postales?
3. A-t-elle rempli la demande d'admission?
4. Ont-ils regardé les étalages des bouquinistes?
5. As-tu écrit ton adresse sur la fiche?
6. Avez-vous présenté Nicole à vos parents?

7. A-t-il compris la leçon d'aujourd'hui?
8. As-tu vu les bâtiments de l'université?
9. Avez-vous cherché leurs dossiers?
10. Ont-elles apporté les robes à nettoyer?
11. A-t-il donné la clé à Philip?
12. Avez-vous répétez les phrases à haute voix?
13. A-t-elle appris la conversation par cœur?

E. *Répondez aux questions suivantes selon le modèle* (Bande 7):

MODÈLE: Prépare-t-elle sa leçon de français?
          Elle l'a déjà préparée.

1. Étudiez-vous les auteurs classiques?
2. Lis-tu les romans de Flaubert?
3. Écrit-elle la lettre à son amie?
4. Passent-ils leurs examens?
5. Achetez-vous les cartes postales?
6. Distribue-t-il les prix?
7. Réserve-t-elle cette chambre?
8. Regardes-tu les livres à la vitrine?
9. Finissez-vous vos exercices?
10. Rends-tu tes livres à la bibliothèque?

F. *Transformez les phrases suivantes selon le modèle* (Bande 7):

MODÈLE: Voilà les gants. J'ai trouvé ces gants.
          Voilà les gants que j'ai trouvés.

1. Voilà la clé. Tu as perdu cette clé.
2. Voilà les télégrammes. J'ai reçu ces télégrammes.
3. Voilà la pâtisserie. Il a commandé cette pâtisserie.
4. Voilà les couvertures. La pension nous a fourni ces couvertures.
5. Voilà les salles de travail. Elle nous a montré ces salles de travail.
6. Voilà les paquets. Il nous a envoyé ces paquets.
7. Voilà la lettre. Elle m'a écrit cette lettre.
8. Voilà les robes. Vous avez choisi ces robes.
9. Voilà la route. Ils ont pris cette route.
10. Voilà les timbres. Il m'a donné ces timbres.
11. Voilà les cartes. Vous avez choisi ces cartes.
12. Voilà la chambre. Elles ont loué cette chambre.

G. *Employez dans des phrases complètes huit des expressions à retenir qui se trouvent à la section II.*

V. COMPOSITION

A. *Dites, puis écrivez en français:*

1. How are you, Philip? I haven't seen you for a week. Were you ill?
2. The weather was so bad last week that I caught a cold.
3. What did you do yesterday?—I read the play you lent me and I finished all of my French written exercises.
4. And you, Pierre, how did you spend the day yesterday?
5. I crossed the Saint-Michel bridge, and I looked at all the displays of the bookdealers along the Seine.
6. I was lucky; I found this fine copy of Baudelaire's poems.
7. Didn't you buy any old prints?—I looked for them but I couldn't find them.
8. Aren't these colored postcards nice?—They're beautiful. Where did you buy them?
9. At the tobacco shop. The tobacconist sold them to me at a special price.
10. I also bought a newspaper and some cigarettes for you.
11. Which cigarettes did you buy? I hope you chose my brand.
12. I did not forget the brand you smoke. I chose Gitanes.
13. Can you give me Nicole's address, Pierre? You gave it to me last week, but I lost it.

B. *Il est huit heures du matin. Avant d'aller à l'université, vous vous arrêtez au bureau de tabac. Vous devez attendre votre tour car il y a beaucoup de monde. Écrivez une composition relatant votre conversation avec le buraliste et les personnes qui attendent avec vous dans le bureau de tabac. Vous pouvez adopter le plan suivant et parler:*

(1) du temps qu'il fait;
(2) des nouvelles du jour;
(3) de ce que vous prenez: cigarettes, cigares, journal, revues, timbres, etc.

VI. DICTÉE

A tirer de la septième conversation.

VII. LECTURE

ALFRED DE MUSSET: Tristesse (*Bande 7*)

Alfred de Musset (1810–1857), *dont les* Comédies et Proverbes *sont sans doute le chef d'œuvre, a écrit aussi un drame,* Lorenzaccio, *des* Contes, *des* Nouvelles, *un roman,* La Confession d'un enfant du siècle, *et des poésies.*

«Prince des poètes» pour certains, il a été «l'enfant terrible» du romantisme. C'est au cours d'une de ses visites auprès de son ami Alfred Tattet qui avait une propriété à Bury, près de la forêt de Montmorency, que Musset écrivit, en juin 1840, Tristesse. *Ce sonnet fut publié le 1ᵉʳ décembre 1841 dans la* Revue des Deux Mondes.

> J'ai perdu ma force et ma vie,
> Et mes amis et ma gaîté;
> J'ai perdu jusqu'à la fierté
> Qui faisait croire à mon génie.
>
> Quand j'ai connu la Vérité,   5
> J'ai cru que c'était une amie;
> Quand je l'ai comprise et sentie,
> J'en étais déjà dégoûté.
>
> Et pourtant elle est éternelle,
> Et ceux qui se sont passés d'elle   10
> Ici-bas ont tout ignoré.
>
> Dieu parle, il faut qu'on lui réponde.
> Le seul bien qui me reste au monde
> Est d'avoir quelquefois pleuré.

3 fierté f.: *pride*
4 croire: *to believe*
5 connaître: *to know*

5 vérité f.: *truth*
10 se passer de: *to do without*
14 pleurer: *to weep*

Alfred de Musset
French Embassy Press & Information Division

QUESTIONNAIRE

1. Qui est Alfred de Musset?
2. Qu'a-t-il écrit?
3. Où a-t-il écrit *Tristesse*?
4. En quelle année?
5. A quelle date le poème a-t-il été publié?
6. Dans quelle revue a-t-il été publié?
7. Combien y a-t-il de vers dans le poème?
8. Combien y a-t-il de strophes?
9. Comment appelle-t-on une strophe de quatre vers?
10. Comment appelle-t-on une strophe de trois vers?
11. Comment appelle-t-on un poème composé de deux quatrains et de deux tercets?
12. Comment pourriez-vous intituler chaque strophe?
13. Qu'est-ce que le poète a perdu?
14. Comment considère-t-il la Vérité?
15. Que faut-il faire lorsque Dieu parle?
16. Quel est le seul bien qui reste au poète?
17. Quelle est la disposition des rimes dans ce poème?

LEÇON 8

I. CONVERSATION: A la poste (*Bande 8*)

PIERRE: J'ai essayé de vous téléphoner hier matin mais la ligne était occupée.

PHILIP: Ce n'est pas possible—je suis resté chez moi. C'est moi qui vous ai probablement donné un mauvais numéro.

PIERRE: Qu'avez-vous fait aujourd'hui?

PHILIP: Je suis allé ouvrir un compte à la banque et toucher les chèques de voyages qui me restaient.

PIERRE: A quelle banque?

PHILIP: A la banque que vous m'avez indiquée—à la Société Générale.

PIERRE: Très bien! Où allez-vous à présent?

PHILIP: A la poste. Je vais prendre mon courrier et envoyer un
            mandat.

PIERRE: Ça ne vous fait rien si je vous accompagne un petit bout?

PHILIP: Non . . . au contraire! D'ailleurs, nous sommes arrivés.
            Voici la poste à laquelle je dois aller.
            (A *la poste: au guichet de la poste restante*)

PHILIP: Vous n'avez rien au nom de Philip Martin?

LA POSTIÈRE: Si . . . il y a trois lettres dont une recommandée. Avez-vous
            une carte d'identité ou votre permis de conduire?

PHILIP: Oui. Tenez, le voilà . . . Combien faut-il pour affranchir
            une lettre pour les États-Unis?

LA POSTIÈRE: Par bateau ou par avion?

PHILIP: Par avion.

LA POSTIÈRE: Quatre-vingt-cinq centimes.

PHILIP: Voudriez-vous me donner trois timbres à vingt-cinq et un à
            dix, s'il vous plaît.

LA POSTIÈRE: Voilà, monsieur.

PHILIP: Je voudrais aussi faire recommander cette lettre et envoyer
            un mandat.

LA POSTIÈRE: Allez au deuxième guichet—à droite—vous trouverez à qui
            parler.

Questionnaire (*Bande 8*)

Répondez aux questions suivantes:

1. Qu'est-ce que Pierre a essayé de faire hier matin?
2. Que répond Philip quand Pierre lui dit que la ligne était occupée?
3. Pourquoi Philip est-il allé à la banque?
4. A quelle banque est-il allé?
5. Pourquoi Philip va-t-il à la poste?
6. Arrivé à la poste, à quel guichet va-t-il?
7. A qui parle-t-il au guichet de la poste restante?
8. Que demande Philip à la postière?
9. Que doit-il montrer à la postière avant de recevoir ses lettres?
10. Des États-Unis, combien faut-il pour affranchir une lettre par avion?
11. Combien de timbres Philip veut-il?
12. Où va-t-il pour faire recommander sa lettre et envoyer un mandat?

La «grande poste» de Paris, rue du Louvre
French Embassy Press & Information Division

Dialogue

> *Demandez à un(e) étudiant(e):*

1. où il (elle) va pour toucher un chèque. [L'étudiant(e) répondra à toutes les questions posées.]
2. quels guichets il y a dans un bureau de poste.
3. qui apporte le courrier.
4. ce qu'il (elle) fait d'une lettre après l'avoir écrite.
5. à quelle heure est la dernière levée dans sa ville.
6. comment il (elle) envoie une lettre contenant de l'argent.
7. comment on peut envoyer une lettre.
8. pourquoi on met quelquefois dans l'adresse «aux bons soins de».
9. ce qu'il (elle) peut acheter à la poste.
10. quel timbre il faut pour envoyer une lettre ordinaire.

II. EXPRESSIONS A RETENIR

au contraire	*on the contrary, far from it*
aux bons soins de	*in care of*
combien faut-il pour affranchir une lettre?	*what's the postage on a letter?*
contre remboursement	*C.O.D.*
envoyer en colis postal	*to send parcel-post*
envoyer un mandat	*to send a money order*
être occupé	*to be busy, be occupied*
faire recommander une lettre	*to register a letter*
mettre une lettre à la poste	*to mail a letter*
ouvrir un compte	*to open an account*
par avion; par bateau	*(by) airmail; by boat*
toucher un chèque	*to cash a check*

III. GRAMMAIRE

39. Relative Pronouns (Les pronoms relatifs)

(a) **Qui** and **que**

1. C'est **Philip qui** lui a donné un mauvais numéro.
   Voilà **le facteur qui** nous apporte le courrier.
   Il a loué **une chambre qui** donne sur la rue.

Qui (*who, which, that*) is used as the subject of a verb in a relative clause and may refer to persons or things.

2. **L'ami que** nous cherchons vient d'arriver.
   Où sont **les chèques que** vous voudriez toucher?

   Que (*whom, which, that*) is used as the direct object of a verb in a relative clause and may refer to persons or things.

3. Voilà **les fleurs** qu'il m'a envoyées.
   Voici **les billets** qu'il m'a donnés.
   Où est **la robe que** vous avez achetée?

   The past participle of a verb conjugated with **avoir** agrees with relative object pronoun **que** referring back to a feminine or plural noun in the main clause.

Note:

(1) **Que** becomes **qu'** before a word beginning with a vowel or mute **h; qui,** however, is invariable.
(2) **Que** may not be omitted in French (as *whom, which,* or *that* may be in English).

(b) Relative Pronouns With Prepositions

[handwritten margin note: avec qui / avec lequel / avec]

1. Voilà **la postière à qui** j'ai montré ma carte d'identité.
   Où sont **les bouquinistes avec qui** vous avez parlé?
   La femme pour qui elle travaille est d'origine française.

   Qui (*whom*) is used as the object of a preposition when the antecedent is a person.

2. Voilà **le livre dans lequel** j'ai trouvé ces renseignements.
   Voilà **la banque à laquelle** je dois aller.
   Où est **le stylo avec lequel** vous avez écrit cette lettre?

   Lequel, lesquels, laquelle, lesquelles (*which*) are used as objects of a preposition when the antecedent is a thing.

Note:

(1) **Lequel, lesquels,** and **lesquelles** contract with the prepositions **à** and **de: auquel, auxquels, auxquelles; duquel, desquels, desquelles.**
(2) **Lequel** (**lesquels,** etc.), because they clearly indicate the gender and number of the antecedent, are used instead of **qui** and **que** to avoid ambiguity:

Le fils de Mme Chenel **auquel** nous parlons . . .
Mrs. Chenel's son, to whom we are speaking . . .
(**Lequel** refers to **fils; qui** might have referred to **fils** or to **Mme Chenel.**)

40. Verbs Conjugated With *être* in Compound Tenses (Les verbes conjugués avec *être* aux temps composés)

(a) je suis arrivé   *I arrived, have arrived, did arrive*
tu es arrivé
il (elle) est arrivé(e)
nous sommes arrivés
vous êtes arrivé
ils (elles) sont arrivé(e)s

je suis parti; descendu
tu es parti; descendu
il (elle) est parti(e); descendu(e)
nous sommes partis; descendus
vous êtes parti; descendu
ils (elles) sont parti(e)s; descendu(e)s

Some intransitive verbs (usually verbs of motion indicating change of place or change of state or condition) are conjugated with the auxiliary verb **être** in the compound past and the other compound tenses. The past participle of these verbs agrees in gender and number with the subject noun or pronoun:

je suis arrivé (masculine)
je suis arrivée (feminine)

tu es arrivé (masculine)
tu es arrivée (feminine)

nous sommes arrivés (masculine)
nous sommes arrivées (feminine)

vous êtes arrivé (masculine singular)
vous êtes arrivée (feminine singular)
vous êtes arrivés (masculine plural)
vous êtes arrivées (feminine plural)

(b) The following are common intransitive verbs conjugated with être in the compound tenses:

L'INFINITIF	LE PARTICIPE PASSÉ
aller (*to go*)	allé
arriver (*to arrive; to happen*)	arrivé

descendre *(to go down; to get off)*	descendu
devenir *(to become)*	devenu
entrer *(to enter)*	entré
monter *(to go up; to get into)*	monté
mourir *(to die)*	mort
naître *(to be born)*	né
partir *(to leave, depart, go away)*	parti
rentrer *(to reenter; to go back home)*	rentré
rester *(to remain)*	resté
retourner *(to return)*	retourné
revenir *(to come back)*	revenu
sortir *(to go out; to leave)*	sorti
tomber *(to fall)*	tombé
venir *(to come)*	venu

Note: **Descendre, monter,** and **sortir** may be used transitively (that is, with a direct object) and mean "to take down," "to carry up," and "to get out," respectively. When used transitively, these verbs are conjugated with **avoir:**

Robert **a descendu** vos bagages.
Robert brought down your bags.
Ils **ont monté** les valises.
They carried up the valises.
Elle **a sorti** son permis de conduire.
She took out her driver's license.

41. Repassez dans l'appendice le présent de l'indicatif, l'impératif et le passé composé des verbes **aller** et **venir**.

IV. EXERCICES

A. *Répétez les phrases suivantes en employant les pronoms indiqués* (*Bande* 8):

1. Je suis allé ouvrir un compte à la banque. (elle)
2. Quand est-il arrivé? (ils)
3. Elle est venue en France il y a deux semaines. (nous)
4. Nous sommes descendus devant la poste. (je)
5. A quelle heure est-il sorti? (vous)
6. Mon père est né à New York. (elle)
7. Ils sont rentrés à deux heures. (nous)
8. Combien de temps es-tu resté à Paris? (elles)

9. Est-elle tombée malade? (tu)
10. Je suis entré dans un bureau de tabac. (il)

B. *Remplacez le présent par le passé composé* (Bande 8):

MODÈLE: Il n'*arrive* jamais à l'heure.
         Il n'*est* jamais *arrivé* à l'heure.

1. Reste-t-elle longtemps à Paris?
2. Il va prendre son courrier à la poste.
3. Nous entrons dans le bureau à neuf heures.
4. Quand partent-ils pour l'Europe?
5. Est-ce qu'elle retourne tout de suite?
6. Comment reviennent-elles en France?
7. Ne sortez-vous pas ce matin?
8. Viens-tu à New York en voiture?
9. Ils deviennent de plus en plus furieux.
10. Pourquoi ne monte-t-elle pas dans le train?

C. *Remplacez l'infinitif par le participe passé:*

1. Où est la banque qu'il vous a (indiquer)?
2. Nous avons visité la ville où elle est (naître).
3. Quand avez-vous touché vos chèques?—Je les ai (toucher) ce matin.
4. A quelle heure sont-ils (sortir)?
5. Quels journaux avez-vous (acheter) au bureau de tabac?
6. Sa grand-mère est (mourir) l'année dernière.
7. Sont-elles (rester) chez elles hier soir?
8. Est-ce que la postière vous a donné les timbres?—Oui, elle me les a (donner).
9. Ses sœurs sont (rentrer) de bonne heure.
10. Il a déjà (envoyer) un mandat à son fils.
11. Où sont les cartes postales qu'elle vous a (apporter)?
12. Quelles œuvres de Camus avez-vous (lire)?
13. La femme de chambre a (monter) mes valises.

D. *Refaites les phrases suivantes selon le modèle* (Bande 8):

MODÈLE: Philip a fait un voyage en France.
         C'est Philip qui a fait un voyage en France.

1. La petite chambre donne sur la rue.
2. La femme de chambre va prendre vos valises.
3. Cette carte postale est en couleur.

4. Robert m'a accompagné à la poste.
5. Françoise a essayé de me téléphoner.
6. Sa mère est d'origine française.
7. Sa voiture ne marche pas bien.
8. Nicole vous a probablement donné un mauvais numéro.
9. Votre ami est allé ouvrir un compte à la banque.
10. M. Martin est né à New York.

E. *Refaites les phrases suivantes selon le modèle* (*Bande* 8):

MODÈLE: L'étudiant a rempli une fiche.
Où est la fiche que l'étudiant a remplie?

1. Le facteur nous a apporté le courrier.
2. Elle vous a prêté les revues.
3. Il m'a envoyé une demande d'admission.
4. M. Martin a réservé une table.
5. Le marchand lui a vendu de vieilles estampes.
6. Ils ont admiré les belles gravures.
7. Vous avez regardé les étalages.
8. Elle a remarqué une belle robe à la vitrine.
9. Jean-Pierre a acheté une carte de métro.
10. L'hôtelier lui a donné une clé.
11. Marie a écrit une lettre.

F. *Refaites les phrases suivantes en employant* «qui» *ou* «que» (*Bande* 8):

MODÈLES: Ce bracelet me plaît beaucoup.
Voilà le bracelet qui me plaît beaucoup.

Paul a acheté cette cravate.
Voilà la cravate que Paul a achetée.

1. Cette jeune fille vient d'arriver de France.
2. Nous avons reçu ces journaux ce matin.
3. Ce livre est bien relié.
4. Elle nous a montré ces salles de travail.
5. Ces bouquinistes sont installés le long des quais.
6. La postière m'a vendu ces timbres.
7. Cette horloge est à l'heure.
8. Nous avons traversé ce pont.
9. Cet étudiant étudie le français.
10. Il va envoyer cette lettre par avion.
11. Nous avons loué ces chambres.

12. Il m'a donné cette adresse.
13. Ces professeurs vont passer un an en Europe.
14. J'attends ce taxi depuis dix minutes.
15. Cette dent me fait mal.

G. *Refaites les phrases suivantes selon les modèles* (*Bande* 8):

MODÈLES: Je suis allé au cinéma avec cette jeune fille.
Voilà la jeune fille avec qui je suis allé au cinéma.

Elle a écrit son adresse sur la fiche.
Voilà la fiche sur laquelle elle a écrit son adresse.

1. Nous avons parlé à cet agent de police.
2. J'ai mis les lettres dans ces enveloppes.
3. Elle a laissé son manteau sur cette chaise.
4. Ils travaillent pour ce marchand.
5. Je vais vous attendre près de ce guichet.
6. Elle est venue en France avec son frère.
7. Il a garé sa voiture devant ce gros bâtiment.
8. Elle a loué une chambre chez Mme Duval.
9. Nous avons répondu à leurs questions.
10. Elles sont entrées dans ces magasins.
11. Ils ont acheté une bicyclette pour leur fils.
12. Elle est née dans cette maison.

H. *Employez dans des phrases complètes huit des expressions à retenir qui se trouvent à la section II.*

V. COMPOSITION

A. *Dites, puis écrivez en français:*

1. Who is the girl with whom you went to the dance last night?
2. She's my sister's friend; her name is Jeannette. Her parents come from Dijon but she was born in New York.
3. Did your sister also go to the dance with you or did she stay at home?
4. She did not come with us because she caught a bad cold.
5. What did you do this morning?—Before going to the post office I went to the bank you recommended, where I cashed a check which my father sent me.
6. Did you mail the packages I gave you?

7. I mailed them, and I also wrote a letter to Nicole in which I told her that I like very much her gifts that arrived yesterday.
8. I did not know her address, but I sent the letter in care of her father.
9. Did Pierre show you the colored postcards he spoke about?
10. Yes, and he also showed me the store in which he bought them.

B. *C'est Noël. Vous venez de faire tous vos achats et vous allez envoyer toutes les cartes de Noël que vous avez écrites. Vous allez donc à la poste porter les colis, les lettres et les cartes que vous voulez adresser à l'étranger. Vous devez attendre votre tour, car il y a beaucoup de monde. Écrivez un dialogue entre vous et la postière. Vous lui demanderez par exemple:*

(1) le nombre de timbres que vous voulez;
(2) combien il faut pour affranchir une lettre à l'étranger;
(3) à quels guichets il faut aller pour les mandats et les lettres recommandées. En observant les gens qui vous entourent, vous pouvez parler de leurs réactions et de l'ambiance qui règne au moment de Noël.

VI. DICTÉE

A tirer de la huitième conversation.

VII. LECTURE

JACQUES PRÉVERT: LE MESSAGE (*Bande 8*)

Ce petit poème de Jacques Prévert (né en 1900) nous conte en douze vers l'histoire d'une vie brisée soudainement par un drame d'amour. La victime, quelqu'un—un homme ou une femme?—reste impersonnelle.

La porte que quelqu'un a ouverte
La porte que quelqu'un a refermée

From *Paroles.* © Editions Gallimard. Reprinted by permission.

La chaise où quelqu'un s'est assis
Le chat que quelqu'un a caressé
Le fruit que quelqu'un a mordu   5
La lettre que quelqu'un a lue
La chaise que quelqu'un a renversée
La porte que quelqu'un a ouverte
La route où quelqu'un court encore
Le bois que quelqu'un traverse   10
La rivière où quelqu'un se jette
L'hôpital où quelqu'un est mort.

Paroles (1947)

4 chat m.: *cat*   9 courir: *to run*
5 mordre: *to bite; to eat into*   12 mort: *dead*
8 porte f.: *door*

QUESTIONNAIRE

1. Qui a écrit le *Message*?
2. Dans quel recueil le *Message* a-t-il été publié?
3. Combien y a-t-il de vers dans le poème?
4. Combien de syllabes y a-t-il dans chaque vers?
5. De quoi s'agit-il?
6. Quels sont les objets à travers lesquels sont décrites les actions?
7. Quelle est la série d'actions?
8. La victime est-elle décrite? S'agit-il d'un homme ou d'une femme?
9. Pourquoi l'auteur a-t-il impersonnalisé la victime?
10. Qu'est-ce qui a provoqué ce drame?
11. Qu'est-ce qui pourrait vous indiquer qu'il s'agit d'un drame d'amour?
12. Étudiez dans ce poème l'accord des participes passés.

LEÇON 9

I. CONVERSATION: A la Sorbonne (*Bande 9*)

PIERRE: Je ne m'attendais pas à vous voir si tôt . . . que faisiez-vous?

PHILIP: Rien de bien intéressant. Je me promenais tout en vous attendant.

PIERRE: En venant, j'ai rencontré un camarade qui allait prendre ses inscriptions à la Faculté de Médecine . . .

PHILIP: Si nous allions nous inscrire tout de suite . . . comme cela, on n'aura pas à faire la queue. Qu'en pensez-vous?

PIERRE: Bonne idée! Allons vite rue Saint-Jacques . . . Chemin faisant, nous pourrons bavarder . . .

PHILIP: Depuis combien de temps suivez-vous des cours à la Faculté des Lettres?

PIERRE: Depuis deux ans.

PHILIP: Dans quel département?

PIERRE: Dans le département d'anglais. Je termine ma maîtrise . . .

PHILIP: C'est ce qui correspond à notre «M.A.», n'est-ce pas?

PIERRE: Oui, c'est cela. Et vous? . . . A quelle université étiez-vous?

PHILIP: J'étais à l'université de New York et je venais de finir mes études quand j'ai reçu cette bourse Fulbright.

PIERRE: Quels cours allez-vous suivre?

PHILIP: Un cours sur la littérature classique et un autre sur la littérature contemporaine.

PIERRE: Ce sont des cours réservés aux étudiants et aux professeurs étrangers?

PHILIP: Oui. Mais, dites-moi, est-ce que le programme d'examens est partout le même dans les différentes universités françaises?

PIERRE: Oui. Il y a une certaine uniformité dans les études supérieures . . . et elle est encore plus nette, plus éclatante dans les écoles primaires et secondaires.

PHILIP: Notre système est, je dois le dire, très souple en comparaison.

PIERRE: C'est vrai. En France, d'une manière générale, l'enseignement dépend du Ministre de l'Éducation Nationale.

PHILIP: Combien y a-t-il d'universités en France?

PIERRE: Soixante-cinq dont treize à Paris.

Questionnaire *(Bande 9)*

Répondez aux questions suivantes:

1. Que faisait Philip en attendant Pierre?
2. Où allait le camarade que Pierre a rencontré?
3. Pourquoi Philip suggère-t-il à Pierre d'aller s'inscrire tout de suite?
4. Depuis combien de temps Pierre suit-il des cours à la Faculté des Lettres?
5. Quelles études termine-t-il?
6. A quel diplôme américain correspond la maîtrise française?
7. A quelle université était Philip?

La Sorbonne

French Embassy Press & Information Division

8. Quelle bourse a-t-il reçue?
9. Quels cours Philip va-t-il suivre?
10. À qui sont réservés ces cours?
11. Est-ce que le programme d'examens est le même dans les différentes universités françaises?
12. Lequel est le plus souple, le système américain ou le système français?
13. De qui dépend l'enseignement en France?
14. Combien y a-t-il d'universités en France? Et à Paris?

Dialogue

Demandez à un(e) étudiant(e):

1. à quelle université il (elle) était l'année dernière. [L'étudiant(e) répondra à toutes les questions posées.]
2. les cours qu'il (elle) suivait l'année passée.
3. où il (elle) est allé(e) prendre ses inscriptions.
4. depuis combien de temps il (elle) est à l'université.
5. quel diplôme il (elle) prépare.
6. ce qu'il (elle) voudrait faire plus tard.
7. les cours qu'il (elle) préfère.
8. dans quelle matière il (elle) se spécialise.
9. quand commence l'année scolaire.
10. quand il (elle) pense terminer ses études.

II. EXPRESSIONS A RETENIR

à peu près	about, approximately, nearly, almost
chemin faisant	on the way
d'une manière générale	in a general way
faire la queue	to stand in line
penser à	to think about (of)
penser de	to think of, have an opinion about
prendre ses inscriptions	to register
s'attendre à	to expect
se spécialiser dans une matière	to major in a subject
venir de (+ inf.)	to have just

III. GRAMMAIRE

42. Present Participle (Le participe présent)

(a) The ending of the present participle for all French verbs is **ant** (equivalent to English *ing*).

The present participle of nearly all French verbs is formed by dropping the ending -**ons** of the first person plural present indicative and adding **ant** to the stem:

nous entr~~ons~~	entrant
nous rempliss~~ons~~	remplissant
nous vend~~ons~~	vendant
nous all~~ons~~	allant
nous écriv~~ons~~	écrivant
nous lis~~ons~~	lisant
nous ven~~ons~~	venant

The following are irregular:

avoir	ayant
être	étant

(b) 1. Quelle vue **étonnante!**
des gravures **intéressantes**
une jeune fille **charmante**

The present participle may function as an adjective. When so used, it agrees in gender and number with the noun it modifies.

2. **En** vous **attendant,** j'ai essayé de téléphoné à Philip.
En sortant de l'université, j'ai rencontré mon camarade.
En allant nous inscrire tout de suite, nous n'aurons pas à faire la queue.

The present participle is used in verbal constructions after the preposition **en** (*while, in, on, upon, by*). When so used, it is invariable.[1]

43. Imperfect (L'imparfait)

The imperfect tense of nearly all verbs is formed by adding the imperfect endings to the stem of the first person plural, present indicative:

---

[1] As in English, the present participle may also be used without preposition:
Arrivant à Orly, je suis allé reconnaître mes bagages à la douane.

LE PRÉSENT	L'IMPARFAIT	
nous entr**ons**	j'entr**ais** tu entr**ais** il (elle) entr**ait** nous entr**ions** vous entr**iez** ils (elles) entr**aient**	*I was entering, I used to enter, I entered*
nous rempliss**ons**	je rempliss**ais** tu rempliss**ais** il (elle) rempliss**ait** nous rempliss**ions** vous rempliss**iez** ils (elles) rempliss**aient**	*I was filling, I used to fill, I filled*
nous vend**ons**	je vend**ais** tu vend**ais** il (elle) vend**ait** nous vend**ions** vous vend**iez** ils (elles) vend**aient**	*I was selling, I used to sell, I sold*
nous all**ons**	j'all**ais**, tu all**ais**, etc.	
nous av**ons**	j'av**ais**, tu av**ais**, etc.	
nous écriv**ons**	j'écriv**ais**, tu écriv**ais**, etc.	
nous lis**ons**	je lis**ais**, tu lis**ais**, etc.	
nous pouv**ons**	je pouv**ais**, tu pouv**ais**, etc.	
nous ven**ons**	je ven**ais**, tu ven**ais**, etc.	
nous voul**ons**	je voul**ais**, tu voul**ais**, etc.	

Note: The imperfect stem of **être** is **ét**: j'**ét**ais, tu **ét**ais, etc.

44. Uses of the Imperfect (Les emplois de l'imparfait)

(a) Je **terminais** mes études à l'université quand j'ai reçu cette bourse.
   *I was finishing my studies at the university when I received this
      scholarship.*
   Quand nous sommes entrés, Paul **bavardait** avec un professeur.
   When we entered, Paul was chatting with a professor.
   Pendant que j'**envoyais** un mandat, elle **faisait** recommander une lettre.
   While I was sending a money order, she was having a letter registered.

   The imperfect is used to express an incomplete past action, an
   action that was going on in the past without any indication as
   to when it started or ended.

(b) Chaque matin, je me **promenais** le long du quai.
Each morning, I took (would take, used to take) a walk along the quay.
Nous **allions** souvent regarder les étalages des bouquinistes.
We often went (would go, used to go) to look at the bookdealer's displays.
En France, je **prenais** toujours du vin avec mes repas.
In France, I always drank (used to drink) wine with my meals.

The imperfect is used to express a past action that was habitual, customary, or repeated.

(c) Michèle **portait** une robe rouge.
Michèle was wearing a red dress.
Il **faisait** froid ce matin.
It was cold this morning.
Les nuits **étaient** plus fraîches en septembre.
The nights were cooler in September.
Nous **avions** peur d'être en retard.
We were afraid of being late.
Il **voulait** suivre des cours à la Sorbonne.
He wanted to take courses at the Sorbonne.

The imperfect is used to describe a physical or mental state or condition in the past without any indication as to when it started or ended.[1]

45. Idiomatic Present and Imperfect (Le présent et l'imparfait idiomatiques)

(a) Depuis **combien de temps êtes-vous** en France?
How long have you been in France?
Je suis en France **depuis un mois.**
I've been in France for a month.
Depuis combien de temps étudie-t-il le français?
How long has he been studying French?
Il **étudie** le français **depuis deux ans.**
He has been studying French for two years.

To express how long an action *has been going on*, French uses the present tense with **depuis** (*for, since*) plus time expression. The English equivalent is usually a progressive-tense form.

Note: In a statement (but not in a question), **depuis** may be replaced by **Il y a ... que** or **Voilà ... que:**

---

[1] Review and compare the uses of the compound past: Lesson 7, section 36.

Il y a (Voilà) un mois que je suis en France.
Il y a (Voilà) deux ans qu'il étudie le français.

(b) **Depuis combien de temps suiviez-vous** des cours à cette université?
How long had you been taking courses at that university?
Je suivais des cours à cette université **depuis un an.**
Il y avait (Voilà) un an que je suivais des cours à cette université.
I had been taking courses at that university for a year.
Depuis combien de temps faisait-il la queue quand vous êtes arrivé?
How long had he been standing in line when you arrived?
Il faisait la queue depuis une heure quand je suis arrivé.
Il y avait (Voilà) une heure qu'il faisait la queue quand je suis arrivé.
He had been standing in line for an hour when I arrived.

To express how long a past action *had been going on,* French
uses the imperfect tense with **depuis** (or **Il y avait . . . que,**
Voilà . . . que) plus time expression.

46. Repassez dans l'appendice le présent de l'indicatif, l'impératif, le passé
composé et l'imparfait du verbe **faire.**

IV. EXERCICES

A. *Répétez les phrases suivantes en employant les pronoms indiqués*
(Bande 9):

1. Elle avait peur d'être en retard. (je)
2. Nous lui écrivions une fois par semaine. (elle)
3. A quelle université était-il? (tu)
4. En m'attendant, que faisaient-ils? (vous)
5. Quels cours suivaient-elles? (il)
6. En France, je fumais toujours des cigarettes françaises. (nous)
7. Il venait me voir de temps en temps. (ils)
8. Ils allaient souvent dîner chez Maxim. (nous)
9. Chemin faisant, elles pouvaient bavarder. (on)
10. Elle ne voulait pas faire la queue. (elles)
11. Il faisait toujours de son mieux. (je)

B. *Répétez les phrases suivantes en remplaçant le présent par l'imparfait*
(Bande 9):

MODÈLE: Il *est* étudiant à l'université.
         Il *était* étudiant à l'université.

1. Elle me téléphone tous les matins.
2. Nous voulons partir de bonne heure.
3. Ils lisent souvent des journaux français.
4. On peut y trouver de véritables occasions.
5. Que fait-il à la Faculté des Lettres?
6. Où va-t-il prendre ses inscriptions?
7. Sa mère est d'origine française.
8. Nous lui envoyons un mandat chaque mois.
9. Le professeur nous parle toujours en français.
10. Que vendent tous ces marchands?
11. Elle m'écrit régulièrement de longues lettres.
12. Pierre porte toujours de belles cravates.

C. *Répétez les phrases suivantes en remplaçant le présent soit par l'imparfait soit par le passé composé* (Bande 9):

1. En allant prendre nos inscriptions, nous rencontrons un camarade.
2. Pendant que mon père lit le journal, ma mère écrit des lettres.
3. Jacques vient me voir presque tous les matins.
4. Ce matin nous allons nous inscrire de bonne heure.
5. Pendant que nous faisons la queue, Pierre bavarde avec un ami.
6. Il arrive à son bureau tous les matins à neuf heures.
7. En passant le long du quai, Michel me montre les étalages.
8. Chaque fois que j'attrape un rhume, je reste quelques jours chez moi.
9. Avant de sortir, elle donne un coup de téléphone à Nicole.
10. Ces étudiants choisissent toujours leurs cours avec soin.
11. Chaque année il m'envoie une carte de Noël.

D. *Répétez les phrases suivantes en mettant l'infinitif soit à l'imparfait soit au passé composé:*

1. Quand je me suis réveillé ce matin, il (faire) beau.
2. Je venais de finir mes études quand je (recevoir) une bourse.
3. Pendant que je terminais ma maîtrise, il (être) étudiant à l'université.
4. Quand elle est rentrée, elle nous (téléphoner).
5. Pourquoi (rester)-tu à la maison hier soir?
6. Quand nous étions en France, nous (écrire) régulièrement à nos parents.
7. Avant d'aller à l'université, je (toucher) un chèque à la banque.
8. Pendant que je prenais mon courrier, il (faire) recommander une lettre.

9. La semaine dernière, mes cousins (venir) me voir.
10. Quel temps faisait-il quand vous (quitter) la maison?
11. Pendant que Jacques jouait du piano, ses sœurs (chanter).
12. Quand je suis entré ils (remplir) des fiches
13. En cherchant parmi les vieux livres, je (trouver) une édition rare.
14. Que faisiez-vous quand elles (arriver)?

E. *Répétez les phrases suivantes en remplaçant «depuis» par «Il y a
. . . que»* (Bande 9):

MODÈLE: J'attends l'autobus depuis dix minutes.
           Il y a dix minutes que j'attends l'autobus.

1. Ils sont en France depuis deux mois.
2. Il fait froid depuis une semaine.
3. Je demeure dans cette ville depuis dix ans.
4. Nous faisons la queue depuis un quart d'heure.
5. Elle bavarde avec une camarade depuis une demi-heure.
6. Philip suit des cours à la Faculté des Lettres depuis un an.
7. Je fume depuis longtemps.
8. Nous étudions le français depuis six mois.
9. L'enfant regarde la télévision depuis une heure.
10. Je connais Pierre depuis cinq ans.

F. *Répétez les phrases suivantes en remplaçant «Il y avait . . . que»
par «depuis»* (Bande 9):

MODÈLE: Il y avait dix minutes qu'elle cherchait votre dossier.
           Elle cherchait votre dossier depuis dix minutes.

1. Il y avait longtemps que nous voulions vister la France.
2. Il y avait un an que j'étais étudiant à l'université.
3. Il y avait six mois qu'il suivait ce cours de littérature.
4. Il y avait cinq ans qu'elles nous écrivaient.
5. Il y avait trois jours qu'il faisait mauvais.
6. Il y avait vingt minutes qu'elle regardait les étalages.
7. Il y avait deux mois que nous cherchions un appartement.
8. Il y avait dix minutes que nous attendions le train.
9. Il y avait six ans qu'ils m'envoyaient des cartes de Noël.
10. Il y avait vingt minutes qu'ils dansaient.

G. *Répondez aux questions suivantes en employant d'abord «depuis»,
puis «Il y a . . . que» ou «Il y avait . . . que» et les expressions
indiquées* (Bande 9):

MODÈLES: Depuis combien de temps avez-vous le téléphone chez
vous? (six mois)
J'ai le téléphone chez moi depuis six mois.
Il y a six mois que j'ai le téléphone chez moi.

1. Depuis combien de temps êtes-vous à cette adresse? (deux ans)
2. Depuis combien de temps vouliez-vous aller en Europe? (plusieurs
   années)
3. Depuis combien de temps fait-il chaud? (une semaine)
4. Depuis combien de temps parliez-vous avec votre ami? (dix
   minutes)
5. Depuis combien de temps habites-tu ici? (huit mois)
6. Depuis combien de temps bavardiez-vous quand il est arrivé?
   (vingt minutes)
7. Depuis combien de temps cherchiez-vous une chambre? (trois
   jours)
8. Depuis combien de temps fumez-vous cette marque de cigarettes?
   (un an)
9. Depuis combien de temps envoyez-vous des colis à l'étranger?
   (trois ans)
10. Depuis combien de temps lisez-vous le journal? (trois quarts
    d'heure)

H. *Employez dans des phrases complètes huit des expressions à retenir
qui se trouvent à la section II.*

V. COMPOSITION

A. *Dites, puis écrivez en français:*

1. I wasn't expecting to see you so soon. What were you doing?
2. Nothing special! While waiting for you I was chatting with my
   friend, Paul.
3. Isn't he the young man with whom you went to Europe last
   summer?—Yes, and we were talking about our trip to Paris.
4. When we were in Europe, the weather was always fine.
5. We would have lunch together at a café almost every afternoon.
6. You know, Paul is a student at Princeton University. He has
   been at Princeton for three years.
7. And how did you meet Pierre?—I met him while I was registering.
   I had been standing in line for almost an hour when he introduced himself.

8. How long had you been in Paris when you met him?—I had been there for a week.
9. I had just finished my studies at the university when I received a scholarship award.
10. While Pierre was finishing his M.A. degree, I was taking French literature courses at the Sorbonne.
11. Which courses were you taking?—One in classical literature and another in contemporary literature.
12. I was hoping to major in French literature.

B. *Nous sommes en automne. Vous venez d'arriver à votre université. Ce matin, vous êtes sorti(e) de bonne heure car vous avez l'intention d'aller prendre vos inscriptions. Chemin faisant, vous rencontrez un(e) de vos camarades qui, lui (elle) aussi, va s'inscrire. Écrivez une composition en essayant d'adopter le plan suivant:*

(1) votre conversation: vos souvenirs de vacances;
(2) les cours que vous allez suivre cette année;
(3) la matière dans laquelle vous allez vous spécialiser, les raisons de votre choix. En conclusion, vous pouvez parler de l'atmosphère générale qui règne à l'université le jour des inscriptions.

VI. DICTÉE

A tirer de la neuvième conversation.

VII. LECTURE

VICTOR HUGO: Après la bataille (*Bande 9*)

Victor Hugo (1802–1885) a laissé une œuvre immense et variée: drames (Hernani, Ruy Blas), *romans* (Notre-Dame de Paris, Les Misérables . . .), *récits de voyages, mémoires, pamphlets. Mais il est avant tout poète.*

Une vingtaine de recueils de vers dont les principaux sont Les Orientales, Les Feuilles d'Automne, Les Chants du Crépuscule, Les Voix Intérieures, Les Rayons et les Ombres, Les Châtiments, Les Contemplations *et* La Légende des Siècles. *Hugo est une «âme aux mille voix» et son inspiration puise aux sources les plus diverses.*

Victor Hugo
French Embassy Press & Information Division

L'épisode raconté ici (c'est un des morceaux les plus connus de La Légende
des Siècles, *1859) a dû se passer pendant la guerre d'Espagne qui dura de
1808 à 1813. Il s'agit du père du poète, Léopold Hugo (1774–1828): engagé
dès l'âge de 14 ans, il fut un Général de la Grande Armée de Napoléon.*

Mon père, ce héros au sourire si doux,
Suivi d'un seul housard qu'il aimait entre tous
Pour sa grande bravoure et pour sa haute taille,
Parcourait à cheval, le soir d'une bataille,
Le champ couvert de morts sur qui tombait la nuit.   5
Il lui sembla dans l'ombre entendre un faible bruit,
C'était un Espagnol de l'armée en déroute
Qui se traînait sanglant sur le bord de la route,
Râlant, brisé, livide, et mort plus qu'à moitié,
Et qui disait:—A boire, à boire par pitié!—   10
Mon père ému, tendit à son housard fidèle
Une gourde de rhum qui pendait à sa selle,
Et dit:—Tiens, donne à boire à ce pauvre blessé.—
Tout à coup, au moment où le housard baissé
Se penchait vers lui, l'homme, une espèce de Maure,   15
Saisit un pistolet qu'il étreignait encore,
Et vise au front mon père en criant: Caramba!
Le coup passa si près que le chapeau tomba
Et que le cheval fit un écart en arrière.
—Donne-lui tout de même à boire, dit mon père.   20

2 housard m.: synonyme de hussard, soldat de la cavalerie légère	11 ému: *moved*
3 taille f.: stature	11 tendre: donner
4 parcourir: *to go over*	12 selle f.: *saddle*
5 champ m.: (*battle*)*field*	14 tout à coup: soudain
7 en déroute: *routed*	14 baissé: *stooping*
8 se traîner: *to crawl along*	16 étreindre: *to clasp*
8 sanglant: *bleeding*	17 viser: *to take aim at*
9 râlant: *rattling*	18 coup m.: *bullet*
9 brisé: *crushed*	19 faire un écart: *to start*
10 à boire: (Donnez-moi) à boire	20 tout de même: *all the same; anyway*

QUESTIONNAIRE

1. Dans quel recueil de vers figure ce morceau?
2. Au cours de quelle guerre l'épisode raconté s'est-il déroulé?

3. Que raconte l'auteur?
4. Où se passe la scène?
5. Quels en sont les personnages?
6. Comment se rencontrent-ils?
7. Quel est l'état de l'Espagnol?
8. Que demande-t-il?
9. Pourquoi le général est-il ému?
10. Que fait-il?
11. Que fait l'Espagnol?
12. Que fait le général?
13. Que pensez-vous de l'action de l'Espagnol?
14. Que pensez-vous de celle du général?
15. Soulignez les imparfaits et les passés simples[1] qui figurent dans le texte et répondez aux questions suivantes en employant des imparfaits.
16. Que parcourait le général Hugo?
17. A quel moment le parcourait-il?
18. Qu'est-ce qui tombait sur les morts?
19. Pour quels motifs le général aimait-il son housard?
20. Que disait l'Espagnol qui se traînait sur le bord de la route?
21, Où était la gourde du général?
22. A quel moment l'Espagnol saisit-il son pistolet?

---

[1] Study the **passé simple** in the Appendix, section 109.

LEÇON 10

I. CONVERSATION: La littérature classique (*Bande 10*)

PHILIP: Avez-vous assisté à la représentation de *Phèdre* à la Comédie Française?

PIERRE: Non . . . hélas! . . . car le soir où je voulais y aller, il n'y avait plus de places.

PHILIP: Je connaissais mal Racine, mais cette pièce m'a littéralement emballé. C'est un spectacle dont on ne peut se lasser.

PIERRE: Vous savez, le dix-septième siècle est l'âge d'or de la littérature française.

PHILIP: Dites-moi . . . quels auteurs me conseillez-vous de lire?

PIERRE: Dans la première moitié du dix-septième, lisez avant tout les

1670

œuvres de Corneille et de Descartes . . . et les *Pensées* de Pascal,
bien entendu.

PHILIP: Je crois que je vais acheter une bonne anthologie . . . j'y trouverai
tout ce dont j'ai besoin.

PIERRE: Oui, faites cela. Quant aux chefs-d'œuvre de Corneille, ce sont
des tragédies en vers où Corneille montre des conflits entre
l'amour et l'honneur, le patriotisme ou bien la foi. *Le Cid* est une
de ses pièces les plus célèbres.

PHILIP: La littérature française de la seconde moitié du dix-septième
siècle est-elle aussi riche?

PIERRE: Encore plus riche . . . car vous avez les œuvres de Molière, de
La Fontaine, de Racine, de Boileau, de Madame de Sévigné
. . . et j'en passe.

PHILIP: Tous ces écrivains devaient avoir une haute conception de l'art . . .

PIERRE: Oui . . . de plus, c'étaient des psychologues qui étudiaient l'âme
même de l'homme, ses passions et ses faiblesses.

PHILIP: Quel est l'écrivain le plus célèbre de ce siècle?

PIERRE: Molière, sans aucun doute, car avec lui la comédie a atteint le
plus haut degré de perfection. Pensez donc au *Bourgeois Gentilhomme*, à *Tartuffe* . . .

PHILIP: C'était un satirique, n'est-ce pas?

PIERRE: Oui . . . et en ridiculisant les défauts de son temps, il a créé de
vrais types universels.

PHILIP: Et que pensez-vous de Boileau?

PIERRE: Eh bien! . . . si vous voulez savoir les principes du classicisme
français, lisez son *Art Poétique*.

PHILIP: «Avant d'écrire, apprenez à penser», a-t-il dit.

Questionnaire

Répondez aux questions suivantes:

1. Pourquoi Pierre n'a-t-il pas assisté à la représentation de *Phèdre*?
2. Que dit Philip de cette pièce?
3. Comment appelle-t-on le dix-septième siècle français?
4. Quels auteurs Pierre conseille-t-il à Philip de lire?
5. Quelles sortes de tragédies Corneille a-t-il écrites?

6. Qu'est-ce que Corneille montre dans ses tragédies?
7. Quels sont les grands écrivains français de la seconde moitié du dix-septième siècle?
8. Pourquoi ces écrivains étaient-ils des psychologues?
9. Quel est l'écrivain français le plus célèbre du dix-septième siècle? Pourquoi?
10. Nommez deux comédies célèbres de Molière.
11. Qu'est-ce que Molière a ridiculisé dans ses comédies?
12. Quels types a-t-il créés?
13. Dans quelle œuvre Boileau a-t-il exposé les principes du classicisme français?
14. Selon Boileau, que doit-on faire avant d'écrire?

Dialogue

Demandez à un(e) étudiant(e):

1. où l'on peut assister en France à la représentation d'une pièce classique. [L'étudiant(e) répondra à toutes les questions posées.]
2. qui a écrit *Phèdre*.
3. comment s'appelle l'œuvre la plus importante de Pascal.
4. comment s'appelle le roi de France qui régnait pendant le siècle de la littérature classique.
5. quels sont les trois plus grands dramaturges français du dix-septième siècle.
6. s'il (si elle) a jamais vu jouer une pièce française. Laquelle?
7. de nommer une pièce célèbre de Corneille.
8. quelle pièce de théâtre il (elle) préfère: comédie, tragédie, drame. Pourquoi?
9. si, à son avis, l'intrigue est plus importante que l'étude des personnages dans une œuvre littéraire.
10. s'il (si elle) connaît une fable de La Fontaine. Laquelle?

II. EXPRESSIONS A RETENIR

assister à	to attend, be present at
avant tout	first of all, above all
bien entendu	of course
de plus	moreover, besides, more than that
eh bien!	well! very well!
j'en passe	I omit (skip) the others
quant à	as for
sans doute	surely, undoubtedly, without a doubt

III. GRAMMAIRE

47. Relative Pronouns (Les pronoms relatifs) (continued)

(a) Dont

Les auteurs **dont** vous parliez avaient une haute conception de l'art.
L'anthologie **dont** il parle est excellente.
Voici une édition **dont** la reliure est un peu abîmée.
Où sont les bouquinistes **dont** vous avez regardé les étalages?

Dont (*of whom, of which, whose*) refers to both persons and things and is used in place of **de** + relative pronoun.[1]

Note:

(1) After **dont** meaning *whose*, normal word order follows: **dont** —subject—verb—object. Study the examples in (a) above.

(2) **Dont** may not be preceded by a preposition. Instead, **de qui** (of persons) or **de** + a form of **lequel** (of persons or things) is used:

Voici l'homme **au fils de qui** (**duquel**) j'ai parlé.
Here's the man to whose son I spoke.
(literally, *Here's the man to the son of whom I spoke.*)

Voilà la maison **à la porte de laquelle** j'ai frappé.
There's the house at whose door I knocked.
(literally, *There's the house at the door of which I knocked.*)

(b) Où

Voilà le bâtiment **où** (**dans lequel**) il est allé prendre ses inscriptions.
There's the building in which he went to register.
Est-ce que c'est la table **où** (**sur laquelle**) j'ai laissé mon anthologie?
Is that the table on which I left my anthology?

Le soir **où** je voulais y aller, il n'y avait plus de places.
The evening (when) I wanted to go there, no seats were left.
Il faisait très chaud le jour **où** nous sommes partis.
It was very hot the day (when) we left.

Où is used as a relative adverb to indicate "place where" (replacing **dans, sur,** or **à** + **lequel**) or "definite time when."

---

[1] Note the following distinction:

Voilà la secrétaire **de qui** j'ai reçu cette fiche.
There's the secretary from whom I got this slip.

what

(c) Ce qui, ce que, ce dont, ce à quoi

Ce qui m'intéresse, c'est[2] la littérature classique.
What interests me is classical literature.
Dites-moi ce qui est arrivé.
Tell me what happened.
Ce que Corneille montre dans *Le Cid*, c'est le conflict entre l'amour et
l'honneur.
What Corneille shows in The Cid *is the conflict between love and
honor.*
Savez-vous ce qu'il m'a conseillé de lire?
Do you know what he advised me to read?
Prenez ce dont vous avez besoin. (de)
Take what you need.
C'est ce à quoi nous pensions. (à)
That's what we were thinking of.

Ce qui, ce que (*what, that which*), ce dont (*of which, of what*),
ce à quoi (*which, of which, of what*) are used as relative pronouns without antecedents. Ce qui is used as subject of a verb,
ce que as object, ce dont as object of a verb requiring de, ce à
quoi as object of a verb requiring à.

48. Demonstrative Adjective (L'adjectif démonstratif)

ce	*this* or *that*	before a masculine singular noun beginning with a consonant: **ce marchand, ce timbre.**
cet	*this* or *that*	before a masculine singular noun beginning with a vowel or mute **h: cet écrivain, cet hôtelier, cet argent.**
cette	*this* or *that*	before any feminine singular noun: **cette secré-taire, cette comédie, cette œuvre, cette histoire.**
ces	*these* or *those*	before any plural noun: **ces timbres, ces écri-vains, ces comédies, ces œuvres.**

The demonstrative adjective agrees in gender and number with the
noun it modifies.

Note:

(1) The demonstrative adjective must be repeated before each noun
in a series:

---

[2] **Ce** + relative clause (**Ce qui m'intéresse**) opening a sentence is usually "explained"
by beginning the following clause by c'est.

cet homme et cette femme
ce drame et cette comédie
ces garçons et ces jeunes filles

(2) **Ce, cet, cette** may mean either *this* or *that,* and **ces** *these* or *those.* For emphasis, contrast, or clarity, -**ci** is placed after the noun for *this* and *these,* and *là* for *that* and *those:*

Emphasis: A qui parle **cette femme-là?**
Contrast: Ce **cours-ci** est facile, ce **cours-là** est difficile.
Clarity: J'aime lire **ces œuvres-ci** mais je n'aime pas lire **ces** œuvres-là.

49. Cardinal Numbers (Les adjectifs numéraux cardinaux) (continued)

21	vingt et un	80	quatre-vingts
22	vingt-deux	81	quatre-vingt-un
23	vingt-trois	82	quatre-vingt-deux
24	vingt-quatre	90	quatre-vingt-dix
25	vingt-cinq	91	quatre-vingt-onze
26	vingt-six	92	quatre-vingt-douze
27	vingt-sept	100	cent
28	vingt-huit	101	cent un
29	vingt-neuf	200	deux cents
30	trente	201	deux cent un
31	trente et un	202	deux cent deux
32	trente-deux	300	trois cents
40	quarante	1 000	mille
50	cinquante	1 001	mille un
60	soixante	2 000	deux mille
70	soixante-dix	3 000	trois mille
71	soixante et onze	1 000 000	un million[1]
72	soixante-douze		

Note:

(1) The **t** in **vingt** is pronounced in the numbers 21 to 29 but not in those from 81 to 99.
(2) **Et** is not used in 81, 91, 101, 201, and similar numbers.
(3) In 100, 1000, English "a" or "one" is not expressed in French.
(4) **Million** is a noun and is followed by **de: un million de francs.**

---

[1] In French, decimals are set off by a comma (not a period, as in English); numbers of more than three digits are spaced: **2,5** = 2.5; **85 000** = 85,000.

(5) 80 and multiples of 100 take s when not followed by another
number:

quatre-vingts étudiants
deux cents dollars

But

quatre-vingt-deux étudiants
deux-cent dix francs

50. Repassez dans l'appendice le présent de l'indicatif, l'impératif, l'imparfait et le passé composé du verbe **dire**.

IV. EXERCICES

A. *Répétez les phrases suivantes en employant les pronoms indiqués*
(Bande 10):

1. Il dit qu'il va étudier la littérature classique. (elles)
2. Elle veut assister à la représentation de cette pièce. (je)
3. Quels auteurs lisent-ils dans leur cours de littérature? (vous)
4. Nous lui disons de venir immédiatement. (elle)
5. Le soir où je voulais y aller, il n'y avait plus de places. (nous)
6. Que faisait-il quand il était en France? (tu)
7. Je n'ai pas encore lu ces tragédies de Racine. (il)
8. Il a dit qu'il allait prendre ses inscriptions. (je)
9. Voilà la fiche sur laquelle j'ai écrit mon adresse. (elle)
10. Je lui disais toujours de lire les chefs-d'œuvre de Corneille. (ils)

B. *Répétez les phrases suivantes en substituant les mots indiqués:*

1. Je connaissais mal cette tragédie.
   (œuvre, poème, auteur, essais)
2. Depuis combien de temps avez-vous cette voiture?
   (passeport, images, carte de métro, permis de conduire)
3. Nous allons passer cet été en Europe.
   (hiver, printemps, automne, année)
4. Où avez-vous acheté ce journal?
   (briquet, cigarettes, étui à cigarettes, cendrier)
5. Cette pièce m'a littéralement emballé.
   (spectacle, représentation, roman, auteur)
6. Je vais prendre aussi ces timbres.
   (paquet de tabac, allumettes, revue, cartes postales)

7. Attendez-vous cet autobus depuis longtemps?
 (train, avion, métro, voiture)
8. A qui parle cette secrétaire?
 (hôtelier, postière, buraliste, agent de police)
9. Combien avez-vous payé ces estampes?
 (livre, gravures, anthologie, exemplaire)
10. Elle veut envoyer ce cadeau à son fils.
 (mandat, lettre, télégramme, paquet)
11. Qu'avez-vous demandé à ce bouquiniste?
 (douanier, femme de chambre, facteur, étudiant)
12. Qui vous a donné cette clé?
 (savon, serviette de toilette, couverture, draps)

C. *Répondez aux questions suivantes selon les modèles* (Bande 10):

MODÈLES: Qu'est-ce qui vous étonne?
 Je ne peux pas vous dire ce qui m'étonne.

 Qu'est-ce qu'ils vont faire ce soir?
 Je ne peux pas vous dire ce qu'ils vont faire ce soir.

1. Qu'est-ce qui est arrivé?
2. Qu'est-ce que Molière a ridiculisé dans ses comédies?
3. Qu'est-ce qui correspond à la maîtrise française?
4. Qu'est-ce qu'il vient de recevoir?
5. Qu'est-ce qui est amusant?
6. Qu'est-ce que l'hôtelier lui a donné?
7. Qu-est-ce qui est intéressant?
8. Qu'est-ce qui est tombé?
9. Qu'est-ce qu'il y a en face de ces bâtiments?
10. Qu'est-ce qui est agréable?
11. Qu'est-ce que le facteur lui a apporté?
12. Qu'est-ce qu'elles voulaient nous montrer?
13. Qu'est-ce qui lui plaît?
14. Qu'est-ce qu'elle a essayé de faire?
15. Qu'est-ce qui vous a emballé?
16. Qu'est-ce que le buraliste a oublié de leur donner?
17. Qu'est-ce qui vous intéresse?
18. Qu'est-ce qui vous fait hésiter?

D. *Transformez les phrases suivantes selon le modèle* (Bande 10):

MODÈLE: Voilà l'anthologie. J'ai besoin de cette anthologie.
 Voilà l'anthologie dont j'ai besoin.

1. Voilà les bouquinistes. Il nous a parlé de ces bouquinistes.

2. Voilà une vieille édition. La reliure de cette édition est abîmée.
3. Voilà le dictionnaire. Je me sers constamment de ce dictionnaire.
4. Voilà un beau spectacle. On ne peut se lasser de ce spectacle.
5. Voilà la jeune fille. Nous avons fait sa connaissance hier.
6. Voilà un poète moderne. Le talent de ce poète est incontestable.
7. Voilà Michèle. Ses parents sont d'origine française.
8. Voilà un beau poème. On ignore l'auteur de ce poème.
9. Voilà la boutique. Elle m'a donné l'adresse de cette boutique.
10. Voilà une cathédrale. Les vitraux de cette cathédrale datent du Moyen Age.

E. *Refaites les phrases suivantes selon le modèle* (Bande 10):

MODÈLE: Elle demeure dans cette maison.
           Voilà la maison où elle demeure.

1. Il est allé prendre ses inscriptions dans ce bâtiment.
2. Elle a mis ses paquets sur cette table.
3. Ils vont reconnaître leurs bagages dans ce hall.
4. Elles sont arrivées à cet aéroport.
5. Je suis allé ouvrir un compte à la banque.
6. Nous aimons aller dîner dans ce restaurant.
7. Ils vont entrer par cette porte.
8. On vend des timbres à ce guichet.
9. Elle a trouvé ce poème dans cette anthologie.
10. J'ai payé mes achats à cette caisse.

F. *Complétez la deuxième phrase en employant* «dont, où, ce qui, ce que», *selon le cas* (Bande 10):

1. Nous avons passé une demi-heure dans cette librairie.
   Voilà la librairie _____.
2. De quelles marques de cigarettes vous a-t-il parlé?
   Voilà les marques de cigarettes _____.
3. Faisait-il chaud quand vous êtes arrivé à Paris?
   Le jour _____.
4. Qu'est-ce qu'ils ont acheté au bureau de tabac?
   Je ne sais pas _____.
5. Qu'est-ce qui vous surprend le plus?
   Voilà _____.
6. De quels auteurs classiques avez-vous parlé?
   Voilà les auteurs classiques _____.
7. Dans quel appartement habite-t-elle?
   Voilà l'appartement _____.

8. Qu'est-ce que la postière lui a répondu?
   Je ne peux pas vous dire_____.
9. De quoi avez-vous besoin?
   Voilà ce _____.
10. Qu'est-ce qui se passe?
    Je ne sais pas _____.
11. Nous avons fait la connaissance de cet avocat.
    Voilà l'avocat _____.
12. Qu'est-ce qui l'a dérangé?
    On ne sait pas _____.

G. *Additionnez les nombres suivants* (*Bande* 10):

20 et 12	60 et 20
58 et 9	85 et 15
81 et 13	48 et 16
49 et 37	74 et 18
33 et 14	26 et 105

H. *Employez dans des phrases complètes les expressions à retenir qui se trouvent à la section II.*

V. COMPOSITION

A. *Dites, puis écrivez en français:*

1. Tell me, did Philip find what he was looking for?
2. Yes, he found a very good anthology which has all the writers you spoke to him about.
3. What surprises him, however, is that all those authors whose works he's going to read belong to the first half of the seventeenth century.
4. Tell him to read above all *Le Cid* by Corneille. It's a tragedy written in verse in which Corneille shows the conflict between love and honor.
5. Have you and Philip attended the performance of that play at the Comédie Française?
6. The night we wanted to go there, the weather was very bad.
7. Perhaps you don't like that play!—Not at all! What you've just said is not true.
8. Didn't we go to see that play together the last time they presented it?

Blaise Pascal
French Embassy Press & Information Division

9. You're right. I don't know what I was thinking of.
10. That's the night we met Josette. She's the girl with whose brother I was speaking.
11. I told you I made her acquaintance at the university. She gave you the program you needed.
12. Ah, yes. I don't know what interested me more that night, the play or Josette.

B. *Vous venez de lire dans le journal qu'une troupe de théâtre française venait d'arriver aux États-Unis et allait représenter dans votre ville différentes pièces classiques inscrites à son répertoire. Tout à votre joie, vous téléphonez à un(e) de vos ami(e)s pour l'inviter à aller voir une des pièces. Écrivez le dialogue entre vous et votre ami(e). Vous pouvez utilement adopter le plan suivant et parler, par exemple:*

(1) de l'arrivée de la troupe théâtrale (événement culturel);
(2) des pièces au répertoire—leur importance;
(3) de la représentation à laquelle vous voulez assister. En conclusion vous pouvez dire quelques mots sur l'écrivain, son rôle et son influence.

VI. DICTÉE

A tirer de la dixième conversation.

VII. LECTURE

BLAISE PASCAL: LE ROSEAU PENSANT (*Bande 10*)

Blaise Pascal (1623–1662), sous l'influence de son père, se consacre d'abord aux sciences où il excelle (machine à calculer, presse hydraulique). De son œuvre littéraire, intimement liée à une période de l'histoire du mouvement janséniste, il faut retenir un pamphlet violent, mais spirituel, contre les jésuites, Les Provincials (1656–1657), et surtout les réflexions religieuses destinées à convertir les incrédules, les Pensées, publiées après sa mort (1670). Toute grande philosophie se définit par sa vision de l'homme. Ce point est particulièrement important chez Pascal et souligné dans la pensée «L'homme n'est qu'un roseau . . .»

L'homme n'est qu'un roseau, le plus faible de la nature; mais c'est un roseau pensant. Il ne faut pas que l'univers entier s'arme pour l'écraser: une vapeur, une goutte d'eau, suffit pour le tuer. Mais, quand l'univers l'écraserait, l'homme serait encore plus noble que ce qui le
5   tue, parce qu'il sait qu'il meurt, et l'avantage que l'univers a sur lui; l'univers n'en sait rien.

Toute notre dignité consiste donc en la pensée. C'est de là qu'il faut nous relever, et non de l'espace et de la durée, que nous ne saurions remplir. Travaillons donc à bien penser: voilà le principe de la morale.

1 roseau m.: *reed*	5 meurt: 3ᵉ personne du présent du
1 faible: *weak*	verbe mourir: *to die*
2 Il ne faut pas: il n'est pas nécessaire	5 avantage: [il sait] l'avantage que l'uni-
3 écraser: *to crush*	vers a sur lui
3 goutte f.: *drop*	7 de là: à partir de là
3 tuer: *to kill*	8 relever: *to rise again*
3 quand: même si	9 le principe de la morale: la règle pour
4 encore: même dans ce cas	réaliser pleinement notre être (*being*)

EXPLICATION DE TEXTE

Étude de la«Pensée»

I. L'ensemble

Lisez et relisez très attentivement cette pensée de Pascal. Soulignez les mots importants.

1. Sur quelle conception de la nature de l'homme la pensée de Pascal est-elle centrée?
2. Cette nature est double: de quoi est-elle faite?
3. De quel ordre (nature) est la faiblesse de l'homme?
4. A quoi tient sa grandeur?

II. L'analyse détaillée de la «Pensée»

A. Les deux premières lignes du premier fragment expriment d'une façon poétique la conception de la nature de l'homme.

1. Quelle image évoque en vous un «roseau»? Vous pouvez relire avec profit la fable de La Fontaine *Le Chêne et le Roseau*.
2. La fragilité de l'homme sur le plan physique se trouve compensée sur un autre plan. Lequel?

3. Pascal reprend le mot «roseau» dans la formule qui est restée célèbre: «roseau pensant»; n'y voyez-vous pas une image insolite?
4. Pascal a-t-il voulu exprimer les contradictions de l'homme?

B. Les lignes suivantes (toujours dans le premier fragment) sont une démonstration du théorème exposé:

1. Il s'agit d'une double expérience. La première: Qu'est-ce qui suffit pour tuer l'homme?

«Il ne faut pas que l'univers entier s'arme pour l'écraser.» Quelle idée Pascal introduit-il ici?

a. hostilité du monde vis-à-vis de l'homme?
b. cataclysme épouvantable en face de l'homme seul?

«une vapeur, une goutte d'eau, suffit pour le tuer». Quel contraste absolu relevez-vous avec l'idée précédente?

2. La deuxième expérience est la suivante: même si l'univers écrasait l'homme, pourquoi serait-il «plus noble que ce qui le tue»?

a. Notez les deux éléments (ce que l'homme sait) qui rendent l'homme plus grand que l'univers.
b. Pourquoi s'agit-il d'une supériorité absolue? De quel ordre est-elle?
c. Que suffit-il que l'homme sache?
d. Quel est l'avantage que l'univers a sur l'homme?
e. L'univers sait-il qu'il tue l'homme?
f. L'univers sait-il également qu'il a pour lui la supériorité de la force?

3. De cette double expérience, vous retenez deux choses:

a. un rien suffit pour tuer l'homme: ce qui prouve sa *faiblesse*.
b. Mais, même s'il était écrasé, l'homme l'emporterait en «dignité» sur l'univers triomphant: ce qui prouve sa *grandeur*.

Pascal tient à affirmer la grandeur de l'homme autant que sa misère.

C. La suite du texte expose une conséquence importante de cette vérité démontrée («L'homme est un roseau, le plus faible de la nature; mais c'est un roseau pensant»). Cette conséquence est introduite par la conjonction *donc*.

1. En quoi consiste toute la dignité de l'homme?

2. Quelles sont les deux dimensions qui font apparaître l'infinie
   petitesse d l'homme?
3. A quoi faut-il *donc* travailler?
4. Quel est le principe de la morale, selon Pascal?
5. Dans quel sens faut-il prendre le mot «morale»?

III. Conclusion

Vous montrerez comment, en bon mathématicien, Pascal a développé
d'une façon «géométrique» la Pensée que vous venez d'étudier:
théorème, démonstration, conséquence. Si Pascal s'est placé dans le cas
le plus défavorable à sa thèse, n'est-ce pas pour la rendre irréfutable?

LEÇON 11

I. CONVERSATION: Le classicisme *(Bande 11)*

PHILIP: On parle de classicisme . . . de romantisme—que désignent ces expressions?

PIERRE: Vous mettez le doigt sur un problème bien délicat.

PHILIP: Pourquoi?

PIERRE: Parce que, de ces deux étiquettes, celle-ci n'est pas mieux choisie que celle-là pour désigner la littérature d'une certaine époque.

PHILIP: Mais, d'une façon générale, qu'est-ce que le classicisme?

PIERRE: C'est un mouvement littéraire que l'on peut situer, sous Louis XIV, de 1659 à 1682.

PHILIP: Soit vingt-trois ans . . . un peu comme le romantisme alors.

PIERRE: Oui, exactement . . . de 1820 à 1843.

PHILIP: Est-ce que c'est un mouvement essentiellement français?

PIERRE: Non. C'est aussi un mouvement européen qui est né au seizième siècle et qui s'est étendu aux dix-septième et dix-huitième siècles à toute l'Europe.

PHILIP: Quelle influence ce mouvement a-t-il eue?

PIERRE: Énorme, sur la littérature, sur les arts et sur l'idéal de vie.

PHILIP: Sur l'idéal de vie? Qu'est-ce que vous voulez dire?

PIERRE: Sur la façon de vivre, qui était toute faite d'art de plaire, de bon goût et de raison . . . Vous comprenez?

PHILIP: Oui . . . Mais, pour revenir à notre mot «classicisme», n'est-ce pas aussi, dans son sens le plus large, une tendance générale de la littérature?

PIERRE: Si, c'est une tendance qui a influencé les dix-septième et dix-huitième siècles et même le dix-neuvième siècle.

PHILIP: Ah! Je vois. Et . . . de tous les genres, poésie, théâtre, roman . . . quel est celui qui a été le plus important?

PIERRE: Au dix-septième siècle . . . c'est assurément le théâtre avec Corneille et Racine pour la tragédie et Molière pour la comédie.

Questionnaire (Bande 11)

Répondez aux questions suivantes:

1. Pourquoi les deux expressions «classicisme» et «romantisme» posent-elles un problème?
2. D'une façon générale, qu'est-ce que le classicisme?
3. De quelle date à quelle date peut-on situer le classicisme français?
4. Combien de temps a duré le romantisme français?
5. Est-ce que le classicisme est un mouvement essentiellement français?
6. Quelle influence ce mouvement a-t-il eue?
7. En quoi consiste cet idéal de vie dont Pierre parle?
8. Quels sont les deux grands dramaturges du dix-septième siècle?

Jean Racine
French Embassy Press & Information Division

Dialogue

> *Demandez à un(e) étudiant(e):*

1. ce que désigne l'expression «classicisme». [L'étudiant(e) répondra à toutes les questions posées.]
2. à quelle époque on peut situer le romantisme français.
3. si, à son avis, la littérature a une influence sur les arts.
4. qui était le roi de France pendant la période classique.
5. où se trouvait la cour du roi de France au dix-septième siècle.
6. de tous les genres littéraires, quel est celui qui a été le plus important au dix-septième siècle.
7. de nommer les trois auteurs les plus célèbres du théâtre français au dix-septième siècle.
8. quel genre il (elle) préfère, la poésie, le théâtre ou le roman.

II. EXPRESSIONS A RETENIR

à mon avis	*in my opinion*
à travers	*through, across*
d'une façon générale	*in a general way*
être à	*to belong to*
mettre le doigt sur quelque chose	*to put one's finger on something, to pinpoint something*
poser un problème	*to set (state) a problem, pose a problem*
s'agir de	*to be a question of, deal with*
se servir de	*to use, make use of*
une façon de vivre	*a manner (way) of living, a way of life*
vouloir dire	*to mean*

III. GRAMMAIRE

51. Variable Demonstrative Pronouns (Les pronoms démonstratifs variables)

celui	*this one, that one, the one, he*
celle	*this one, that one, the one, she*
ceux	*these, those, the ones, they*
celles	*these, those, the ones, they*

Forms of **celui** refer to a previously mentioned noun or pronoun. They agree in gender and number with a *definite* antecedent.

(a) Je vais prendre mon courrier et **celui de Pierre.**
Où avez-vous mis ma valise et **celle du jeune homme?**
Apportez mes livres et **ceux de Michèle.**
Lisez ces pièces et **celles des écrivains classiques.**

(b) Suivez ce cours ou **celui qui est donné le jeudi.**
Voulez-vous cette chambre-ci ou **celle qui est au premier?**
J'aime ces poèmes et **ceux que notre professeur nous a lus.**
Nous avons rempli ces fiches, **celles que la postière nous a données.**

Forms of **celui** never stand alone but are used (a) before a phrase introduced by **de, du, des,** to indicate possession; (b) before a relative clause.

Note: When there is no expressed antecedent, **celui, celle, ceux, celles,** followed by a relative clause, are equivalent to "he who," "she who," "the one who," "those who":

Celui qui chante a une belle voix.
The one who is singing has a beautiful voice.
Ceux que je cherche viennent d'arriver.
Those I'm looking for have just arrived.

(c) Voici deux comédies de Molière. **Celle-ci** est en prose, **celle-là** en vers.
Nous avons acheté des livres. **Ceux-ci** sont à moi, **ceux-là** sont à lui.

Forms of **celui** may be followed by **-ci** or **-là** to mark a contrast or or distinction ("this one" as opposed to "that one," "these" as opposed to "those").

Note: **Celui-ci, celle-ci, ceux-ci, celles-ci** may also mean "the latter," **celui-là, celle-là,** etc., "the former":

La Fontaine et Racine sont des écrivains classiques. **Celui-ci** a écrit des tragédies, **celui-là** des fables.
La Fontaine and Racine are classical writers. The latter wrote trage-dies, the former fables.

52. Indefinite Pronoun (Le pronom indéfini) *on*

A quel guichet **vend-on** des timbres?
D'ici **on a** une vue magnifique des quais.
On peut y trouver de véritables occasions.

The indefinite pronoun **on** may mean *one, we, you, they, people.* **On** is always the subject of the verb in the third person singular.

Note: **On** with an active verb is often equivalent to an English passive, especially when the agent is not mentioned:

Ici **on parle** français.	*French is spoken here.*
On ne **voit** cela qu'à Paris.	*That's seen only in Paris.*
On m'**a reçu** à bras ouverts.	*I was received with open arms.*

53. Ordinal Numbers (Les adjectifs numéraux ordinaux)

1st	premier, première	18th	dix-huitième
2nd	second(e), deuxième	19th	dix-neuvième
3rd	troisième	20th	vingtième
4th	quatrième	21st	vingt et unième
5th	cinquième	22nd	vingt-deuxième
6th	sixième	30th	trentième
7th	septième	31st	trente et unième
8th	huitième	40th	quarantième
9th	neuvième	50th	cinquantième
10th	dixième	60th	soixantième
11th	onzième	70th	soixante-dixième
12th	douzième	71st	soixante et onzième
13th	treizième	80th	quatre-vingtième
14th	quatorzième	81st	quatre-vingt-unième
15th	quinzième	90th	quatre-vingt-dixième
16th	seizième	100th	centième
17th	dix-septième	101st	cent unième

Note:

(1) **Premier** means *first* only. In compound numbers (twenty-first, thirty-first, etc.), **unième** is used.

(2) **Second(e)** is used in a series of two. In a series of more than two and in compounds, **deuxième** is used.

(3) Ordinal numbers in French are generally used as in English (except in dates and titles):

mon premier livre
la première fois
le dix-septième siècle
sa deuxième leçon

54. Fractions (Les fractions)

⅗	trois cinquièmes
4/7	quatre septièmes
6/8	six huitièmes

Fractions are formed as in English: the numerator is a cardinal number, the denominator an ordinal. Note these exceptional forms:

½   un demi   ⅔   deux tiers
⅓   un tiers   ¾   trois quarts
¼   un quart

Demi is invariable when it precedes the noun it modifies and is linked to it by a hyphen. When used after a noun, it agrees with the noun in gender:

un demi-siècle	*a half-century*
une demi-heure	*half an hour*
une heure et demie	*an hour and a half; one-thirty*

55. Dates; Titles of Rulers (Les dates; les noms de souverains)

(a) **C'est aujourd'hui le premier mai (le 1ᵉʳ mai).**
le cinq avril (le 5 avril)
le quatre juillet (le 4 juillet)
le dix décembre (le 10 décembre)
le douze février (le 12 février)

(b)

François Iᵉʳ	**François premier**	*Francis the First*
Henri IV	**Henri quatre**	*Henry the Fourth*
Louis XIV	**Louis quatorze**	*Louis the Fourteenth*
Charles VII	**Charles sept**	*Charles the Seventh*

Cardinal numbers are used in French to indicate dates and numerical titles of rulers. The only exception is **premier** (*first*).

Note:

(1) In dates, the English words "of" and "on" have no equivalents in French: **le quatorze juillet** *on the 14 of July.*

(2) In French, all months are masculine and are *not* capitalized.

56. Repassez dans l'appendice le présent de l'indicatif, l'impératif, l'imparfait et le passé composé du verbe **mettre.**

IV. EXERCICES

A. *Répétez les phrases suivantes en employant les pronoms indiqués (Bande 11):*

1. Il met le doigt sur un problème bien délicat. (vous)
2. Cet étudiant commettait toujours les mêmes erreurs. (ils)
3. Je leur ai promis de le faire. (nous)
4. Pourquoi n'admettent-ils pas cela? (tu)
5. Elle a mis ses affaires en ordre. (je)
6. Il me promettait toujours d'y aller. (elles)
7. Elles lui ont transmis ces renseignements. (il)
8. Est-ce que son père lui permet de conduire sa voiture? (tu)
9. Quand a-t-il mis les lettres à la poste? (vous)
10. Quand j'étais jeune, je ne mettais jamais de chapeau. (elle)

B. *Répétez les phrases suivantes en remplaçant les noms par des pronoms démonstratifs* (Bande 11):

MODÈLE: Cette *maison*-ci est rouge, cette *maison*-là est blanche.
Celle-ci est rouge, celle-là est blanche.

1. Cet exemplaire-ci coûte moins cher que cet exemplaire-là.
2. Ces chaussettes-ci sont en soie et ces chaussettes-là en laine.
3. Voudriez-vous me montrer ces gants-là?
4. Envoyez ces paquets-ci par avion et ces paquets-là en colis postal.
5. Ce guichet-ci est pour les lettres recommandées, ce guichet-là pour les mandats.
6. Cette poésie-ci est plus belle que cette poésie-là.
7. Quel est le prix de ces mouchoirs-là?
8. Elle préfère cette robe-ci à cette robe-là.
9. Ces romans-ci sont mieux écrits que ces romans-là.
10. Je vais prendre ces cartes postales en couleur.
11. Cette œuvre-ci a eu une plus grande influence que cette œuvre-là.
12. Il m'a conseillé de lire ces auteurs-ci et ces auteurs-là.

C. *Refaites les phrases suivantes selon le modèle* (Bande 11):

MODÈLE: Voilà ma voiture et *la voiture* de Pierre.
Voilà ma voiture et celle de Pierre.

1. J'ai dépensé mon argent et l'argent de Jean.
2. Apportez mes livres et les livres de Michèle.
3. Avez-vous emprunté sa bicyclette ou la bicyclette de son frère?
4. La secrétaire cherche votre dossier et le dossier de votre ami.
5. Est-ce que les tragédies de Shakespeare sont aussi belles que les tragédies de Racine?
6. As-tu fumé tes cigarettes ou les cigarettes de ton père?
7. Elle a essayé mes chaussures et les chaussures de ma sœur.

8. Où as-tu mis mon chapeau et le chapeau de Philip?
9. Il nous a parlé de cette troupe et de la troupe de la Comédie Française.
10. Il a descendu mes bagages et les bagages de Paul.
11. Voici mon écharpe et l'écharpe de Nicole.
12. J'ai lu ces pièces et les pièces des écrivains classiques.

D. *Répétez les phrases suivantes en remplaçant le nom par un pronom démonstratif* (*Bande 11*):

MODÈLE: Voilà *le facteur* qui nous apporte le courrier.
Voilà *celui* qui nous apporte le courrier.

1. Voilà l'agent de police qui m'a donné les renseignements.
2. Est-ce la chambre que vous avez réservée?
3. Connaissez-vous les personnes qui viennent d'arriver?
4. Est-ce la carte que vous voulez?
5. Voilà le professeur qui va enseigner ce cours.
6. Voilà l'acteur que j'aime le plus.
7. Comment s'appelle la chanteuse qui était au Lido?
8. Voilà les peintures qu'il m'a montrées.
9. J'aime les poèmes qu'il nous a récités.
10. Voilà le médecin qui m'a examiné.
11. Avez-vous les timbres que la postière vous a donnés?

E. *Refaites la seconde phrase de chaque groupe selon le modèle* (*Bande 11*):

MODÈLE: Pasteur et Harvey étaient deux savants célèbres. L'un était Français, l'autre Anglais.
Celui-ci était Anglais, celui-là Français.

1. Louis XIV et François Ier étaient des rois de France. L'un a régné pendant le dix-septième siècle, l'autre pendant la Renaissance.
2. Molière et Racine étaient des dramaturges. L'un a écrit des comédies, l'autre des tragédies.
3. Millet et Bizet étaient des artistes. L'un était peintre, l'autre musicien.
4. Paris et Rome sont des villes importantes. L'une est la capitale de la France, l'autre de l'Italie.
5. Philip et Pierre sont des amis. L'un termine ses études en Amérique, l'autre en France.
6. La France et l'Angleterre sont des pays d'Europe. L'une est une république, l'autre une monarchie.

F. *Répondez aux questions suivantes:*

1. Quelle est la date de Noël?
2. Quel jour sommes-nous aujourd'hui?
3. Combien font un demi et un quart?
4. En quel mois tombe notre fête nationale?
5. Quelle est la date de la fête de Lincoln?
6. Quelles sont les quatre saisons de l'année?
7. Quelle est la date de votre anniversaire?
8. Nommez deux grands rois de France.
9. Quels sont les deux jours de la semaine où vous n'allez pas à l'école?
10. Quand votre mère est-elle née?
11. Quel est le troisième (le septième, le neuvième) mois de l'année?
12. Quel est le premier (le troisième, le cinquième, le dernier) jour de la semaine?

G. *Employez dans des phrases complètes les expressions à retenir qui se trouvent à la section II.*

V. COMPOSITION

A. *Dites, puis écrivez en français:*

1. Is the literature of the nineteenth century as rich as that of the seventeenth century?
2. They say it is even richer. The nineteenth century has many famous writers, as for example, Balzac and Lamartine.
3. What kinds of works did these men write?—The former wrote novels and the latter, poems.
4. Did the authors of the nineteenth century have a great influence on French thought?—You put your finger on a very delicate problem.
5. It is said that they had a greater influence than those of the seventeenth century.
6. As for me, I prefer the classical theater with Racine and Corneille. However, I like Racine's plays better than those of Corneille.
7. You know, the seventeenth century is called the Golden Age of French literature.
8. Was Francis the First king of France during that century?—No, Louis XIV, the sun king, reigned during the classical period.

9. By the way (**A propos**), did you mail the letter I gave you—the one I wrote to my friend Pierre?
10. Yes, I mailed it with those which Nicole gave me.
11. I told Pierre in my letter that the books he sent me arrived on the twenty-first of April and that I would like to be in Paris before the fourteenth of July.
12. Do you see those displays, Paul? Aren't they more interesting than the ones we saw yesterday?
13. Ah, yes. I prefer these to those.

B. *Vous venez de recevoir une lettre d'un(e) de vos ami(e)s. Vous répondrez aux différents points de sa lettre en parlant:*

(1) de vos études de français (où vous en êtes, par exemple);
(2) de vos travaux pratiques (laboratoire de langues, films . . .);
(3) de vos lectures en général;
(4) des activités du Cercle Français.

VI. DICTÉE

A tirer de la onzième conversation.

VII. LECTURE

JEAN DE LA FONTAINE: Le chat, la belette et le petit lapin (*Bande 11*)

On s'est longtemps imaginé Jean de La Fontaine (1621–1695) sous les traits d'un naïf, d'un rêveur égaré au milieu de son siècle. Il était le «bonhomme». Bien que ses Fables soient écrites en vers, elles sont cependant plus proches du théâtre que de la poésie.

Dans Le chat, la belette et le petit lapin, *il est plaisant de voir l'importante question de la propriété très bien discutée à l'occasion d'un trou de lapin. Le dénouement de cette fable est, hélas, des plus tragiques pour les parties en cause.*

Du palais d'un jeune lapin
Dame belette, un beau matin.
S'empara: c'est une rusée.
Le maître étant absent, ce lui fut chose aisée.
Elle porta chez lui ses pénates, un jour   5
Qu'il était allé faire à l'Aurore sa cour
Parmi le thym et la rosée.
Après qu'il eut brouté, trotté, fait tous ses tours,
Jannot lapin retourne aux souterrains séjours.
La belette avait mis le nez à la fenêtre.   10
«O Dieux hospitaliers! que vois-je ici paraître?
Dit l'animal chassé du paternel logis.
O là, Madame la belette.
Que l'on déloge sans trompette,
Ou je vais avertir tous les rats du pays.»   15
La dame au nez pointu répondit que la terre
Était au premier occupant.
«C'était un beau sujet de guerre,
Qu'un logis où lui-même il n'entrait qu'en rampant.
Et quand ce serait un royaume,   20
Je voudrais bien savoir, dit-elle, quelle loi
En a pour toujours fait l'octroi
A Jean, fils ou neveu de Pierre ou de Guillaume,
Plutôt qu'à Paul, plutôt qu'à moi.»
Jean lapin allégua la coutume et l'usage: 25
«Ce sont, dit-il, leurs lois qui m'ont de ce logis
Rendu maître et seigneur, et qui, de père en fils,
L'ont de Pierre à Simon, puis à moi Jean, transmis.»
«Le premier occupant, est-ce une loi plus sage?

---

1 palais m.: plaisanterie de la part de La Fontaine. Il s'agit du trou du lapin
1 lapin m.: *rabbit*
2 Dame f.: Exemple de burlesque. Le mot «dame» traduit souvent, chez La Fontaine, l'importance que se donne le personnage.
2 belette f.: *weasel*
3 s'emparer: prendre; saisir
3 rusée f.: personne qui a de la ruse, qui sait tromper.
5 pénates m.: dieux domestiques des Romains. Porter ses pénates chez quelqu'un, c'est s'installer chez lui.
6 Aurore f.: *dawn*
7 rosée f.: *dew*
8 brouter: manger l'herbe
14 sans trompette: vite et sans bruit
15 les rats du pays: les rats sont les ennemis des belettes
18 guerre f.: *war*
19 ramper: *to crawl*
21 loi f.: *law*
22 octroi m.: *concession*

30   —Or bien, sans crier davantage,
        Rapportons-nous, dit-elle, à Raminagrobis.»
        C'était un chat vivant comme un dévot ermite,
                Un chat faisant la chattemite,
        Un saint homme de chat, bien fourré, gros et gras,
35   Arbitre expert sur tous les cas.
                Jean lapin pour juge l'agrée.
                Les voilà tous deux arrivés
                Devant Sa Majesté fourrée.
        Grippeminaud leur dit: «Mes enfants, approchez,
40   Approchez, je suis sourd, les ans en sont la cause.»
        L'un et l'autre approcha, ne craignant nulle chose.
        Aussitôt qu'à portée il vit les contestants,
                Grippeminaud, le bon apôtre,
        Jetant des deux côtés la griffe en même temps,
45   Mit les plaideurs d'accord en croquant l'un et l'autre.
        Ceci ressemble fort aux débats qu'ont parfois
        Les petits souverains se rapportants aux rois.

30 davantage: *more*
31 Raminagrobis: nom emprunté à Rabelais (*Pantagruel*); le mot vient du verbe «rominer» (ronronner: *to purr*) et «gros-bis» (homme important)
32 chat m.: *cat*
33 faire la chattemite: vieille expression qui signifie «faire l'hypocrite».
34 fourré: La Fontaine se représente un juge. Les magistrats portaient des fourrures (*furs*); ils étaient couverts d'hermine.
34 gras: *fat*

39 Grippeminaud: nom emprunté à Rabelais
40 sourd: *deaf*
41 craignant: participe présent du verbe «craindre» (*to fear*)
42 contestant m.: plaideur
44 griffe f.: *claw*
45 mit: passé simple du verbe «mettre»
46 fort: beaucoup
47 se rapportants: la langue classique faisait l'accord du participe présent avec un masculin pluriel

EXPLICATION DE TEXTE

Comment il faut lire les fables de La Fontaine

Ernest Legouvé (1807–1895) appartient à la «critique» par ses deux ouvrages sur la lecture. Dans ce passage extrait de La lecture en action *et consacré à une des fables de La Fontaine, Legouvé donne les conseils les plus simples sur la façon dont il faut lire* Le chat, la belette et le petit lapin.

La Fontaine n'est pas seulement un fabuliste, un moraliste, un dramatiste, il est encore poète et peintre. Eh bien, c'est précisément ce

Jean de La Fontaine
The Bettman Archive

côté poétique et pittoresque qui disparaît souvent dans les fables lues; les plus habiles y sont trompés, je crois, par une règle fort juste en soi, mais d'application délicate. Les fables, disent-ils, doivent être lues simplement. Sans doute, mais il y a bien des sortes de simplicité. La simplicité peut être nue, froide, plate, ou expressive, imagée, pathétique. Or, puisque La Fontaine a trouvé le moyen d'être grand poète et grand peintre, en restant dans la vérité et la simplicité, votre devoir, à vous lecteurs, est d'être poétiques et pittoresques, sans cesser d'être simples et vrais.

Prenons quelques exemples:

> Du palais d'un jeune lapin,
> Dame belette, un beau matin,
> S'empara . . . C'est une rusée
> Le maître étant absent, ce lui fut chose aisée.
> Elle porta chez lui ses pénates, un jour
> Qu'il était allé faire à l'Aurore sa cour,
> Parmi le thym et la rosée.

J'ai entendu dire cette fable par un homme qui a porté l'art de la diction jusqu'au génie, par M. Samson. Eh bien, M. Samson se trompait, je crois, dans ce passage.

Il disait *Du palais* comme s'il y avait *du logis*, *Dame belette* comme s'il y avait *la belette*. *Elle porta chez lui ses pénates*, comme s'il y avait *s'installa*, et *il était allé faire à l'Aurore sa cour parmi le thym et la rosée*, comme s'il y avait *qu'il était allé brouter le thym dans la rosée*. Sous prétexte de naturel et de vérité, il dissimulait la poésie de ces mots . . . *palais* . . . , *pénates* . . . , *faire à l'Aurore sa cour*, il demandait pour ainsi dire grâce pour eux, il les noyait dans le cours de la diction. J'ose penser contre lui qu'il faut les faire valoir. L'art de La Fontaine a été précisément de mettre côte à côte et sans dissonance, dans ce court passage, des vers de pure comédie, comme *s'empara . . . c'est une rusée*; des vers de simple récit comme:

> Le maître étant absent, ce lui fut chose aisée;

et les plus fraîches images poétiques. Puisque ces contrastes font si bon ménage dans sa fable, arrangez-vous pour qu'ils se marient aussi heureusement dans la diction. Soit! direz-vous, mais comment? Le moyen est bien simple. Prononcez ces mots: *palais . . . pénates . . . faire à l'Aurore sa cour*, avec une petite emphase ironique; ayez l'air, par votre intonation, de vous moquer un peu vous-même de ces mots; ils garderont leur effet et perdront leur apprêt; La Fontaine les a écrits en souriant, souriez en les disant.

Étude du passage

I. L'ensemble

1. Dans quel ouvrage figure ce passage?
2. Quels conseils nous donne Legouvé?
3. Sur lequel insiste-t-il particulièrement?
4. Quelle impression laisse en vous la lecture de ce passage?

II. Analyse

1. Quelles sont les divisions du passage que vous venez de lire?

   a. ce qu'est La Fontaine;
   b. conseil donné à ceux qui lisent les fables de La Fontaine;
   c. exemples.

2. La Fontaine est-il seulement un fabuliste, un moraliste et un dramatiste? Qu'est-il encore?
3. Quelle est la règle dont l'application induit le lecteur en erreur?
4. Comment faut-il lire les fables de La Fontaine?
5. Quels sont, dans *Le chat, la belette et le petit lapin*, les mots qu'il faut prononcer avec une petite emphase ironique?
6. Dans l'intonation, de quoi faut-il que vous ayez l'air de vous moquer?
7. Comment La Fontaine a-t-il écrit ces mots?
8. Quelle est la conclusion de Legouvé sur la façon dont il faut prononcer ces mots.

III. Conclusion

Quel plaisir prenez-vous à la lecture des *Fables* de la Fontaine. Y a-t-il une fable qui vous plaît plus particulièrement? Laquelle? Dites pourquoi vous aimez la relire.

LEÇON 12

I. CONVERSATION: Au cinéma *(Bande 12)*

PIERRE: Ça vous dit de voir ce film?

PHILIP: Qu'est-ce que l'on joue?

PIERRE: *Gigi* . . . c'est d'après le célèbre roman de Colette.

PHILIP: Non, pas ça . . . je l'ai déjà vu l'année dernière. D'ailleurs c'est un navet au point de vue réalisation. Est-ce qu'il est possible d'aller voir quelque chose d'autre?

PIERRE: Oui, c'est possible. Il est facile d'aller un peu plus loin. Il y a un autre cinéma où l'on donne un bon film avec B.B.

PHILIP: Brigitte Bardot? D'accord. Mais on va arriver pour la fin des actualités, non?

PIERRE: C'est probable . . . mais ça ne fait rien car il y a un documentaire intéressant avant le grand film et un dessin animé. On a grandement le temps.
                   (A *la caisse*)
LA CAISSIÈRE: Vous désirez, monsieur?
PIERRE: Je voudrais deux places, s'il vous plaît.
LA CAISSIÈRE: A l'orchestre ou au balcon?
PIERRE: A l'orchestre . . . pas trop près de l'écran.
LA CAISSIÈRE: Les places ne sont pas numérotées, monsieur. Vous pouvez vous placer où vous voulez. Donnez simplement vos billets à l'ouvreuse.
PIERRE: Parfait . . . Combien je vous dois?
LA CAISSIÈRE: Deux orchestres? . . . Ça fait seize francs.
PIERRE: Tenez, voilà. Pouvez-vous me donner aussi de la monnaie de cinq?
LA CAISSIÈRE: Oui, bien sûr, monsieur.
PIERRE: Vous voyez, Philip . . . une autre chose: en France, au cinéma comme au théâtre, il est toujours bon de donner un pourboire à l'ouvreuse qui vous accompagne jusqu'à votre place.

Questionnaire (*Bande 12*)

Répondez aux questions suivantes:

1. Comment s'appelle le film que l'on joue au cinéma?
2. D'où est tiré ce film?
3. Comment Philip a-t-il trouvé le film *Gigi* au point de vue réalisation?
4. Qui est la vedette de l'autre film?
5. Qu'est-ce qu'il y a avec le grand film?
6. Où Pierre va-t-il prendre ses billets?
7. Quelles places voudrait-il?
8. Veut-il s'asseoir près de l'écran?
9. En France, les places de cinéma sont-elles réservées?
10. A qui donne-t-on les billets?
11. Combien coûtent les billets?
12. La caissière a-t-elle de la monnaie de cinq francs?
13. Que faut-il donner à l'ouvreuse qui vous accompagne jusqu'à votre place?

Dialogue

Demandez à un(e) étudiant(e):

1. ce que c'est qu'une ouvreuse. [L'étudiant(e) répondra à toutes les questions posées.]
2. quel artiste était célèbre pour ses dessins animés.
3. ce qu'on voit aux actualités.
4. quelle place il (elle) préfère au cinéma.
5. ce que c'est qu'un documentaire.
6. quelle est sa vedette préférée.
7. ce que c'est qu'une caissière.
8. s'il (si elle) aime aller au cinéma. Pourquoi ou pourquoi pas?
9. quelle sorte de film il (elle) préfère.
10. ce qu'il y a avant le grand film.

II. EXPRESSIONS A RETENIR

au point de vue	*from the point of view, from the standpoint*
avoir de la monnaie	*to have change*
avoir le temps de	*to have time to*
ça vous dit de voir?	*how about going to see?*
c'est un navet	*it's a flop*
donner une pièce (un film)	*to give a play (a film)*
prendre un billet	*to buy a ticket*
quelque chose d'autre	*something else*

III. GRAMMAIRE

57. Invariable Demonstrative Pronouns (Les pronoms démonstratifs invariables)

(a) **Ceci, cela, ça**

Que pensez-vous de **ceci?**
Cela (ça) me convient.
Pouvez-vous me montrer **cela,** s'il vous plaît?
Je vais envoyer **ceci** par avion.
Est-ce que **cela (ça)** coûte cher?
J'ai déjà vu **ceci.** Je ne l'aime pas.
Cela (ça) ne fait rien.

Ceci (*this*) and **cela** (*that*) refer to something indicated or pointed out, but not named, and to ideas or statements. **Cela** is often replaced by the shorter **ça.**

(b) **Ce** before **être**

1. MODIFIED[1] NOUN:
   C'est un documentaire intéressant.
   C'est un mouvement essentiellement français.
   C'était un grand savant.
   Ce sont des chefs-d'œuvre que tout le monde admire.

   PRONOUN:
   C'est moi.
   C'est elle qui m'a conseillé d'aller voir ce film.
   C'est celui de M. Martin.
   C'est le mien; ce n'est pas **le sien.**

   PROPER NAME:
   C'est Colette qui a écrit *Gigi.*
   C'est Pierre qui est allé prendre les billets.
   Ce sont les Girard[2] qui viennent d'arriver.

   SUPERLATIVE:
   C'est une des plus belles pièces du théâtre classique.
   C'est l'écrivain le plus célèbre de ce siècle.

Ce (**c'**) is used instead of **il(s)** or **elle(s)** before **être** when **être** is followed by a modified noun, a pronoun, a proper name, or a superlative.[3]

2. Est-ce qu'on va arriver pour la fin des actualités? — Oui, **c'est probable.**
   C'est étonnant ce qu'il dit.
   C'est essentiellement parisien.
   Ce n'est pas trop mal.

Ce (**c'**) is used instead of **il(s)** or **elle(s)** before **être** when **être** is followed by an adjective or an adverb referring to an idea, fact, statement, or question previously mentioned or implied.

[1] Modified or qualified by an article, adjective, phrase, or clause.

[2] Proper names are invariable in French.

[3] Unmodified nouns of nationality, profession, and religion, when used as the predicate of **être**, have the function of adjectives. These are preceded by **il(s)**, **elle(s)** plus a form of **être: elle est Américaine; il est avocat; ils sont catholiques.**

Note: When referring to a specific noun or pronoun previously mentioned, **il(s)** or **elle(s)** is normally used:

Comment trouvez-vous **cette robe?** — **Elle est** très chic.[1]
Est-ce que vous cherchez **les timbres? Ils sont** dans ce tiroir.
Où sont-elles? — **Elles sont** en France.

3. C'est facile à remplir.
   C'est beau à voir.
   C'est difficile à comprendre.

The construction **ce** + **être** + adjective takes **à** before an infinitive if the sentence ends with the infinitive. If a sentence does not end with the infinitive, impersonal **il** is used to introduce the sentence and the infinitive is preceded by **de**:

Il est facile d'aller un peu plus loin.
Est-il possible d'aller voir quelque chose d'autre?
Il est bon de donner un pourboire à l'ouvreuse.
Il est difficile de comprendre ce qu'il dit.

Note: The construction **il** + **être** + adjective is also used before a clause introduced by **que: Il est vrai qu'il a peur.**[2]

58. Position of Adjectives (La place des adjectifs) (continued)

The meaning of some adjectives varies according to position (whether they precede or follow the noun they modify). The most common of these are:[3]

un **ancien** professeur	une coutume **ancienne**
a former professor	*an ancient custom*
un **brave** homme	un homme **brave**
a good (kind) man	*a brave man*
une **certaine** chose	une victoire **certaine**
a certain thing	*a sure victory*
ma **chère amie**	une robe **chère**
my dear friend	*an expensive dress*
le **dernier** mois de l'année	le mois **dernier**
the last month of the year	*last month*

---

[1] In spoken French, **ce** is now often used for things, even in reference to a specific noun: **C'est très chic.**

[2] In spoken French, **ce** (**c'**) is increasingly used under similar circumstances: **C'est vrai qu'il a peur.**

[3] Observe that most of such adjectives follow the noun in their literal meaning.

les **différentes** significations	des articles **différents**
the various meanings	*different articles*
une **grande** actrice	une femme **grande**
a great actress	*a tall woman*
le **même** jour	le jour **même**
the same day	*the very day*
un **pauvre** garçon	un garçon **pauvre**
a poor boy (*unfortunate*)	*a poor boy* (*financially*)
ma **propre** chambre	une chambre **propre**
my own room	*a clean room*

59. Repassez dans l'appendice le présent de l'indicatif, l'impératif, l'imparfait et le passé composé du verbe **voir**.

IV. EXERCICES

A. *Répétez les phrases suivantes en employant les pronoms indiqués* (*Bande 12*):

1. Je ne les ai pas vus depuis huit jours. (nous)
2. Elle dit que les places ne sont pas numérotées. (elles)
3. Il la voyait chaque été. (je)
4. Peut-il me donner de la monnaie? (vous)
5. Que voient-ils là-bas? (elle)
6. Va-t-on arriver pour les actualités? (ils)
7. Elle voulait toujours une place à l'orchestre. (nous)
8. Hier soir j'ai revu un vieux film. (il)
9. Nous venons de lire ce roman. (je)
10. Il me promettait toujours d'être à l'heure. (tu)

B. *Transformez les phrases suivantes selon le modèle* (*Bande 12*):

MODÈLE: Voilà une chambre qui est très belle.
C'est une très belle chambre.

1. Voilà un travail qui est fatigant.
2. Voilà une région qui est très pittoresque.
3. Voilà un avocat qui est célèbre.
4. Voilà une université qui est vieille.
5. Voilà un ingénieur qui est habile.
6. Voilà une femme qui est jalouse.
7. Voilà une vue qui est magnifique.
8. Voilà un problème qui est délicat.

9. Voilà un documentaire qui est intéressant.
10. Voilà une peinture qui est fameuse.
11. Voilà un étudiant qui est studieux.
12. Voilà une marque qui est excellente.
13. Voilà un film qui est bon.
14. Voilà un bijou qui est précieux.
15. Voilà une robe qui est élégante.

C. *Répondez aux questions suivantes selon le modèle en employant les mots indiqués* (*Bande 12*):

MODÈLE: Qui est d'origine française? (Mme Lebrun)
C'est Mme Lebrun qui est d'origine française.

1. Qui va prendre les billets? (Paul)
2. Qui ne veut pas se placer trop près de l'écran? (Marie)
3. Qui est allé dîner chez Maxim? (Les Charpentier)
4. Qui vous a donné de la monnaie de cinq? (Gérard)
5. Qui nous a invités? (Les Girard)
6. Qui vient de terminer ses études à la Sorbonne? (Pierre)
7. Qui vous a téléphoné hier matin? (Jacqueline)
8. Qui est allé ouvrir un compte à la banque? (Jeannette)
9. Qui a reçu une bourse? (Philip)
10. Qui a besoin d'une bonne anthologie? (Michèle)
11. Qui a assisté à la représentation de Phèdre? (Les Martin)
12. Qui vous a conseillé de lire cette pièce? (Nicole)
13. Qui va nous retrouver ici? (Les Guéry)
14. Qui vous a accompagné à la poste? (Robert)

D. *Refaites les phrases suivantes selon le modèle en mettant les adjectifs au superlatif* (*Bande 12*):

MODÈLE: Brigitte Bardot est une belle actrice.
C'est une des plus belles actrices.

1. La politesse est un trait caractéristique des Français.
2. Descartes est un grand philosophe du dix-septième siècle.
3. La Loire est un long fleuve de France.
4. Le printemps est une belle saison de l'année.
5. *Phèdre* est une tragédie célèbre de Racine.
6. *Gigi* est un roman important de Colette.
7. La Renault est une voiture légère.
8. Notre Dame est un bon exemple de l'art gothique.
9. Le football est un sport populaire.
10. Marseille est une vieille ville française.

E. *Transformez les phrases suivantes selon le modèle* (*Bande* 12):

MODÈLE: Dire toujours la vérité, c'est important.
Il est important de dire toujours la vérité.

1. Trouver quelque chose à meilleur prix, c'est rare.
2. Arriver à l'heure, c'est toujours bon.
3. Faire la queue, c'est agaçant.
4. Sortir en hiver sans pardessus, c'est imprudent.
5. Résoudre ce problème, c'est difficile.
6. Voyager en Europe sans passeport, c'est impossible.
7. Faire partie de ce groupe, c'est préférable.
8. Aller voir quelque chose d'autre, c'est possible.
9. Visiter les provinces françaises, c'est intéressant.
10. Travailler tout le temps, c'est trop fatigant.

F. *Répondez affirmativement aux questions suivantes en employant* «ce», «il(s)» *ou* «elle(s)», *selon le cas* (*Bande* 12):

1. Est-ce que ces timbres sont les plus beaux de votre collection?
2. Philip est-il un étudiant américain?
3. Est-ce que les places de cinéma sont numérotées?
4. Est-ce que les bouquinistes vendent de vieux livres?
5. Est-ce que Le Cid est une des meilleures pièces de Corneille?
6. Est-ce que la secrétaire a trouvé votre dossier?
7. Est-ce que le classicisme est un mouvement européen?
8. Est-il important d'obtenir une carte d'identité?
9. Est-ce que cette édition est reliée en toile?
10. Est-ce que cette leçon est facile à comprendre?
11. Brigitte Bardot est-elle une grande vedette?
12. Est-il possible de voir quelque chose d'autre?
13. Est-ce que les enfants aiment les dessins animés?

G. *Répétez les phrases suivantes en employant les adjectifs indiqués* (*Bande* 12):

1. L'année prochaine je vais suivre un cours d'histoire. (ancien)
2. Ce garçon est malade depuis trois mois. (pauvre)
3. Mon amie, venez me voir quand vous voulez. (cher)
4. Ils ont passé l'été en Europe. (dernier)
5. Victor Hugo était un poète romantique. (grand)
6. Donnons quelque chose à manger à cet homme. (pauvre)
7. Philip et Pierre sont allés à l'université. (même)
8. J'ai assisté à la représentation de cette pièce. (dernier)
9. C'était évidemment sa décision. (propre)

10. Il y a un tableau dans ce musée que tout le monde admire. (certain)
11. Le Louvre était une résidence royale. (ancien)
12. Avez-vous des chambres dans votre immeuble? (propre)

H. *Employez dans des phrases complètes les expressions à retenir qui se trouvent à la section II.*

V. COMPOSITION

A. *Dites, puis écrivez en français:*

1. What film are we seeing tonight?—The one at the Odeon. They say it's a fine film.
2. How can you say that! I saw it last week. It's a flop.
3. I was told the same thing. It's Paul who said that.
4. Is it possible to go to see something else?
5. It's possible. There's a very good French film at the Bijou, *A Man and a Woman*, with Anouk Aimée.
6. Isn't she a splendid actress?—Ah, yes, she's excellent.
7. That's one of Claude Lelouche's best films.
8. I'm happy to hear you say this because recently England, France, and Italy have turned out good films.
9. It's evident that if we don't stop talking we're not going to arrive in time for the feature film.
10. My dear Philip, before the feature film there's always a documentary and an animated cartoon.
11. Paul liked the documentary very much. He said that's one of the most interesting documentaries he's seen.
12. I hope we get there in time for the animated cartoon. It's always amusing to see a good cartoon.
13. I like to come to the Bijou because it's a new movie house.
14. Yes, and it's also a very clean theater.
15. Are we going to sit as close to the screen as the last time (that) we went to the movies?
16. No, I've already bought the tickets. These are the most expensive seats in the theater.

B. *C'est samedi soir. Il est huit heures. Vous sortez du restaurant universitaire où vous avez dîné avec un de vos amis. Ne sachant pas quoi faire, vous décidez d'aller au cinéma. Tout en marchant, vous vous arrêtez devant différents cinémas pour voir ce qui est à l'affiche. Un film enfin vous plaît et vous allez le voir. Écrivez le dialogue que vous avez avec:*

(1) la caissière (sur les places que vous désirez, le prix, l'heure à laquelle commence le grand film . . .);
(2) l'ouvreuse (si vous voulez être placé loin ou assez près de l'écran, s'il y a un entracte);
(3) votre ami (sur les actualités, le documentaire, le dessin animé et le film que vous venez de voir).

VI. DICTÉE

A tirer de la douzième conversation.

VII. LECTURE

HONORÉ DE BALZAC: Physionomies bourgeoises (*Bande 12*)

Honoré de Balzac (1799–1850) est peut-être, avec Molière et Shakespeare, le plus grand «créateur d'âmes». Tous ses personnages, il semble les avoir vus, entendus parler, chacun dans son milieu particulier, hôtel princier ou bouge infect.

Ses principaux romans forment une série qu'il a intitulée lui-même: La Comédie humaine, *et qui se subdivise en* scènes de la vie privée, de la vie de province, de la vie parisienne, *etc. . . . On relit surtout* Le Colonel Chabert *(1832),* Eugénie Grandet *(1833)—admirable étude de l'avarice —* Le Père Goriot *(1834),* La Cousine Bette *(1846) et* Le Cousin Pons *(1847).*

*Il n'est pas de roman qui donne plus qu'*Eugénie Grandet *l'impression de la vie et de la réalité. Dans ce court passage, Balzac applique tout son art à la description physique et morale de Madame Grandet, la mère d'Eugénie. Le contraste est saisissant de vérité.*

Honoré de Balzac
The Bettman Archive

Madame Grandet était une femme sèche et maigre, jaune comme un coing, gauche, lente; une de ces femmes qui semblent faites pour être tyrannisées. Elle avait de gros os, un gros nez, un gros front, de gros yeux, et offrait, au premier aspect, une vague ressemblance avec ces fruits cotonneux qui n'ont plus ni saveur ni suc. Ses dents étaient   5
noires et rares, sa bouche était ridée, son menton affectait la forme dite en galoche. C'était une excellente femme, une vraie La Bertellière. L'abbé Cruchot savait trouver quelques occasions de lui dire qu'elle n'avait pas été trop mal, elle le croyait. Une douceur angélique, une résignation d'insecte tourmenté par des enfants, une piété rare, une   10
inaltérable égalité d'âme, un bon cœur, la faisaient universellement plaindre et respecter.

1 sec: *dried up*	6 ridé: *wrinkled*
1 maigre: *thin, gaunt*	6 menton m.: *chin*
2 coing m.: *quince*	7 galoche f.: menton en galoche (*turned-*
5 suc m.: jus	*up chin*)
5 dent f.: *tooth*	7 plaindre: *to pity, be sorry for*
6 bouche f.: *mouth*	

THÈME

Honoré de Balzac was born in 1799. Along with Molière and Shakespeare, he is considered the greatest creator of living characters. His most important works are *Le Cousin Pons* and *Eugénie Grandet*, which is a study of avarice. Eugénie's mother, Madame Grandet, was a skinny, dried-up woman. Her skin was as yellow as a quince. She was clumsy and slow, one of those women made more for being tyrannized than loved. She not only had large bones but a large nose, a large forehead and large eyes. Her mouth was wrinkled and her teeth were as black as they were rare, but she was a wonderful woman, and l'Abbé Cruchot thought that she was not too bad after all. And she believed him. Her angelic gentleness, her deep piety combined with her goodness of heart, made her universally respected and pitied.

LEÇON 13

I. CONVERSATION: Au Musée du Louvre (*Bande 13*)

PIERRE: Attendez-moi ici près de la porte . . . il faut que j'aille chercher les billets d'entrée au guichet.

PHILIP: Laissez-moi y aller . . .!

PIERRE: Non, vous êtes mon invité.

PHILIP: Donnez-moi votre pardessus, je vais aller le déposer au vestiaire avec mon appareil.

PIERRE: Attendez que j'aie les billets. Je reviens tout de suite.
(*Dans le musée*)

PIERRE: Voyons . . . Par où voulez-vous que nous commencions? Par la peinture ou par la sculpture?

PHILIP: Comme vous voulez. Croyez-vous que nous ayons le temps de tout voir?

PIERRE: Certainement pas . . . Avançons . . . Savez-vous que grâce à ses belles collections, le Louvre peut illustrer toute l'histoire de la peinture . . . des primitifs jusqu'au milieu du dix-neuvième siècle . . .

PHILIP: C'est fantastique! . . . Mais où se trouvent les impressionnistes? Les Manet, Pissaro, Renoir . . .?

PIERRE: Ils ne sont pas là, ils sont exposés au Musée du Jeu de Paume qui se trouve à quelques pas d'ici.

PHILIP: Où sommes-nous à présent?

PIERRE: Dans la Grande Galerie. C'est la salle principale, car vous savez que le Louvre était une ancienne résidence royale.

PHILIP: Oui. Est-ce que c'est ici que se trouvent les plus beaux chefs-d'œuvre de la peinture?

PIERRE: Oui. Vous pouvez voir les tableaux des grands maîtres depuis Léonard de Vinci jusqu'à El Greco.

PHILIP: Ah! Enfin . . . voilà la Joconde, notre Monna Lisa!

PIERRE: Avec son éternel sourire! Quelle énigme, ce sourire! C'est peut-être le tableau le plus célèbre du Louvre.

PHILIP: Si je comprends bien, toutes les écoles sont représentées dans ce musée. Et où se trouvent les sculptures?

PIERRE: Suivez-moi. Le Louvre possède aussi une très belle collection de sculptures, de bas-reliefs et de statues de différentes époques.

PHILIP: Je vois . . . Au fait, quelle heure avez-vous? Je ne voudrais pas vous retarder.

PIERRE: Oh! C'est vrai, il se fait tard. Nous n'avons plus beaucoup de temps, mais je voudrais encore vous montrer la Vénus de Milo et la Victoire de Samothrace . . .

PHILIP: C'est dommage que nous n'ayons pas pu rester plus longtemps.

PIERRE: Oui . . . mais il est grand temps que nous partions car j'ai bien peur que la grande porte ne soit fermée.

Questionnaire (*Bande 13*)

Répondez aux questions suivantes:

1. Pourquoi Pierre dit-il à Philip de l'attendre près de la porte?

Le Louvre
French Embassy Press & Information Division

2. Pourquoi ne veut-il pas que Philip aille chercher les billets d'entrée?
3. Qu'est-ce que Philip va déposer au vestiaire?
4. En entrant dans le musée, qu'est-ce que Pierre demande à Philip?
5. Qu'est-ce que le Louvre peut illustrer en peinture?
6. Où se trouvent les impressionnistes?
7. Quelle est la salle principale du Louvre?
8. Que peut-on voir dans la Grande Galerie?
9. Qu'est-ce que c'est que la Joconde?
10. Que possède le Louvre en plus des peintures?
11. Avant de quitter le musée, quelles statues Pierre veut-il montrer à Philip?

Dialogue

Demandez à un(e) étudiant(e):

1. ce que c'est qu'un guichet. [L'étudiant(e) répondra à toutes les questions posées.]
2. ce qu'on peut déposer au vestiaire.
3. de nommer trois impressionnistes célèbres.
4. si le Louvre était toujours un musée.
5. comment on appelle aussi la Joconde.
6. pourquoi la Joconde est célèbre.
7. ce qu'il (elle) préfère regarder dans un musée.
8. ce que c'est qu'un portraitiste.
9. ce qu'il (elle) admire dans un tableau.
10. quelle sorte de tableau il (elle) préfère.

II. EXPRESSIONS A RETENIR

à présent	*at present, just now*
à quelques pas d'ici	*a few steps from here, a stone's throw from here*
au fait	*incidentally, as a matter of fact, in fact, after all*
au milieu de	*in (to) the middle of, in the midst of*
avoir peur	*to be afraid*
c'est dommage	*it's a pity, it's too bad*
commencer par faire quelque chose	*to begin by doing something*
déposer au vestiaire	*to check (in cloakroom)*

— grâce à   *thanks to, owing to*
— il se fait tard   *it's getting late*
quelle heure avez-vous?   *what time is it? what time do you have?*

III. GRAMMAIRE

60. Present and Past Subjunctives (Le présent et le passé du subjonctif)

(a) To form the present subjunctive of all regular and most irregular verbs, add the subjunctive endings to the stem of the third person plural of the present indicative:

LE PRÉSENT DE L'INDICATIF	LE PRÉSENT DU SUBJONCTIF	
ils entrent	j'entre	nous entrions
	tu entres	vous entriez
	il (elle) entre	ils (elles) entrent
ils remplissent	je remplisse	nous remplissions
	tu remplisses	vous remplissiez
	il (elle) remplisse	il (elles) remplissent
ils vendent	je vende	nous vendions
	tu vendes	vous vendiez
	il (elle) vende	ils (elles) vendent

(b) The present subjunctive of **avoir** and **être** and irregular subjunctives:

j'**aie**	je **sois**
tu **aies**	tu **sois**
il (elle) **ait**	il (elle) **soit**
nous **ayons**	nous **soyons**
vous **ayez**	vous **soyez**
ils (elles) **aient**	ils (elles) **soient**

aller:	aille, ailles, aille, allions, alliez, aillent
dire:	dise, dises, dise, disions, disiez, disent
écrire:	écrive, écrives, écrive, écrivions, écriviez, écrivent
faire:	fasse, fasses, fasse, fassions, fassiez, fassent
lire:	lise, lises, lise, lisions, lisiez, lisent
mettre:	mette, mettes, mette, mettions, mettiez, mettent
pouvoir:	puisse, puisses, puisse, puissions, puissiez, puissent

venir: vienne, viennes, vienne, venions, veniez, viennent
voir: voie, voies, voie, voyions, voyiez, voient
vouloir: veuille, veuilles, veuille, voulions, vouliez, veuillent

(c) The past subjunctive consists of the present subjunctive of **avoir**
or **être** plus the past participle of the main verb:

j'aie parlé	je **sois** allé(e)
tu aies parlé	tu **sois** allé(e)
il (elle) ait parlé	il (elle) **soit** allé(e)
nous ayons parlé	nous soyons allé(e)s
vous ayez parlé	vous soyez allé(e), allé(e)s
ils (elles) aient parlé	ils (elles) soient allé(e)s

Note:

(1) The present subjunctive is usually equivalent in English to
a present, a future, or to *may* plus verb. The past subjunctive
is usually equivalent to a past tense, or to *might, would, may
have,* etc. plus verb:

Je doute qu'il le **fasse.**
I doubt (that) he'll do it.
Je doute qu'il l'**ait vu.**
I doubt (that) he has seen it.

(2) The subjunctive mood expresses an action, an event, or a
state that is [1] uncertain, [2] doubtful, [3] desirable, [4] possible, [5] emotional, or subjective.

(3) The subjunctive is used in a subordinate clause introduced by
que (*that*)—which can never be omitted in French—and is
dependent on the verb or idea of the main clause suggesting
the moods described above:

Il est possible que nous arrivions pour les actualités.
It's possible (that) we'll arrive for the newsreels.
Il est nécessaire que tu reviennes.
(It's necessary that you come back) You must come back.

61. Uses of the Subjunctive (Les emplois du subjonctif)

(a) **Je doute qu'il ait** les billets.
Il se peut (Il est possible) qu'elle nous attende.

The subjunctive is used after expressions of *doubt* and *uncertainty*.

Note:

(1) The verbs **croire, penser, espérer,** when used negatively or

interrogatively, usually imply uncertainty and require the subjunctive in the subordinate clause:[1]

Croyez-vous que nous ayons le temps de tout voir?
Je ne pense pas que les tableaux soient ici.
Espérez-vous qu'elle vienne avec nous?

But

Elle croit qu'il se fait tard.
Je pense qu'il l'a déjà vu.[2]

(2) Impersonal expressions like **il est certain, il est clair, il est évident, il est probable, il est sûr, il est vrai** normally indicate uncertainty when used negatively or interrogatively, requiring the subjunctive:

Est-il certain que vous partiez demain?
Il n'est pas sûr qu'il vienne.
Est-il vrai que le Louvre soit fermé le dimanche?

But

Il est certain qu'il va suivre ce cours.
Il est vrai qu'ils le feront.

(b) **Je regrette que vous n'ayez plus** cette marque.
Nous sommes heureux qu'ils viennent.
Elle s'étonne que nous arrivions à l'heure.
C'est dommage que vous ne puissiez pas rester plus longtemps.
J'ai peur que la grande porte (ne)[3] soit fermée.

The subjunctive is used after expressions of emotion (sorrow, joy, surprise, pity, fear, anger, and the like).

(c) **Elle veut que j'aille** chercher les billets.
Nous souhaitons qu'il neige demain.

---

[1] The purpose of a subordinate **que** clause is to introduce a change of person. When there is no change of person, the subordinate clause may often be replaced by an infinitive. Compare:

(Change of person)   Croyez-vous qu'il puisse l'écrire aujourd'hui?
                         Do you believe he can write it today?

(No change of person)   Je ne crois pas pouvoir l'écrire aujourd'hui.
                         I don't believe I can write it today.

[2] In a negative question, these verbs imply an affirmation and are followed by the indicative: **Ne croyez-vous pas qu'ils arriveront** à l'heure?

[3] After verbs of fearing used affirmatively, the subjunctive verb in the **que** clause may be preceded by **ne** (without negative value).

Le capitaine ordonne que vous restiez ici.
Le professeur défend qu'on parle.

The subjunctive is used after verbs of will or volition (wishing, desiring, commanding, prohibiting, and the like).[1]

62. Sequence of Tenses for the Subjunctive (La concordance des temps du subjonctif)

Modern everyday usage limits subjunctive clauses to the present or past subjunctives.[2] The following sequences of tenses occur:

(a) When the action expressed by the dependent verb is simultaneous with the action of the main verb or future to the action of the main verb, use the present subjunctive:

Elle doute qu'ils viennent.
She doubts (that) they are coming.
She doubts (that) they will come.
Elle doutait qu'ils viennent.
She doubted (that) they were coming.
She doubted (that) they would come.

(b) When the action expressed by the dependent verb has been completed at the time of the main verb, use the past subjunctive:

Elle doute qu'ils soient venus.
She doubts (that) they've come.
Elle doutait qu'ils soient venus.
She doubted (that) they had come.

63. Repassez dans l'appendice le présent de l'indicatif, l'impératif, l'imparfait, le passé composé et le présent du subjonctif du verbe **croire**.

IV. EXERCICES

A. *Répétez les phrases suivantes en employant les pronoms indiqués* (*Bande* 13):

1. Jacques croit que le courrier vient d'arriver. (je)

---

[1] The subjunctive is often avoided after some verbs in this group in favor of an infinitive construction: **Le capitaine vous ordonne de rester ici. Le professeur défend de parler.**

[2] The imperfect and pluperfect subjunctives are primarily literary tenses. They are listed in the verb tables and discussed in the Appendix.

2. Hier soir nous avons vu un bon film. (elles)
3. Il y allait à pied quand il faisait beau. (nous)
4. Louise lui écrivait tous les quinze jours. (ils)
5. Il est grand temps qu'on me croie. (elle)
6. Vous pouvez arriver à temps pour prendre les billets. (tu)
7. Quand elle est en retard, elle fait toujours des excuses. (vous)
8. Tu l'as cru, n'est-ce pas? (il)
9. Je l'ai déjà vu l'année dernière. (nous)
10. Elles croyaient que c'était une ancienne résidence royale. (je)
11. Il ne veut pas se placer trop près de l'écran. (ils)
12. C'est dommage qu'elle n'ait pas cru cela. (vous)

B. *Répétez chacune des phrases suivantes en employant l'expression indiquée* (Bande 13):

MODÈLE: Vous ne pouvez pas venir. (C'est dommage)
          C'est dommage que vous ne puissiez pas venir.

1. Je mets mon nom au bas de la page. (Voulez-vous?)
2. Nous ne parlons pas français à la maison. (Je regrette)
3. On aura à faire la queue. (Elle craint)
4. On ne voit cela qu'à Paris. (Il se peut)
5. Il ne reviendra pas tout de suite. (J'ai bien peur)
6. J'irai chercher les billets d'entrée. (Veux-tu?)
7. La grande porte n'est pas encore fermée. (Ils s'étonnent)
8. On peut y trouver de meilleures occasions. (Je doute)
9. Je lui écris souvent des lettres en français. (Il est content)
10. Il fait tout son possible pour réussir. (Je souhaite)

C. *Refaites les phrases suivantes selon le modèle* (Bande 13):

MODÈLE: Elle veut nous accompagner. Nous en sommes contents.
          Nous sommes contents qu'elle veuille nous accompagner.

1. Vous pouvez vous servir de cela. J'en doute.
2. Ils réussiront à leurs examens. Nous le souhaitons.
3. Je lirai cet article. Mon père le veut.
4. Elle ne travaille pas assez. Je le regrette.
5. Alice va mieux. Nous en sommes heureux.
6. La secrétaire n'a pas son dossier. Elle s'en étonne.
7. On n'arrivera pas à temps. Il en a bien peur.
8. Elle met la table maintenant. Sa mère le désire.
9. Vous venez dîner chez nous ce soir. Pierre en est content.
10. Ça ne lui fera pas plaisir. Nous le craignons.

11. La reliure est un peu abîmée. C'est dommage.
12. Nous commencerons par la peinture. Le voulez-vous?
13. Tu sortiras avec ce garçon. J'en suis surpris.

D. *Répétez chacune des phrases suivantes en employant l'expression indiquée* (*Bande 13*):

MODÈLES: Il est temps de partir. (Je crois)
Je crois qu'il est temps de partir.

Nous pouvons regarder les sculptures. (Pensez-vous?)
Pensez-vous que nous puissions regarder les sculptures?

1. Nous avons le temps de tout voir. (Croyez-vous?)
2. Cette visite sera bien intéressante. (Elle espère)
3. Tu peux deviner cela. (Je ne pense pas)
4. Il fera beau demain. (N'espérez-vous pas?)
5. Ils arriveront juste à temps. (Crois-tu?)
6. Elle nous téléphonera avant de partir. (Nous espérons)
7. Elles viendront chez nous demain. (Ne croyez-vous pas?)
8. Paul y ira tout seul. (Penses-tu?)
9. Ils nous attendront près de la porte. (Nous ne croyons pas)
10. Elle aime beaucoup la cuisine française. (Il ne pense pas)
11. Nous voudrons y aller. (Ne pensent-ils pas?)
12. Il reviendra tout de suite. (J'espère)
13. Je le trouverai dans cette anthologie. (Pensez-vous?)

E. *Répétez les phrases suivantes en mettant les verbes soit à l'indicatif, soit au subjonctif* (*Bande 13*):

MODÈLES: Il va suivre ce cours. (Il est certain)
Il est certain qu'il va suivre ce cours.

Jean reviendra l'année prochaine. (Il n'est pas certain)
Il n'est pas certain que Jean revienne l'année prochaine.

1. On peut y trouver de véritables occasions. (Est-il vrai?)
2. Nous y verrons de belles statues. (Il est probable)
3. Ils arriveront d'aujourd'hui en huit. (Il est certain)
4. Nous n'avons plus beaucoup de temps. (Il est évident)
5. Il vous dit la vérité. (Est-il certain?)
6. Ce monsieur veut bien nous aider. (Il est clair)
7. Elles iront au musée aujourd'hui. (Il n'est pas sûr)
8. Elle viendra dîner chez nous ce soir. (Il est fort possible)
9. Ils seront en retard. (Il se peut)
10. Nous les avons déjà vus. (Est-il possible?)

I 11. Elle est sortie avec M. Martin. (Il est probable)
I 12. Vous pouvez le faire facilement. (N'est-il pas vrai?)
I 13. Tu choisiras le cours qui te plaît. (Il est certain)

F. *Répétez les phrases suivantes en mettant les verbes soit à l'indicatif,
soit au subjonctif* (Bande 13):

I 1. Tu seras très bien ici. (Je crois)
S 2. Je lui écrirai pour réserver une chambre. (Voulez-vous?)
I 3. Elles voudront y aller. (Il est certain)
S 4. Nous n'aurons pas le temps d'y aller. (J'ai peur)
I 5. Tu ne crois pas ce qu'il dit. (Il est évident)
S 6. Ils iront à la réunion. (Nous doutons)
S 7. Il nous reste quelques chambres. (Il est possible)
I 8. Ils passeront leurs vacances avec nous. (N'espérez-vous pas?)
S 9. Nous ne pourrons pas voir ce film. (Je regrette)
I 10. Elles visiteront la Grande Galerie. (Il est probable)
I 11. On peut fumer dans cette salle. (Je pense)
S 12. Elle ne me dit pas ce qu'elle pense faire. (Je m'étonne)
S 13. Marie viendra avec nous. (Est-il vrai?)
I 14. Il ne le sait pas. (Il est clair)

G. *Refaites les phrases suivantes selon le modèle en employant les
expressions indiquées* (Bande 13):

MODÈLE: Vous n'avez pas encore lu cette pièce. (Je regrette)
          Je regrette que vous n'ayez pas encore lu cette pièce.

1. Ils sont déjà sortis. (Il est possible)
2. Elle n'a pas mis sa nouvelle robe. (Je m'étonne)
3. Elles sont rentrées à l'heure. (Croyez-vous?)
4. Il est allé chercher les billets. (Il se peut)
5. Pierre a trouvé une bonne situation. (Je doute)
6. Ils sont revenus tout de suite. (Nous sommes heureux)
7. Vous avez été malade. (Est-il vrai?)
8. Il est venu avec nous. (Nous sommes contents)
9. Elle est partie sans nous dire au revoir. (Je crains)
10. Le courrier est arrivé. (Elle ne pense pas)
11. Le buraliste a oublié de me les donner. (Il se peut)
12. Ils n'ont pas réussi à leurs examens. (Il est regrettable)
13. Il ne l'a pas encore reçu. (Elle a bien peur)

H. *Employez dans des phrases complètes huit des expressions à retenir
qui se trouvent à la section II.*

V. COMPOSITION

A. Dites, puis écrivez en français:

1. Do you have the admission tickets or do you want me to go for them?
2. No, I have them already, but wait for me here. I'm going with Nicole (I want her to check her coat.)
3. It's a pity we didn't come earlier.
4. I doubt we'll have time to see all the paintings today.
5. You're right (I'm afraid it's getting late) Let's hurry.
6. Is it true that the Mona Lisa is in this museum? I want you to show it to me.
7. Yes, it's here. You know it's one of Leonardo da Vinci's most famous paintings (It's possible we'll see it today.)
8. I'm surprised you haven't seen it yet.
9. Do you think we'll also be able to look at the sculptures and statues?
10. It's obvious we won't have time to see everything, but I'm very happy we showed you the Venus de Milo.
11. It's regrettable we weren't able to remain longer. There are so many interesting things to see.
12. Let's leave now. (I'm afraid the main gate will be closed.)

B. C'est jeudi après-midi. Il pleut, aussi en profitez-vous pour aller au musée de votre ville voir une exposition de peintures. Vous entrez dans le musée et déposez votre imperméable ou votre parapluie au vestiaire. Écrivez une courte composition en vous efforçant de suivre le plan suivant. Vous pourrez parler:

(1) des différentes salles que vous traversez;
(2) de ce que vous y voyez;
(3) de l'exposition elle-même—des différents peintres et tableaux. En conclusion, vous donnerez vos impressions sur cette visite.

VI. DICTÉE

A tirer de la treizième conversation.

VII. LECTURE

JEAN GIRAUDOUX: UN VILLAGE DE FRANCE *(Bande 13)*

Jean Giraudoux (1882–1944), *l'un des meilleurs écrivains de ce siècle, a d'abord été célèbre grâce à ses romans:* Simon le Pathétique; Suzanne et le Pacifique; Siegfried et le Limousin, *etc. Diplomate de carrière, il fit jouer sa première pièce en 1928; c'est l'un de ses chefs-d'œuvre:* Siegfried. *Il écrivit ensuite* Amphitryon 38, Intermezzo, La guerre de Troie n'aura pas lieu, Electre, *etc.*

Dans Siegfried, *pièce tirée du roman* Siegfried et le Limousin, *Giraudoux montre les efforts de Geneviève Prat pour faire retrouver sa première personnalité à Jacques Forestier, son fiancé, qui a été ramassé sans mémoire par les brancardiers allemands et dont on a fait, en le rééduquant sous le nom de Siegfried, le type idéal de l'Allemand. Siegfried va enfin rentrer en France: il est arrivé à la gare frontière—accompagné de Geneviève. Le douanier Pietri engage la conversation.*

PIETRI:		C'est pour vous chauffer ou pour entrer en France que vous étiez venu dans ma salle?
SIEGFRIED:		Pourquoi?
PIETRI:		Vous pouvez vous chauffer par-dessus la planche; ça m'est
5		égal que vos mains soient en France.
SIEGFRIED:		Merci.

(Siegfried se chauffe les mains, accoudé à la planche, l'œil attiré par le paysage d'en face que l'aube éclaire.)

SIEGFRIED:		C'est la première ville française qu'on voit là?
10	PIETRI:	Oui, c'est le village.
	SIEGFRIED:	Il est grand?
	PIETRI:	Comme tous les villages. 831 habitants.
	SIEGFRIED:	Comment s'appelle-t-il?
	PIETRI:	Comme tous les villages. Blancmesnil-sur-Audinet.

12 831 habitants: c'est un village de popu-   14 Blancmesnil-sur-Audinet: nom banal,
lation moyenne comme presque tous les   comme en portent bien des villages de
villages de France   France

Reprinted by permission from *Siegfried*, by Jean Giraudoux. Paris, Grasset, 1928.

SIEGFRIED:	La belle église! La jolie maison blanche!	15
	(Geneviève est sortie du buffet allemand. Elle est dos au village. Elle n'essaie pas de le voir.)	
GENEVIÈVE:	C'est la mairie.	
	(Siegfried se retourne, et la regarde, étonné.)	
PIETRI:	Vous connaissez le village, Mademoiselle!	20
GENEVIÈVE:	Et à mi-flanc de la colline, ce chalet de briques entre des ifs, avec marquise et vérandah, c'est le château.	
PIETRI:	Vous êtes d'ici?	
GENEVIÈVE:	Et au bout de l'allée des tilleuls, c'est la statue. La statue de Louis XV ou de Louis XIV.	25
PIETRI:	Erreur. De Louis Blanc.	
GENEVIÈVE:	Et cet échafaudage dans le coin du champ de foire, c'est sur lui que les pompiers font l'exercice, le premier dimanche du mois. Leur clairon sonne faux.	
PIETRI:	Vous connaissez Blancmesnil mieux que moi, Mademoiselle.	30
GENEVIÈVE:	Non, je ne connais pas Blancmesnil. Je ne l'ai jamais vu ... Je connais ma race.	

16 buffet m.: restaurant de gare
22 if m.: arbre conifère, toujours vert
22 marquise f.: une sorte d'auvent (*over-hang*) pour protéger de la pluie
24 tilleul m.: *linden tree*
26 Louis Blanc: socialiste qui a joué un rôle important pendant la Révolution de 1848
33 je connais ma race: je connais les Français, leur façon de vivre: c'est pour cela que, sans avoir vu Blancmesnil, Geneviève a pu le décrire, car il est comme tous les village de France

THÈME

This idea of Giraudoux that all the villages of France are alike is true only insofar as it is a question of their general aspect, of their layout. It is true that the population generally numbers slightly less than 1000 inhabitants, that many of the villages bear similar names, that most of them have a beautiful church, a white house which serves as a town hall, and a more substantial house, set off slightly farther than the agglomeration itself, which is pompously called the castle. But each region, even each village also has its own character. In some villages, the linden trees are replaced by cedar trees, in others by some maple trees; elsewhere freestone is used instead of brick. Even the steeple changes its shape according to the province.

LEÇON 14

I. CONVERSATION: Un match à la télévision (*Bande 14*)

PIERRE: Asseyez-vous, Philip. Qu'est-ce que je vous offre? . . . un petit cognac?

PHILIP: Non, rien . . . vraiment.

PIERRE: Oh! Allons! Vous prendrez bien un petit cognac . . .

PHILIP: Oui, après tout, ça me réchauffera. Quel temps! Brrr! Il fait un froid de loup.

PIERRE: La météo annonce cependant de la neige.

PHILIP: Il ne neigera pas ce soir. Il fait trop froid. Peut-être qu'on pourra aller faire du ski dimanche prochain.

PIERRE: Oui, mais je me demande s'il y aura assez de neige. En attendant, vous écouterez bien le dernier disque de Charles Aznavour?

PHILIP: Avec plaisir. Il faut que je l'achète, il est sensationnel!

PIERRE: Nous écouterons l'autre côté aussitôt que nous aurons fini de regarder le match de football à la télévision.

PHILIP: Oui, bien sûr . . . Oh! Mais vous avez un magnifique téléviseur!

PIERRE: Tournez le premier bouton, vous le mettrez en marche.

PHILIP: Sur quelle chaîne est-ce qu'on aura le reportage du match?

PIERRE: Je crois que ce sera sur la chaîne 2. Attendez que je regarde mon «Télé 7 jours» . . . Oui, c'est cela.

PHILIP: Ça y est, je l'ai. L'image est un peu floue. Je ne sais pas si je pourrai la régler.

PIERRE: Si, tournez le deuxième bouton vers la droite . . . voilà, c'est parfait.

PHILIP: Maintenant, il est indispensable que vous m'expliquiez les règles du jeu. C'est si différent de notre football américain.

PIERRE: C'est très facile. Vous comprendrez vite tout en suivant le match.

PHILIP: Il y a onze joueurs dans chaque équipe, je crois.

PIERRE: Oui . . . et vous verrez plus tard, quand ils feront leur entrée sur le terrain, ils sont nu-tête, en culottes courtes, avec un chandail aux couleurs de l'équipe.

PHILIP: Ah! Les voilà qui arrivent avec l'arbitre!

PIERRE: Suivez bien le match. Si vous ne le comprenez pas, je vous l'expliquerai à la mi-temps.

Questionnaire (Bande 14)

Répondez aux questions suivantes:

1. Qu'est-ce que Pierre offre à Philip?
2. Pourquoi Philip prend-il du cognac?
3. Qu'est-ce que la météo annonce?
4. Selon Philip, pourquoi ne neigera-t-il pas?

5. S'il y a assez de neige, que pourra-t-on faire?
6. Quel disque Pierre veut-il que Philip écoute?
7. Quand les deux amis écouteront-ils l'autre côté du disque?
8. Que faut-il faire pour mettre en marche le téléviseur?
9. Sur quelle chaîne sera le reportage du match?
10. Que fait Philip pour régler l'image à la télévision?
11. Pourquoi Philip veut-il que Pierre lui explique les règles du jeu?
12. Combien de joueurs y a-t-il dans chaque équipe de football?
13. Comment sont les joueurs quand ils font leur entrée sur le terrain?

Dialogue

Demandez à un(e) étudiant(e):

1. s'il (si elle) a un poste de télévision. [L'étudiant(e) répondra à toutes les questions posées.]
2. quand il (elle) regarde la télévision.
3. quels programmes on peut voir à la télévision.
4. quel programme il (elle) préfère.
5. quel sport il (elle) aime regarder à la télévision.
6. ce qu'on fait quand l'image de la télévision est floue.
7. où il (elle) peut voir ce qui se joue à la télévision.
8. ce qu'on peut faire quand il neige.
9. quels sports on peut faire en hiver.
10. ce qu'il (elle) fait s'il (si elle) ne veut plus écouter la radio.

II. EXPRESSIONS A RETENIR

arrêter la télévision	*to turn off the television*
en attendant	*in the meanwhile; in the meantime*
être nu-tête	*to be bareheaded*
faire du patin à glace	*to go ice skating*
faire du ski	*to ski, go skiing*
faire son entrée	*to make one's entrance*
il fait un froid de loup	*it's bitter cold*
le microsillon	*the long-playing record*
le poste de télévision, le téléviseur	*the television set*
le poste émetteur	*the broadcasting station*
le «Télé 7 jours»	*the T.V. guide*
mettre en marche le téléviseur	*to turn on the television set*

III. GRAMMAIRE

64. Future (Le futur)

To form the future of all regular verbs, add the future endings to the infinitive:

entrer

j'entrerai	*I shall enter*
tu entreras	*you will enter*
il (elle) entrera	
nous entrerons	
vous entrerez	
ils (elles) entreront	

remplir

je remplirai	*I shall fill*
tu rempliras	*you will fill*
il (elle) remplira	
nous remplirons	
vous remplirez	
ils (elles) rempliront	

vendre

je vendrai	*I shall sell*
tu vendras	*you will sell*
il (elle) vendra	
nous vendrons	
vous vendrez	
ils (elles) vendront	

Note: In -re verbs, the final e of the infinitive is dropped before the endings are added.

Irregular futures of verbs learned thus far:

aller:	irai, iras, ira, irons, irez, iront
avoir:	aurai, auras, aura, aurons, aurez, auront
être:	serai, seras, sera, serons, serez, seront
faire:	ferai, feras, fera, ferons, ferez, feront
pouvoir:	pourrai, pourras, pourra, pourrons, pourrez, pourront
venir:	viendrai, viendras, viendra, viendrons, viendrez, viendront
voir:	verrai, verras, verra, verrons, verrez, verront
vouloir:	voudrai, voudras, voudra, voudrons, voudrez, voudront

65. Uses of the Future (Les emplois du futur)

(a) Il dit qu'il **viendra** nous voir dimanche prochain.
Pourrons-nous regarder le match à la télévision?
Je l'**achèterai** demain.

The future is generally used whenever futurity is expressed or clearly implied.

(b) Quand ils **apporteront** les disques, nous les **écouterons**.
Lorsqu'il **neigera**, je **ferai** du ski.
Aussitôt qu'il **reviendra**, nous **irons** au cinéma.
Dès que je la **verrai**, je lui **dirai** les nouvelles.
Nous **resterons** ici tant qu'il **fera** beau.

The future is used after quand and lorsque (*when*), aussitôt que and dès que (*as soon as*), tant que (*as long as*), whenever futurity is implied.

(c) S'il **fait** trop froid, il ne **neigera** pas.
Si vous **prenez** un petit cognac, ça vous **réchauffera**.
Je vous l'**expliquerai** plus tard si vous ne **comprenez** pas.

In making a conjecture about the future, the future tense is used in the result clause, but the present is used in the **si** clause, when **si** means *if*.

Note: When **si** means *whether*, the future is used in the **si** clause. Such usage corresponds closely to English:

Je ne sais pas si je **pourrai** la régler.
I don't know whether I'll be able to adjust it.
Je me demande s'il y **aura** assez de neige.
I wonder whether there will be enough snow.

(d) Nous **partons** demain.
We're leaving tomorrow.
Je **vais acheter** un téléviseur.
I'm going to buy a television set.

Future time may also be expressed by the present tense (when future is clearly indicated) or by **aller** + infinitive.

(e) Robert n'est pas venu au match. **Sera**-t-il malade?
Robert didn't come to the game. Can he be ill?
Ce tableau **sera** de l'école impressionniste.
This painting must be (is probably) from the Impressionistic School.

The future tense is used to express probability or conjecture in the present.

66. Uses of the Subjunctive (continued)

Il faut que j'**aille** chercher les billets.
Il est nécessaire que je **finisse** ce travail avant de sortir.
Il est juste que vous **preniez** vos vacances avant les autres.
Il est indispensable que tu m'**expliques** les règles du jeu.
Il est important que nous **fassions** cela.
Il suffit que vous **soyez** là avant cinq heures.

The subjunctive is used after impersonal expressions of necessity, importance, or desirability, such as **il faut, il est nécessaire, il est juste, il est bon, il est important, il est indispensable, il importe, il est recommandé, il est essentiel, il est temps, il vaut mieux, il suffit,** and others.[1]

67. Repassez dans l'appendice le présent de l'indicatif, l'impératif, l'imparfait, le passé composé, le présent du subjonctif et le futur du verbe **prendre.**

IV. EXERCICES

A. *Répétez les phrases suivantes en employant les pronoms indiqués (Bande 14):*

1. Il prend le chemin le plus court. (elles)
2. L'hiver prochain nous ferons beaucoup de ski. (je)
3. Quand il faisait froid, il prenait un petit cognac. (nous)
4. Est-ce qu'elle reviendra tout de suite? (tu)
5. Pour revenir en Amérique, il a pris l'avion. (ils)
6. Regarderont-ils le match à la télévision? (il)

---

[1] Such impersonal expressions plus subjunctive give a particular and personal quality to the dependent clause; to express a more general quality after such expressions, an infinitive construction replaces the subjunctive. Compare:

> **Il faut que je réussisse** à mes examens.
> *I must pass my examinations.*
> **Il faut réussir** aux examens.
> *One must pass his examinations.*
>
> **Il est important que je réussisse** à mes examens.
> *It's important (that I) for me to pass my examinations.*
> **Il est important de réussir** aux examens.
> *It's important to pass one's examinations.*

Note that after expressions other than **il faut,** the infinitive is preceded by **de.**

7. Elle comprendra tout en suivant le match. (vous)
8. En attendant, ils écouteront la radio. (elle)
9. Elle ne voulait pas sortir avec lui. (nous)
10. Elles ont finalement appris la vérité. (je)

B. Refaites les phrases suivantes selon le modèle (Bande 14):

MODÈLE: Je *vais lire* cet article ce soir.
Je *lirai* cet article ce soir.

1. Il va déposer son pardessus au vestiaire.
2. Je vais faire de mon mieux pour réussir.
3. Nous allons traverser le pont Saint-Michel.
4. On va arriver pour la fin des actualités.
5. Vas-tu prendre les billets d'entrée?
6. Va-t-il devenir avocat?
7. Je vais terminer ma maîtrise ce semestre.
8. Elle va vous l'expliquer.
9. Elles vont être contentes de vous revoir.
10. Va-t-elle mettre sa nouvelle robe?
11. Ils vont nous attendre près du guichet.
12. Je vais vous dire quelque chose de très important.
13. Elle va suivre un cours de littérature.
14. Il va neiger ce soir.

C. Répétez les phrases suivantes en remplaçant le présent de l'indicatif par le futur (Bande 14):

MODÈLE: Elles *viennent* nous voir.
Elles *viendront* nous voir.

1. Vous ne prenez rien d'autre.
2. Je lui dis de nous rejoindre ici.
3. Nous remettons nos compositions au professeur.
4. On nous les donne automatiquement.
5. Elle est très heureuse d'y aller.
6. Ils ne vont pas au match aujourd'hui.
7. On y trouve de véritables occasions.
8. Avons-nous le temps de tout voir?
9. Vous ne mettez pas de chapeau.
10. Nous pouvons nous placer où nous voulons.
11. Que fais-tu ce soir?
12. Je lui écris de temps en temps.
13. Elle ne tient pas sa promesse.

14. Je reviens tout de suite.
15. En attendant, nous écoutons la radio.

D. *Transformez les phrases suivantes selon le modèle* (*Bande 14*):

MODÈLE: Il fait mauvais. Je reste chez moi.
          S'il fait mauvais, je resterai chez moi.

1. Tu me donnes de l'argent. Je vais chercher les billets.
2. Vous écrivez la lettre. Je la mets à la poste.
3. Nous rentrons tard. Nous prenons un taxi.
4. Ils vous quittent maintenant. Ils arrivent juste à temps.
5. Elle a de la chance. Elle gagne le prix.
6. Vous ne comprenez pas les règles. Je vous les explique.
7. Tu tournes le premier bouton. Tu le mets en marche.
8. Il y a assez de neige. On peut faire du ski.
9. Nous allons au musée. Nous voyons la nouvelle exposition.
10. Il fait trop froid. Ils ne sortent pas ce soir.
11. Vous révisez vos cours. Vous réussissez à vos examens.
12. Nous voyons Françoise. Nous lui disons de nous rejoindre ici.
13. Nous partons tout de suite. Nous ne faisons pas la queue.
14. Il vend sa maison. Il en achète une autre.
15. Elle me téléphone. Je lui parle de mes projets.

E. *Refaites les phrases suivantes en employant les mots indiqués* (*Bande 14*):

MODÈLE: Il neige. Je fais du ski. (Quand)
          Quand il neigera, je ferai du ski.

1. Nous allons à Paris. Nous visitons le Louvre. (Quand)
2. Elle attrape un rhume. Elle prend un médicament. (Dès que)
3. Le facteur vient. Il nous apporte le courrier. (Lorsque)
4. Je le vois. Je lui dis de vous téléphoner. (Aussitôt que)
5. Il est libre. Il vient nous voir. (Lorsque)
6. Je rentre chez moi. Je regarde la télévision. (Dès que)
7. Vous pouvez venir. Je suis heureux. (Tant que)
8. Elle commence à avoir froid. Elle met son manteau. (Aussitôt que)
9. Il fait chaud. Nous allons nous baigner. (Lorsque)
10. Tu apprends à conduire. Nous faisons un long voyage. (Quand)
11. Il a assez d'argent. Il achète une nouvelle voiture. (Dès que)
12. Elle m'écrit. Je réponds à sa lettre. (Aussitôt que)
13. Il me prête le livre. Je le lis. (Quand)

F. Répondez aux questions suivantes:

1. Que ferez-vous cet hiver s'il neige beaucoup?
2. Qu'achèterez-vous si vous entrez dans un bureau de tabac?
3. Que mettrez-vous s'il pleut ce soir?
4. Que pourrez-vous faire s'il fait mauvais demain?
5. Que prendrez-vous si vous voulez aller à l'aéroport?
6. Que commanderez-vous si vous dînez dans un restaurant?
7. Que direz-vous à votre amie si vous la voyez?
8. Que verrez-vous si vous allez à un match de football?
9. Que regarderez-vous si vous visitez un musée?
10. Que lirez-vous si vous avez le temps?

G. Répétez chacune des phrases suivantes en employant l'expression indiquée (Bande 14):

MODÈLE: Je vais chercher les billets. (Il faut)
Il faut que j'aille chercher les billets.

1. Je prendrai le train à huit heures. (Il est important)
2. Tu ne fumes pas trop. (Il est bon)
3. Vous mettez votre adresse sur la fiche. (Il faut)
4. Il pourra vous dire l'heure de son arrivée. (Il se peut)
5. Elle le fera immédiatement. (Est-il essentiel?)
6. Nous comprenons les règles du jeu. (Il est indispensable)
7. Il a une carte d'identité. (Est-il nécessaire?)
8. Elles arriveront à l'heure. (Il est possible)
9. Vous me dites ce qui se passe. (Il est important)
10. Ils sont raisonnables. (Il est juste)
11. Elles vont au laboratoire. (Il est recommandé)
12. Vous partez tout de suite. (Il vaut mieux)
13. Tu seras là avant cinq heures. (Il suffit)
14. Il viendra me voir demain. (Il importe)

H. Commencez chacune des phrases suivantes par «Il est important» (Bande 14):

MODÈLES: Vous m'expliquez les règles.
Il est important que vous m'expliquiez les règles.

On parle du mouvement romantique.
Il est important de parler du mouvement romantique.

1. Nous partirons tout de suite.
2. On déclare tout au douanier.
3. Elles le feront demain.

4. Ils seront bientôt de retour.
5. On dit toujours la vérité.
6. Nous arriverons juste à temps pour le match.
7. On révisera ses cours avant les examens.
8. Vous y allez plus souvent que moi.
9. On lui écrit fréquemment.
10. Il viendra le plus tôt possible.
11. Tu prendras un petit cognac.
12. On lit le journal pour trouver une situation.

I. *Employez dans des phrases complètes huit des expressions à retenir qui se trouvent à la section II.*

V. COMPOSITION

A. *Dites, puis écrivez en français:*

1. It's bitter cold! Can I offer you something? Will you take a little brandy? That will warm you up.
2. If it continues to be so cold, will we still go to the football game?
3. If we don't go, we'll look at it on T.V.
4. The game will be televised on channel 2. Turn the first knob to the right and you'll turn on the T.V. set.
5. The picture is a little blurred. I wonder whether you'll be able to adjust it.
6. It's important that you do so right away.
7. When will the game begin?—It will start as soon as the two teams come out on the field.
8. It's absolutely necessary that you explain the rules of the game to me. French football is so different from our football.
9. They're very easy. You'll understand very quickly, you'll see.
10. Follow the game. If you don't understand it, I'll explain it to you at (the) half-time.
11. Did you phone Nicole?—No, I must phone her now.
12. She told me that when she comes she'll bring the new record she bought.
13. We'll listen to it after the game.

B. *Il est une heure de l'après-midi. Il fait un froid de loup et avant de regarder le match de football à la télévision, vous offrez une tasse de café à votre ami(e). Pour tuer le temps, vous mettez en marche*

*votre appareil stéréophonique et écoutez quelques disques. Écrivez
un dialogue en adoptant le plan suivant. Vous parlerez, par exemple:*

(1) du temps qu'il fait dehors (des prédictions de la météo);
(2) des disques que vous aimez (ceux que vous préférez);
(3) du match que vous allez regarder.

VI. DICTÉE

A tirer de la quatorzième conversation.

VII. LECTURE

VICTOR HUGO: Demain, dès l'aube . . . (*Bande 14*)

*Victor Hugo est, de tous les poètes, le plus complet. Il s'est essayé dans
tous les genres. Ce serait vanité que prétendre découvrir dans son œuvre le
poème qui en offre l'image la plus fidèle. Les* Contemplations *(1856) sont
sans doute le recueil où le génie du poète s'est exprimé le plus complètement.*

*En 1843, Léopoldine, la fille de Victor Hugo, qui venait d'épouser un
Havrais, Charles Vacquerie, s'était noyée accidentellement avec son mari
au cours d'une promenade en barque sur la Seine, près de Villequier.
Chaque année, le poète, resté inconsolable, allait accomplir un pèlerinage
à la tombe de sa fille disparue.*

Si on s'est arrêté à ce poème tiré des Contemplations, *c'est parce que ces
vers, dédiés à Léopoldine, ont une intimité, une simplicité bouleversante:
quatre ans ont passé depuis la disparition de l'enfant chérie. Le poète, qui
semble sentir sa présence, lui parle tendrement, doucement, comme si elle
était encore vivante.*

> Demain, dès l'aube, à l'heure où blanchit la campagne
> Je partirai; vois-tu, je sais que tu m'attends.
> J'irai par la forêt, j'irai par la montagne;
> Je ne puis demeurer loin de toi plus longtemps.

1 aube f.: *dawn*   1 blanchir: devenir blanc

5 Je marcherai, les yeux fixés sur ma pensée,
Sans rien voir au dehors, sans entendre aucun bruit,
Seul, inconnu, le dos courbé, les mains croisées,
Et le jour, pour moi, sera comme la nuit.

Je ne regarderai ni l'or du soir qui tombe,
10 Ni les voiles, au loin descendant vers Harfleur,
Et, quand j'arriverai, je mettrai sur ta tombe
Un bouquet de houx vert et de bruyère en fleur.

5 pensée f.: *thought*
6 bruit m.: *noise*
7 courbé: *bent*
7 croisé: *folded*
9 or m.: *gold*
10 voile f.: *sail*

10 Harfleur: petite ville sur la rive droite de l'estuaire, entre Le Havre et Villequier
12 houx m.: *holly*
12 bruyère f.: *heather*

QUESTIONNAIRE

1. Qui est Victor Hugo?
2. Qu'est-ce que les *Contemplations?*
3. Qui est Léopoldine?
4. Qui est Charles Vacquerie?
5. Comment se sont-ils noyés?
6. Où se sont-ils noyés?
7. Quand Victor Hugo a-t-il écrit *Demain, dès l'aube . . .?*
8. En quelle année Victor Hugo a-t-il perdu sa fille?
9. Dans quel recueil le poème a-t-il été publié?
10. A quelle date le recueil a-t-il été publié?
11. Combien y a-t-il de vers dans ce poème?
12. Combien y a-t-il de strophes dans ce poème?
13. Comment appelle-t-on une strophe de quatre vers?
14. Combien de syllabes y a-t-il dans chaque vers?
15. Comment appelle-t-on un vers de douze syllabes?
16. Relevez les rimes de chaque vers.
17. Quelle est la disposition des rimes dans ce poème?
18. Essayez de donner un titre à chaque strophe.
19. Relevez tous les futurs qui se trouvent dans le poème.
20. A quelle heure partira le poète?
21. Relevez, dans la deuxième strophe, les mots qui indiquent la douleur du poète.

22. Que déposera-t-il sur la tombe de l'enfant chérie?
23. Le poète est-il sensible à la beauté du paysage?
24. Relevez la phrase où le père parle à mi-voix à sa fille, comme si elle était toujours vivante.
25. Avec cet humble bouquet qu'il déposera sur sa tombe, Victor Hugo n'offre-t-il pas aussi à sa fille—symboliquement—toute la beauté du paysage auquel il ne veut plus être sensible?

LEÇON 15

I. CONVERSATION: Chez le coiffeur *(Bande 15)*

LE COIFFEUR: Le suivant de ces messieurs? A qui le tour?

PHILIP: A moi!

LE COIFFEUR: Oui, monsieur. Asseyez-vous dans ce fauteuil, s'il vous plaît, et mettez vos bras dans les manches de ce peignoir.

PHILIP: Merci bien.

LE COIFFEUR: C'est pour la barbe ou pour les cheveux?

PHILIP: Pour les cheveux.

LE COIFFEUR: Voulez-vous que je vous les rafraîchisse?

PHILIP: Oui, mais coupez-les un peu plus courts que la dernière fois.

LE COIFFEUR: Pourquoi? Ce n'était pas assez court?

PHILIP: Non . . . Dégagez légèrement près des oreilles et sur les côtés.

LE COIFFEUR: Je vous laisse les pattes?

PHILIP: Oui, bien sûr, mais pas trop basses.

LE COIFFEUR: Voulez-vous que j'utilise la tondeuse électrique ou les ciseaux?

PHILIP: Vous pouvez utiliser la tondeuse pour la nuque.

LE COIFFEUR: Je vous les coupe un peu sur le dessus?

PHILIP: Oui, mais pas trop! Je commence à devenir chauve.

LE COIFFEUR: Qu'il fait chaud aujourd'hui, n'est-ce pas! Voulez-vous un shampooing?

PHILIP: Non, ce n'est pas nécessaire—mais faites-moi une friction.

LE COIFFEUR: A quel parfum? Lavande, Cuir de Russie, jasmin, lilas . . .?

PHILIP: Non . . . faites-moi une friction à l'eau de Cologne.

LE COIFFEUR: Voilà, monsieur. Je vous fais la raie à droite ou à gauche?

PHILIP: A gauche. Taillez-moi la moustache également.

LE COIFFEUR: Attendez . . . je prends le miroir. Regardez-vous dans la glace. Ça va comme ça?

PHILIP: C'est parfait. Merci . . . Combien je vous dois?

LE COIFFEUR: C'est six francs la coupe . . . Ça fera sept francs avec la friction.

Questionnaire (Bande 15)

Répondez aux questions suivantes:

1. Que fait Philip en s'asseyant dans le fauteuil?
2. Pourquoi Philip est-il allé chez le coiffeur?
3. Comment veut-il qu'on lui coupe les cheveux?
4. Philip veut-il que le coiffeur lui laisse les pattes?
5. Philip veut-il que le coiffeur utilise la tondeuse?
6. Pourquoi lui dit-il de ne pas couper trop sur le dessus?
7. Quelle friction Philip veut-il?
8. De quel côté fait-il la raie?
9. Pourquoi le coiffeur a-t-il pris le miroir?
10. Combien Philip doit-il au coiffeur?

Dialogue

>   *Demandez à un(e) étudiant(e):*

1. où on va pour se faire couper les cheveux. [L'étudiant(e) répondra à toutes les questions posées.]
2. s'il (si elle) préfère avoir les cheveux courts ou longs.
3. de quel côté il (elle) fait la raie.
4. quelle sorte de shampooing il (elle) préfère.
5. ce qu'on peut faire en attendant son tour chez le coiffeur.
6. ce que le coiffeur utilise pour une coupe de cheveux.
7. quelles frictions les coiffeurs peuvent vous donner.
8. s'il (si elle) demande la manucure quand il (elle) va chez le coiffeur.
9. ce que c'est qu'un peignoir.
10. à quoi sert une tondeuse électrique.
11. combien il (elle) paie une coupe de cheveux.

II. EXPRESSIONS A RETENIR

à qui le tour?	*whose turn is it?*
après tout	*after all*
avoir un coup de peigne	*to get a comb out*
avoir une permanente	*to have (get) a permanent wave*
ça va comme ça?	*is it all right like that?*
en général	*in general, generally*
faire la raie	*to part one's hair*
faire une friction à quelqu'un	*to give someone a massage*
le suivant de ces messieurs?	*who's next?*
rafraîchir les cheveux à quelqu'un	*to trim someone's hair, give someone a trim*
se faire couper les cheveux	*to have one's hair cut, get a haircut*
se faire la barbe, se raser	*to shave oneself*
sur les côtés	*on the sides*

III. GRAMMAIRE

68. Comparison of Adjectives and Adverbs (La comparaison des adjectifs et des adverbes)

>   (a) Marie est **plus belle que** sa sœur.
>   Ce programme est **moins intéressant que** l'autre.

Il est **aussi grand que** vous.
Il ne fait pas **aussi (si) chaud** aujourd'hui **qu'**hier.
Vous allez au musée **plus (moins, aussi) souvent que** moi.
Pierre ne patine pas **aussi (si) bien que** Philip.

The comparative of an adjective or adverb is formed by placing **plus** (*more*), **moins** (*less*), **aussi** (*as*)—or optional **si** (*so*) in a negative comparison—before the adjective or adverb and **que** (*than, as*) after it.

Note:

(1) Before an infinitive, **que de** is equivalent to *than:*

Il est plus facile de faire du patin à glace **que de faire** du ski.

(2) Before a number or an expression of quantity, **plus de** (*more than*) or **moins de** (*less than*) is used:

Je vais chez ce coiffeur depuis **plus de deux ans.**
Il y a **moins de trois mois** que je suis ici.

(b) Ce musée possède **la plus belle** collection de statues.
C'est peut-être le tableau **le plus célèbre** du Louvre.
Ces pièces sont **les moins importantes** de Corneille.
M. Martin y va **le plus souvent.**
Cette femme de chambre travaille **le plus vite.**

The superlative of an adjective is formed by placing the proper form of the definite article before the comparative. In the superlative of adverbs, the definite article is always **le.** After a superlative, **de** is equivalent to *in* or *of.*

Note:

(1) Comparatives and superlatives retain their normal positions. If a superlative follows a noun, both the noun and adjective take the definite article:

une plus belle saison
la plus belle saison

But

une édition plus complète
l'édition la plus complète

(2) After a possessive, the definite article is omitted if the adjective precedes the noun:

sa plus belle peinture
notre plus grande vedette

But

son roman le plus célèbre
nos articles les plus chers

(c) The following are compared irregularly:

ADJECTIVE:	bon (f. bonne) *good*	meilleur *better*	le meilleur *best*
ADVERBS:	bien *well*	mieux *better*	le mieux *best*
	beaucoup *much*	plus *more*	le plus *most*
	mal *badly, poorly*	plus mal (pis) *worse*	le plus mal (le pis) *worst*
	peu *little, few*	moins *less, fewer*	le moins *least, fewest*

69. Interrogative Adjective (L'adjectif interrogatif) *quel*

A quel étage se trouve sa chambre?
Quelle heure est-il?
Quels auteurs me conseillez-vous de lire?
Quelles cartes avez-vous choisies?
Quelle est votre adresse?
Quels sont ces gros bâtiments là-bas?

The interrogative adjective **quel, quelle, quels, quelles** (*what, which*) agrees with the noun it modifies and stands either directly before the noun or before a form of **être**.

Note: **Quel, quelle, quels, quelles** may also be used in an exclamation. The singular forms then mean *what a(n)!*, the plural, *what!:*

Quelle idée!
Quels beaux livres!

70. Weather Expressions (Les expressions de temps)

Quel temps fait-il?	*What's the weather?*
Il fait beau (mauvais).	*The weather is fine (bad).*
Il fait froid (chaud).	*It's cold (warm).*
Il fait du vent.	*It's windy.*
Il fait frais.	*It's cool.*
Il fait frisquet.	*It's chilly.*
Il fait humide.	*It's humid.*
Il fait du soleil.	*It's sunny.*

Il fait sombre.	*It's dark.*
Il fait doux.	*It's mild.*
Il fait clair.	*It's clear.*
Il pleut.	*It's raining.*
Il neige.	*It's snowing.*
Il gèle.	*It's freezing.*
Il grêle.	*It's hailing.*

The third person singular of the verb **faire**, with the impersonal subject **il** (*it*), is used in most expressions of weather and natural phenomena.

71. Uses of the Subjunctive (continued)

C'est la plus belle ville que nous **ayons** jamais visitée.
C'est le meilleur cours que vous **puissiez** suivre.
C'est le seul conseil qui **soit** raisonnable.
C'est bien la dernière fois que je le **fasse**!

The subjunctive is used after a main clause qualified by a superlative or by adjectives of superlative force (such as **seul, dernier, premier**) implying doubt in the statement.

Note: If the superlative expresses a fact, the indicative is used: C'est la seule lettre que j'**ai** écrite ce soir.

72. Repassez dans l'appendice le présent de l'indicatif, l'imparfait, le passé composé, le présent du subjonctif et le futur du verbe **savoir**.

IV. EXERCICES

A. *Répétez les phrases suivantes en employant les pronoms indiqués* (*Bande 15*):

1. Elle ne sait pas si elle pourra y aller. (je)
2. Il y a du vrai dans ce qu'ils disent. (vous)
3. Il est important que vous sachiez le faire. (tu)
4. Dès qu'il le saura, il viendra vous le dire. (je)
5. Il les a vus avant hier. (nous)
6. Elles ne feront rien pour les encourager. (il)
7. Ils savaient très bien de quoi il s'agissait. (elle)
8. Il faut que j'aille chez le coiffeur ce matin. (tu)
9. Quand a-t-il su cela? (elles)
10. Elle prenait toujours le métro de bonne heure. (ils)

B. *Refaites les phrases suivantes selon le modèle* (*Bande 15*):

MODÈLE: La robe de Marie est élégante. Et celle de Nicole?
Celle de Nicole est plus élégante que celle de Marie.

1. Les valises de Jean sont lourdes. Et celles de Philip?
2. Le mari de Brigitte est jaloux. Et celui de Françoise?
3. Les cours de Robert sont difficiles. Et ceux d'Antoine?
4. La blouse de Thérèse est jolie. Et celle de Diane?
5. La voiture d'Henri est petite. Et celle de Pierre?
6. Les vins de Provence sont bons. Et ceux de Bourgogne?
7. L'amie de Maurice est charmante. Et celle de Michel?
8. Les timbres d'André sont beaux. Et ceux de Paul?
9. La mère d'Isabelle est vieille. Et celle de Virginie?
10. Le manteau de Jeannette est chic. Et celui de Michèle?

C. *Refaites les phrases suivantes selon le modèle* (*Bande 15*):

MODÈLE: Suzanne n'est pas si jolie que sa sœur.
Suzanne est moins jolie que sa sœur.

1. Ma chambre n'est pas si claire que celle de Marie.
2. Ce chemin n'est pas si long que l'autre.
3. Mes filles ne sont pas si grandes que mes fils.
4. Cette église n'est pas si vieille que celle-là.
5. Ce complet ne vous va pas si bien que celui-là.
6. Cette valise n'est pas si lourde que celle de Françoise.
7. Ces costumes ne coûtent pas si cher que ceux-là.
8. Ma voiture n'est pas si belle que celle de Jacques.
9. Le climat de New York n'est pas si humide que celui de Londres.
10. Ce problème n'est pas si compliqué que celui-là.

D. *Transformez les phrases suivantes selon le modèle* (*Bande 15*):

MODÈLE: Louis est studieux. Et Antoine?
Antoine n'est pas si studieux que Louis.

1. Le ski est difficile à faire. Et le patin à glace?
2. Jeannette patine bien. Et Marie?
3. Vous jouez souvent au football. Et Paul?
4. Les cigarettes américaines sont bonnes. Et les cigarettes françaises?
5. Françoise parle couramment l'anglais. Et Nicole?
6. Robert va fréquemment au théâtre. Et Michel?
7. Ce magasin est petit. Et cette boutique?
8. Suzanne est jolie. Et Michèle?
9. Vous apprenez vite. Et elle?

10. Ces fleurs sont belles. Et ces roses?
11. Alfred marche lentement. Et Thérèse?

E. *Répétez les phrases suivantes en mettant les adjectifs au superlatif* (*Bande 15*):

MODÈLE: C'est *une belle* saison.
C'est *la plus belle* saison.

1. C'est une longue histoire.
2. C'est un documentaire intéressant.
3. C'est une haute montagne.
4. C'est un bon journal.
5. C'est un gros bâtiment.
6. C'est un train rapide.
7. C'est un petit village.
8. C'est un sport populaire.
9. C'est une pièce remarquable.
10. C'est une grande vedette.
11. C'est un cours difficile.
12. C'est un vieux collège.
13. C'est une vue étonnante.
14. C'est un beau film.
15. C'est un tableau célèbre.

F. *Répétez les phrases suivantes en mettant «bon» ou «bien» au comparatif* (*Bande 15*):

1. C'est une bonne équipe.
2. Je connais bien les pièces de Racine.
3. Nous allons acheter une bonne anthologie.
4. Il paraît qu'on y mange bien.
5. Les joueurs de cette équipe sont bons.
6. Nicole patine-t-elle bien?
7. Pierre comprend bien l'anglais.
8. Le Louvre possède une bonne collection de statues.
9. Jeannette a bien travaillé.
10. C'est une bonne idée.
11. Est-ce que tu parles bien le français?
12. J'ai trouvé un bon exemplaire.

G. *Répondez aux questions suivantes:*

1. Quel temps fait-il aujourd'hui?
2. Quand neige-t-il?

3. Quel temps fait-il au printemps?
4. En quelle saison fait-il humide?
5. Quel temps fait-il au mois de juillet?
6. Quand prend-on un parapluie?
7. Fait-il froid ou chaud au mois de février?
8. Quel temps faisait-il dimanche dernier?
9. Est-ce qu'il gèle au mois de juillet?
10. En quelle saison fait-il frisquet?

H. *Répétez les phrases suivantes en mettant les adjectifs indiqués au superlatif* (Bande 15):

MODÈLE: C'est la montagne que nous avons vue. (haute)
          C'est la plus haute montagne que nous ayons vue.

1. C'est le conseil qu'on pourra vous donner. (seul)
2. C'est le roman que j'ai lu. (bon)
3. C'est peut-être le poème qu'il a écrit. (long)
4. C'est la jeune fille que nous connaissons. (gentille)
5. C'est la région que nous avons visitée. (pittoresque)
6. C'est la personne à qui je veux parler. (dernière)
7. C'est la robe qu'elle a achetée. (jolie)
8. C'est la route que vous pouvez prendre. (directe)

I. *Formez des questions en employant des adjectifs interrogatifs* (Bande 15):

MODÈLE: Il a loué une chambre.
          Quelle chambre a-t-il louée?

1. Elle voudrait faire recommander cette lettre.
2. Vous aimez lire ce journal.
3. Il a reçu une bourse.
4. Nous allons dîner dans un restaurant français.
5. Tu as rencontré des amis au musée.
6. Ils ont réservé une table.
7. Il va prendre vos valises.
8. Elle suivra un cours de littérature.
9. Ils ont apporté leurs chemises à laver.
10. Tu as choisi des cartes postales en couleur.

J. *Mettez les phrases suivantes à la forme exclamative* (Bande 15):

MODÈLE: Cette chambre est belle.
          Quelle belle chambre!

1. Ce jardin est joli.
2. Cette vue est magnifique.
3. Ces bâtiments sont gros.
4. Ce travail est fatigant.
5. Cette vallée est paisible.
6. Ces peintures sont célèbres.
7. Ce film est mauvais.
8. Cette idée est bonne.
9. Ces robes sont élégantes.
10. Ces animaux sont féroces.

K. *Employez dans des phrases complètes dix des expressions à retenir qui se trouvent à la section II.*

V. COMPOSITION

A. *Dites, puis écrivez en français:*

1. What weather! It has been snowing for more than four hours.
2. I don't like winter at all. Of all the seasons I prefer spring because it's neither too hot nor too cold.
3. If it stops snowing, I'll go to the barber's where I'll have my hair cut.
4. Do you want him to cut your hair as short as last time?
5. I'm going to tell him to cut it a little longer.
6. I want him also to leave the sideburns a little lower.
7. Did you go to the football game yesterday?—No, I stayed home. The weather was too bad. I watched the game on T.V.
8. On what channel was the game?
9. On channel 2. It was one of the most interesting games I've ever seen.
10. After the game I listened to more than ten records which Nicole lent me.
11. Which record did you like best?—The latest one by Charles Aznavour.
12. I must buy it. It's one of his best records.
13. I think it is perhaps the finest in Nicole's collection.

B. *Le week-end approche. Vous êtes invité(e) à une soirée dansante, aussi allez-vous chez le coiffeur. Il y a beaucoup de monde et vous devez attendre. Écrivez une composition dans laquelle vous parlerez:*

(1) de ce que vous faites tout en attendant votre tour;

(2) du salon de coiffure (nombre de fauteuils, de clients ou de clientes . . .);

(3) de votre conversation avec le coiffeur (la façon dont vous voulez avoir les cheveux coupés);

(4) En conclusion, dites si vous êtes satisfait(e) de votre coupe de cheveux (ou de votre coiffure).

VI. DICTÉE

A tirer de la quinzième conversation.

VII. LECTURE

MADAME DE SÉVIGNÉ: Une nouvelle sensationnelle
(*Bande 15*)

Madame de Sévigné (1626–1696) brille d'une lumière incomparable dans le domaine de la littérature épistolaire. Son seul rival serait Voltaire. Stupéfaction à Paris: la Grande Mademoiselle, cousine germaine de Louis XIV, va épouser Lauzun, Maréchal de France, comte et duc. Cet extraordinaire mariage n'aura cependant pas lieu.

Le marquis de Coulanges, à qui est adressée la lettre, est cousin germain de Madame de Sévigné.

A Paris, ce lundi 15e décembre 1670

Je m'en vais vous mander la chose la plus étonnante, la plus surprenante, la plus merveilleuse, la plus miraculeuse, la plus triomphante, la plus étourdissante, la plus inouïe, la plus singulière, la plus extraordinaire, la plus incroyable, la plus imprévue, la plus grande, la plus
5   petite, la plus rare, la plus commune, la plus éclatante, la plus secrète jusqu'aujourd'hui, la plus brillante, la plus digne d'envie: enfin une chose dont on ne trouve qu'un exemple dans les siècles passés, encore cet exemple n'est-il pas juste; une chose que l'on ne peut pas croire à

Madame de Sévigné
French Embassy Press & Information Division

Paris (comment la pourrait-on croire à Lyon?); une chose qui fait
10 crier miséricorde à tout le monde; une chose qui comble de joie Mme
de Rohan et Mme d'Hauterive; une chose enfin qui se fera dimanche,
où ceux qui la verront croiront avoir la berlue; une chose qui se fera
dimanche, et qui ne sera peut-être pas faite lundi. Je ne puis me
résoudre à la dire; devinez-la: je vous le donne en trois. Jetez-vous votre
15 langue aux chiens? Eh bien! il faut donc vous la dire: M. de Lauzun
épouse dimanche au Louvre, devinez qui? je vous le donne en quatre,
je vous le donne en dix, je vous le donne en cent. Mme de Coulanges
dit: «Voilà qui est bien difficile à deviner; c'est Mme de La Vallière.
— Point du tout, Madame. — C'est donc Mlle de Retz? — Point du
20 tout, vous êtes bien provinciale. — Vraiment nous sommes bien bêtes,
dites-vous, c'est Mlle Colbert. — Encore moins. — C'est assurément
Mlle de Créquy. — Vous n'y êtes pas. Il faut donc à la fin vous le
dire: il épouse dimanche, au Louvre, avec la permission du Roi,
Mademoiselle, Mademoiselle de . . . , Mademoiselle . . . , devinez le
25 nom: il épouse Mademoiselle, ma foi! par ma foi! ma foi jurée!
Mademoiselle, la Grande Mademoiselle; Mademoiselle, fille de feu
Monsieur; Mademoiselle, petite-fille de Henri IV; Mlle d'Eu, Mlle de
Dombes, Mlle de Montpensier, Mlle d'Orléans, Mademoiselle,
cousine germaine du Roi; Mademoiselle, destinée au trône; Mademoi-
30 selle, le seul parti de France qui fût digne de Monsieur.

 9 Lyon: ville où se trouve M. de Coulanges
10 Mme de Rohan et Mme d'Hauterive
   avaient toutes deux épousé par amour
   de simples gentilhommes
12 avoir la berlue: au sens propre: maladie des yeux; au sens figuré: juger
   faussement
15 M. de Lauzun: Maréchal de France,
   comte puis duc de Lauzun; au dernier
   moment, Louis XIV interdit le mariage mais le roi ne pourra cependant
   empêcher un mariage secret

18 Mme de la Vallière: favorite de Louis
   XIV de 1661–1671
26 feu Monsieur: (feu: mort depuis peu);
   Monsieur était le frère de Louis XIII.
   Il s'agit de Gaston d'Orléans.
28 Mlle d'Orléans: Relevez l'effet de
   contraste entre *Mademoiselle* et les
   innombrables titres de cette princesse
30 le seul parti de France qui fût digne
   de Monsieur: qui fût digne de Philippe
   d'Orléans, frère de Louis XIV

EXPLICATION DE TEXTE

Étude de la lettre

I. L'ensemble

1. Quelle est la nature du morceau?

2. Est-ce un événement important que raconte Mme de Sévigné?
3. D'où vient l'intérêt de cette lettre? Est-ce du sujet lui-même ou de la manière dont il est développé?
4. Quel est l'intérêt historique de la nouvelle? Développez.

II. L'analyse de la lettre

1. Composition: distinguez les différentes parties.
2. Il y a un préambule interminable (depuis «je m'en vais vous mander» jusqu'à «et qui ne sera peut-être pas faite lundi»). Pourquoi? Madame de Sévigné veut exciter la curiosité de son cousin.

   a. Étudiez le préambule. Il se décompose en deux mouvements successifs.
   b. Variation sur les superlatifs: combien ces adjectifs ont-ils de syllabes?
   c. Relevez les adjectifs de sens voisin qui sont d'ailleurs assonancés deux par deux (**étonnante . . . surprenante; merveilleuse . . . miraculeuse**).
   d. Relevez les adjectifs de sens antithétique (**grande . . . petite**, etc.).
   e. Quel intérêt présente cette variété d'adjectifs?
   f. «Enfin» annonce le deuxième mouvement du préambule. Est-ce la révélation?
   g. Combien de fois revient le mot **chose**.
   h. Montrez comment le mot **chose**, toujours accompagné de commentaires énigmatiques, est destiné à piquer la curiosité du lecteur.

3. Le morceau proprement dit. L'art de retarder (*to delay*) la grande nouvelle.

   a. Étudiez le passage que vous pouvez décomposer en trois parties.
   b. Dans la première partie, l'auteur se fait prier. Comment? «Je vous le donne en trois»: donner à deviner (je vous donne trois, quatre, dix, cent coups pour deviner).
   c. Dans la deuxième partie de ce passage, il s'agit d'un dialogue fictif. Relevez les expressions familières qu'emploie Mme de Sévigné.
   d. Dans la troisième partie, l'auteur reprend la parole.

      — Que fait Mme de Sévigné pour provoquer l'impatience du lecteur?
      — Relevez les exclamations qu'emploie Mme de Sévigné. («Ma foi!» etc.).

— Relevez les titres et qualités de Mademoiselle. Pourquoi
Mme de Sévigné énumère-t-elle tous ces titres? Dans quel
intérêt?

III. Conclusion

Mme de Sévigné disposait d'une nouvelle sensationnelle. Vous montrerez comment l'auteur, au lieu de jeter cette nouvelle d'une façon
simple et brutale à son correspondant, a su, au contraire, monter une
délicieuse comédie toute pleine de suspense.

LEÇON 16

I. CONVERSATION: A la gare *(Bande 16)*

(Devant le guichet)

PHILIP: A quelle heure part le train pour Nancy?

L'EMPLOYÉ: Vous avez un express à douze heures trente et le rapide à dix-neuf heures.[1]

PHILIP: Y a-t-il à Nancy une correspondance pour Vittel?

L'EMPLOYÉ: Oui, mais il n'y a qu'un omnibus. Il n'y a ni express ni rapide sur cette ligne.

PHILIP: Donnez-moi une seconde pour l'express de douze heures trente.

---

[1] Timetables use the 24-hour clock: **à dix-neuf heures** *at seven p.m.*

L'EMPLOYÉ: Un aller et retour ou un aller simple?

PHILIP: Un aller simple. Est-ce que je peux retenir une place?

L'EMPLOYÉ: Oui, au guichet 5, près du bureau de renseignements. (*Au guichet 5*)

PHILIP: Je voudrais une place pour l'express de midi et demi. Je voyage en seconde—voici mon billet.

L'EMPLOYÉ: Voulez-vous un coin côté couloir ou côté fenêtre?

PHILIP: Côté fenêtre, s'il vous en reste.

L'EMPLOYÉ: Oui, j'ai encore de bonnes places. J'en ai une, voiture 2, place 25, dans un compartiment «Fumeurs». Voici votre billet de location.

PHILIP: Je n'ai pas de ticket de quai pour mon ami . . . j'en voudrais un. Où faut-il aller?

L'EMPLOYÉ: Vous avez une machine automatique près de la consigne. (*Sur le quai*)

PHILIP: Je crois que nous pouvons passer sur le quai.

PIERRE: Oui, nous pouvons y aller. Sur quelle voie est votre train?

PHILIP: Sur la voie 4. Attention aux porteurs, Pierre! Il y a tant de voyageurs!

PIERRE: Pourvu que votre train soit là.

PHILIP: Oui, il est déjà formé. Il n'a pas de retard. Nous sommes même en avance de dix minutes.

PIERRE: Vous n'avez pas pris de journaux?

PHILIP: Non, je dormirai. J'en prendrai à Nancy en arrivant. J'ai un quart d'heure d'attente.

PIERRE: Je vous laisse car je dois retrouver un de mes amis qui revient d'un voyage dans l'Amérique du Sud. Bon voyage, mon vieux!

PHILIP: Merci d'être venu. Au revoir, Pierre.

Questionnaire (*Bande 16*)

Répondez aux questions suivantes:

1. A quelle heure part le train pour Nancy?
2. Y a-t-il à Nancy une correspondance pour Vittel?
3. Quel billet Philip prend-il?

4. Quel train va-t-il prendre?
5. Où doit-il aller pour retenir une place?
6. Que préfère-t-il, un côté couloir ou un côté fenêtre?
7. Où se trouve la place que Philip a retenue?
8. Comment pourra-t-il obtenir un ticket de quai pour son ami?
9. Sur quelle voie est le train de Philip?
10. Son train est-il déjà là?
11. De combien de temps Philip est-il en avance?
12. Que va-t-il faire dans le train?
13. Que fera-t-il en arrivant à Nancy?
14. Pourquoi Pierre laisse-t-il Philip?

Dialogue

Demandez à un(e) étudiant(e):

1. où il (elle) va pour prendre le train. [L'étudiant(e) répondra à toutes les questions posées.]
2. ce qu'il faut faire pour prendre un billet.
3. ce que c'est qu'un bureau de renseignements.
4. comment s'appelle l'endroit où on monte dans le train.
5. où on apporte les bagages pour les faire enregistrer.
6. dans quelle salle on attend l'arrivée d'un train.
7. quelle différence il y a entre un omnibus et un rapide.
8. si un billet aller et retour coûte aussi cher qu'un aller simple.
9. où il est permis de fumer dans un train.
10. ce que c'est qu'un porteur.

II. EXPRESSIONS A RETENIR

avoir . . . minutes de retard	to be . . . minutes late
avoir un quart d'heure d'attente	to have a quarter of an hour's wait
être en avance de . . . minutes	to be . . . minutes ahead of time; to be . . . minutes early
faire enregistrer les bagages	to have one's baggage checked
il n'y a pas de retard	there's no delay
passer sur le quai	to go (out) on the platform
rater son train	to miss one's train
retenir une place	to reserve a seat (place)
un aller et retour	a round-trip ticket
un aller simple	a one-way ticket

une salle d'attente   *a waiting room*
voyager en seconde   *to travel second-class*

III. GRAMMAIRE

73. Omission of Definite Article Before a Partitive Noun (Omission de l'article défini devant un nom au sens partitif)

(a) N'avez-vous pas pris de journaux?
Il n'y a pas de train sur cette voie.
Il ne me reste pas de chambres.
Elle ne prend jamais de bière.
Il n'y a plus de places dans ce compartiment.

The definite article is omitted when the partitive noun follows a negative verb.

Note:

(1) After **ne . . . que** (*only*), **de** + definite article must be used: **Il n'y a que des omnibus** à cette heure.
(2) After **ni** of **ne . . . ni . . . ni** (*neither . . . nor*), both **de** and the article are omitted: **Je n'ai ni cigarettes ni allumettes.**

(b) J'ai encore **de bonnes places.**
Le Louvre possède **de très belles sculptures.**
On peut y trouver **de véritables occasions.**
Ils vendent **de vieux livres.**

The definite article is omitted when a plural partitive noun is preceded by an adjective.

Note:

(1) If an adjective precedes a singular noun, **de** + definite article is generally preferred: Ils font **du bon travail.**
(2) If a plural adjective and the noun it precedes form a single set expression, **de** + definite article is used:

des jeunes filles	(*some*) *girls*
des petits pois	(*some*) *peas*
des petits pains	(*some*) *rolls*

(c) **une boîte d'allumettes**   *a box of matches*
une bouteille de vin   *a bottle of wine*
une douzaine d'œufs   *a dozen eggs*

un kilo de viande	*a kilo of meat*
un litre de lait	*a quart (liter) of milk*
une livre de beurre	*a pound of butter*
un paquet de cigarettes	*a pack of cigarettes*
une tasse de café	*a cup of coffee*
un verre d'eau	*a glass of water*
combien de billets?	*how many tickets?*
assez d'argent	*enough money*
beaucoup de trains	*many trains*
tant de voyageurs	*so many travelers*
trop de fromage	*too much cheese*
(un) peu de cognac	*(a) little cognac*

The definite article is omitted after nouns or adverbs of quantity.

Note:

(1) **Bien** (*much, many*) and **la plupart** (*most*) are followed by **de** + definite article:

bien des cours
la plupart des statues

(2) After **avec** and **sans**, both **de** and the definite article are omitted: **avec plaisir; sans bagages.**

(d) Les toits sont **couverts de neige.**
Avez-vous **besoin de timbres?**
Il a un portefeuille **plein d'argent.**
La maison est **entourée d'arbres.**

The definite article is omitted after an expression which includes **de** already.

74. Y, en

(a) Sont-ils arrivés **à Nancy?** — Ils y sont arrivés.
Répond-il **à votre question?**—Il y répond.
Allez-vous **en France?** — J'y vais.
Est-elle montée **dans le train?** — Elle y est montée.
Allons **sur le quai.** Allons-y.

Y stands for a prepositional phrase referring to places or things *already mentioned.* Such a phrase may be introduced by the preposition **à, en, dans, devant, sur,** or others, but not by **de. Y** (like personal object pronouns) always stands before the verb, except in the affirmative imperative. It usually means *there* or *it* preceded by the appropriate preposition.

(b) Vient-il **de Paris?** — Il **en** vient.
Avez-vous **des cartes postales?** — Oui, j'**en** ai.
Que pensez-vous **de cette pièce?** Qu'**en** pensez-vous?
A-t-il parlé **de sa famille?** — Non, il n'**en** a pas parlé.
Nous n'avons pas **de tickets de quai.** Nous n'**en** avons pas.

En stands for a phrase introduced by **de** and refers to people, places, or things *already mentioned*. **En** is usually equivalent to *some, any, of it, of them, from there,* and always stands before the verb, except in the affirmative imperative.

Note: **En** replaces a previously mentioned noun omitted after an expression of quantity or a number:

Voudriez-vous **des cartes postales?** — Oui, j'**en** voudrais une douzaine.
Ont-ils assez **d'argent?** — Ils **en** ont assez,
Avez-vous encore **de bonnes places?** — Oui, j'**en** ai deux.

75. Prepositions With Geographical Terms (Les prépositions précédant les noms géographiques)

(a) Je suis né à **New York.**
Nous allons passer un mois à **Paris.**
Ce train va **de Nancy à Strasbourg.**
Quand reviennent-ils **de Rome?**

Before the names of cities, **à** is the French equivalent for *in, to, at,* and **de** for *from.*

Note: Cities with a definite article as part of their name retain the definite article after **à** or **de** (contracted where necessary): le Havre: **au Havre; du Havre;** la Nouvelle-Orléans: **à la Nouvelle-**Orléans, **de la** Nouvelle-Orléans.

(b) Que faisiez-vous **en Amérique?**
Il revient d'un voyage **en Europe.**
Depuis combien de temps êtes-vous **en France?**
Nous sommes allés en voiture **de Lorraine en Provence.**
Elle vient d'arriver **d'Afrique.**

Before the names of feminine geographical divisions,[1] **en** is the French equivalent for *in, to, at,* and **de** for *from.*

[1]Names of continents, countries, provinces ending in mute **e** are feminine, except **Mexique** (*Mexico*).

(c) Il a terminé ses études **aux États-Unis.**
Avez-vous jamais été **au Mexique?**
Elle m'a écrit une lettre **du Canada.**

Before the names of masculine countries, **à** + definite article is the French equivalent for *in, to, at,* and **de** + definite article for *from.*

Note: The most important masculine countries are: **le Brésil, le Canada, le Danemark, les États-Unis, le Japon, le Mexique, le Pérou, le Portugal, l'Uruguay.**

(d) Combien de temps es-tu resté **dans l'Amérique centrale?**
Mon cousin demeure **dans la France méridionale.**
Le café vient **de l'Amérique du Sud.**

Before the names of geographical divisions modified by an adjective or adjectival phrase, **dans** + definite article is usually the French equivalent for *in, to, at,* and **de** + definite article for *from.*[1]

76. Uses of the Subjunctive (continued)

(a) Nous cherchons un appartement qui **soit** près de la gare.
Elle veut une bonne qui **fasse** bien son travail.
Il n'y a personne qui **sache** le faire mieux que lui.

The subjunctive is used when a characteristic is desired but not yet obtained or when it is speculative. Compare: J'ai trouvé un homme qui **peut** faire cela. (There's no doubt about it.)

(b) Je vais parler lentement, **afin qu'ils puissent** me comprendre.
Bien qu'il y ait assez de neige, je ne ferai pas de ski.
Avant que vous (ne)[2] **quittiez** Paris, nous visiterons le Louvre.
Elle ne ratera pas son train, **pourvu qu'elle parte** à l'heure.
A moins que vous (ne)[2] **révisiez** vos cours, vous ne réussirez pas à vos examens.
Je ne commencerai rien **sans que vous** me le **disiez.**

The subjunctive is used after certain conjunctions implying uncertainty or doubt. The most common of these are:

[1] **En** and **de** without the article are also used: **en Amérique du Nord; d'Amérique du Nord.**

[2] This conjunction may take **ne** (without negative value) before the subjunctive.

avant que[1]	*before*	jusqu'à ce que	*until*
à moins que[1]	*unless*	sans que	*without*
bien que, quoique	*although*	pourvu que	*provided that*
pour que, afin que	*in order that,*	de peur que,[1]	
	so that	de crainte que[1]	*for fear that*

The subjunctive is also used after certain conjunctions of concession or restriction: **qui que** (*whoever, no matter who*), **quoi que** (*whatever, no matter what*):

Qui que ce soit, dites-lui d'entrer.
Quoi que vous disiez, c'est encore le meilleur train.

77. Repassez dans l'appendice le présent de l'indicatif, l'imparfait, le passé composé, le présent du subjonctif et le futur des verbes **partir** et **dormir**.

IV. EXERCICES

A. *Répétez les phrases suivantes en employant les pronoms indiqués* (*Bande 16*):

1. Il est grand temps que nous partions. (je)
2. Est-ce qu'elle prendra l'express? (nous)
3. Si tu ne dors pas, tu seras vite fatigué. (vous)
4. Je ne savais que faire. (ils)
5. A moins qu'il (ne) fasse mauvais, ils partiront demain. (elle)
6. C'est dommage que vous n'ayez pas dormi un petit peu. (tu)
7. On ne ratera pas le train si on part à l'heure. (elles)
8. Elles ne pouvaient pas agir autrement. (il)
9. Il neigeait quand il est parti. (je)
10. S'il fait chaud, je ne dormirai pas bien. (nous)

B. *Répondez négativement aux questions suivantes* (*Bande 16*):

MODÈLE: Avez-vous de l'argent français?
          Non, je n'ai pas d'argent français.

1. Avez-vous trouvé des éditions rares?
2. La météo annonce-t-elle de la neige?

[1] This conjunction may take **ne** (without negative value) before the subjunctive.

    3. Vous a-t-il apporté du vin rouge?

    4. As-tu demandé des renseignements à cet agent?

    5. Avez-vous des bagages à enregistrer?

    6. Voulez-vous de la pâtisserie comme dessert?

    7. Faut-il retenir des places à l'avance?

    8. A-t-elle mis de l'eau sur la table?

    9. A-t-il oublié de vous donner des allumettes?

  10. As-tu acheté des cigarettes françaises?

  11. Désirez-vous de la salade avec votre viande?

  12. Vous a-t-elle donné des fiches à remplir?

  13. Prenez-vous du café après le dîner?

  14. Vend-on du tabac dans ce magasin?

C. *Répondez aux questions suivantes en employant les adjectifs indiqués* *(Bande 16)*:

MODÈLE: As-tu remarqué des cravates à la vitrine? (jolies)
              Oui, j'ai remarqué de jolies cravates à la vitrine.

    1. Avez-vous encore des places pour l'express? (bonnes)

    2. Y a-t-il des routes près d'ici? (nouvelles)

    3. Vous reste-t-il des chambres avec lavabo? (petites)

    4. Ont-ils fait des progrès? (grands)

    5. Viens-tu d'acheter des gravures? (belles)

    6. Avez-vous rencontré des amis en France? (vieux)

    7. Les voyageurs ont-ils des valises? (grosses)

    8. Avez-vous fait des voyages récemment? (longs)

    9. As-tu visité des musées à Paris? (beaux)

  10. A-t-elle déjà exposé des tableaux? (autres)

D. *Répondez aux questions suivantes en employant «ne . . . ni . . . ni»* *(Bande 16)*:

MODÈLE: A-t-il des parents ou des amis?
              Il n'a ni parents ni amis.

    1. Prennent-ils de la bière ou du vin?

    2. Avez-vous du rosbif ou du poulet rôti?

    3. Veux-tu du saucisson ou du jambon?

    4. Verrons-nous des sculptures ou des statues?

    5. As-tu reçu des lettres ou des cartes postales?

    6. Prend-elle de la crème ou du sucre?

    7. Fumez-vous des cigares ou des cigarettes?

    8. Boit-il du café ou du thé?

9. Désirez-vous de la glace ou de la pâtisserie?
10. Y aura-t-il des actualités ou des dessins animés?
11. Avez-vous acheté des journaux ou des revues?

E. *Répétez les phrases suivantes en employant les mots indiqués (Bande 16):*

MODÈLE: Je viens de lui offrir du café. (une tasse)
          Je viens de lui offrir une tasse de café.

1. Il y a déjà des voyageurs sur le quai. (tant)
2. Donnez-moi donc des cigarettes américaines. (un paquet)
3. Je me demande s'il a retenu des places. (assez)
4. Avez-vous des achats à faire? (beaucoup)
5. Voudriez-vous du vin rosé? (une bouteille)
6. Nous avons des valises à faire enregistrer. (une douzaine)
7. Les voitures européennes sont petites et légères. (la plupart)
8. Il y a des bicyclettes sur la route. (peu)
9. Apportez-nous de l'eau, s'il vous plaît. (une carafe)
10. La postière m'a vendu des timbres. (un carnet)
11. Nous avons du travail à faire. (trop)
12. Je lui ai envoyé des fleurs. (un bouquet)
13. Nous avons des courses à faire. (bien)

F. *Répondez affirmativement aux questions suivantes en employant «y» ou «en» (Bande 16):*

MODÈLES: Êtes-vous déjà allé à la poste?
           Oui, j'y suis déjà allé.

           Vient-elle *d'Italie?*
           Oui, elle *en* vient.

1. Réponds-tu toujours à ses lettres?
2. Ont-ils gagné beaucoup d'argent?
3. Êtes-vous resté dans votre chambre?
4. Vas-tu souvent au cinéma?
5. Restait-il des places pour ce soir?
6. Sont-elles entrées dans le magasin?
7. Passeront-elles leurs vacances en France?
8. Prenez-vous du sucre avec le café?
9. Revenez-vous du théâtre?
10. A-t-il apporté des chemises à laver?
11. Attendiez-vous vos amis près du guichet?

12. Ont-ils réservé deux tables?
13. As-tu acheté une douzaine de mouchoirs?
14. Êtes-vous sorti de votre appartement?
15. Sont-ils allés à l'université?

G. *Répétez les phrases suivantes en substituant les mots indiqués* (*Bande 16*):

1. Depuis combien de temps sont-ils à Rouen?
   (Amérique, Paris, Brésil)
2. Est-elle actuellement en Europe?
   (Grèce, Afrique du Nord, Berlin)
3. Un de mes amis revient d'un voyage en Italie.
   (Amérique du Sud, Hollande, Londres)
4. Une troupe théâtrale vient d'arriver à New York.
   (Canada, Angleterre, États-Unis)
5. Combien de temps avez-vous passé en Afrique?
   (la Nouvelle-Orléans, Asie, Suisse)
6. J'ai reçu un paquet du Portugal.
   (Espagne, Rome, Danemark)
7. Cette lettre vient de Marseille.
   (Japon, Lyon, Russie)
8. Au cours de mes voyages je suis allé de France en Italie.
   (États-Unis . . . Mexique, Naples . . . Florence, Amérique du Nord . . . Amérique du Sud)

H. *Transformez les phrases suivantes en remplaçant «si» par les conjonctions indiquées* (*Bande 16*):

MODÈLE: Je le ferai si j'ai le temps. (pourvu que)
          Je le ferai pourvu que j'aie le temps.

1. Nous pourrons passer sur le quai si le train est là. (avant que)
2. Elle viendra avec nous s'il y a de la place. (pourvu que)
3. Elles ne sortiront pas s'il fait mauvais. (de peur que)
4. Elle ira avec vous si vous prenez un taxi. (pourvu que)
5. Nous serons à l'heure si le train a dix minutes de retard. (bien que)
6. Elle ne l'achètera pas si ça coûte trop cher. (de crainte que)
7. Il restera chez lui si tu peux le rejoindre. (afin que)
8. Je lui écrirai s'il me donne son adresse. (pourvu que)
9. Nous vous donnerons une soirée si vous allez en France. (avant que)

I. *Répétez les phrases suivantes en mettant l'infinitif à la forme convenable:*

1. A moins que Françoise ne (rater) son avion, elle arrivera demain.
2. Quand je (arriver) à la gare, j'irai droit à la consigne.
3. Je doute que votre train (partir) immédiatement.
4. Donnez-moi un ticket afin que je (pouvoir) passer sur le quai.
5. Si nous (prendre) ce train, nous serons à Nancy dans une heure.
6. Quoi que vous (dire), c'est un des meilleurs trains.
7. Quand nous sommes rentrés, ils (dormir) déjà.
8. Il n'y a personne qui (voyager) autant que lui.
9. C'est le meilleur cours que nous (avoir) suivi.
10. Elles lui achèteront un cadeau sans qu'elle le (savoir).
11. Si vous avez encore des places, j'en (retenir) une.
12. Je connais un homme qui (pouvoir) faire cela.
13. Dès que j'(avoir) le temps, je vous téléphonerai.

J. *Employez dans des phrases complètes dix des expressions à retenir qui se trouvent à la section II.*

V. COMPOSITION

A. *Dites, puis écrivez en français:*

1. I'm sorry to be late. I met a (girl) friend who has just returned from a trip to Europe and South America.
2. She has been traveling for more than two months. She visited many countries in Europe.
3. She told me that she went to Italy, France, Spain, and Portugal. At Lisbon, she took a plane for Brazil.
4. As you know, Spanish is spoken neither in Brazil nor in Portugal.
5. I've never been to South America, but I hope to go there next summer. I have relatives in Peru.
6. My friend and I chatted for more than an hour. I took a cab for fear that your train would leave without my seeing you.
7. Not at all, I've just arrived. There are so many travelers in this station.
8. While you're having my luggage checked, I'll buy a round-trip ticket to Nancy.
9. Are there good trains on this line? — Pierre says they're excellent. They're all new trains.

10. If there aren't any more seats on the through express, I'll reserve one on the limited.
11. You know you won't be able to go out on the platform unless you have a ticket.
12. You can get one over there near the baggage room.
13. Did your friend buy any dresses when she was in Paris?
14. She said she saw some pretty dresses there but she didn't buy any. But she did bring back a bottle of cognac.
15. She never drinks wine in the United States. But while she was in Europe she always had wine with her dinner.
16. Did you say your train is on track 3? It's already there. It leaves in fifteen minutes.
17. Don't you want any newspapers? I'll buy two for you, provided you don't already have them.
18. Don't buy any. I'll sleep on the train.

B. *Vous devez partir en voyage dans le Midi. Vous êtes pressé(e), aussi décidez-vous de prendre le train le plus direct et le plus rapide. Vous allez droit au guichet de la gare où vous vous adressez à un employé. Écrivez, sous forme de dialogue, la conversation que vous avez avec lui. Vous parlerez:*

(1) des différents trains qui vont dans cette direction;
(2) des heures de départ (quai—voie) et d'arrivée;
(3) de la place que vous désirez (location—voiture—compartiment);
(4) des services offerts (bar, wagon-restaurant . . .);
(5) du problème des bagages porteur—consigne). En conclusion, vous parlerez de l'atmosphère qui règne dans une grande gare un jour de départ.

VI. DICTÉE

A tirer de la seizième conversation.

VII. LECTURE

LÉOPOLD SÉDAR SENGHOR: La leçon de Paris (*Bande 16*)

Léopold Sédar Senghor (né au Sénégal en 1906) a fait ses études supérieures au Lycée Louis-le-Grand à Paris. Agrégé de grammaire, pro-

*fesseur, homme politique, homme de lettres, Senghor est aujourd'hui
Président de la République du Sénégal.*

Ses œuvres principales sont: Chants d'Ombre, Hosties noires, Éthiopiques,
Nocturnes (*Prix international de poésie en 1963*), Chants pour Naëtt.
*Il a publié également l'*Anthologie de la nouvelle poésie nègre et malgache,
préfacée par Jean-Paul Sartre.

De Paris, j'ai connu d'abord les rues, en touriste curieux. Moins le
Paris «by night» que la capitale aux visages si divers sous la lumière
du jour. Ah! cette lumière que les fumées des usines n'arrivent pas à
ternir. Blonde, bleue, grise, selon les saisons, les jours, les heures, elle
reste toujours fine et nuancée, éclairant arbres et pierres, animant   5
toutes choses de l'esprit de Paris.

Paris ne se limite pas aux boulevards extérieurs. L'Île-de-France,
c'est encore Paris. Les collines célèbres qui ceignent la capitale, à
distance, comme une couronne, les bois de Chevreuse et d'Ermenonville, les forêts de Chantilly et de Montmorency, les vallées de l'Oise,   10
de la Marne, de la Seine, tous ces paysages baignant dans la même
lumière, immortalisée par les plus grands peintres. Le sourire de mai
et la splendeur de septembre y chantent la douceur de vivre.

Oui, pour moi, Paris, c'est d'abord cela: une ville—une symphonie
de pierres—ouverte sur un paysage harmonieux d'eaux, de fleurs, de   15
forêts et de collines. Paysage qui est paysage de l'âme, à la mesure de
l'homme. Et le tout s'éclaire de la lumière de l'Esprit . . .

3 fumée f.: *smoke*
3 usine f.: *factory*
3 n'arrivent pas: ne réussissent pas
4 ternir: *to tarnish*
5 pierre f.: *stone*
7 L'Île-de-France: pays de l'ancienne
France avec pour capitale Paris. L'Île-
de-France comprend les départements
actuels de l'Aisne, de l'Oise, de la
Seine, de Seine-et-Oise, de Seine-et-
Marne et une partie de la Somme
8 colline f.: *hill*
8 ceindre: entourer
9 couronne f.: *crown*
9 Chevreuse: petite ville située en Seine-
et-Oise

9 Ermenonville: petite ville située dans
l'Oise. Jean-Jacques Rousseau y
mourut dans le domaine du marquis
de Girardin
10 Chantilly: petite ville située dans l'Oise.
Chantilly possède une forêt et un
magnifique château, ancienne forte-
resse du Moyen Age
10 Montmorency: petite ville située en
Seine-et-Oise
10 L'Oise: rivière du nord de la France
qui prend sa source en Belgique
11 baigner: *to bathe*
13 douceur f.: *sweetness*
16 âme f.: *soul*
17 s'éclairer: *to shine*

From «La lumière de Paris,» by Léopold Sédar Senghor, in *Poètes d'aujourd'hui*, edited
by Armand Guibert. Paris, Editions Seghers. By permission.

«Paris aux visages si divers à la lumière du jour»
Air France (Both)

Cependant, la plus grande leçon que j'ai reçue de Paris est moins la découverte des autres que de soi-même. En m'ouvrant aux autres, la métropole m'a ouvert à la connaissance de moi-même. Si Paris n'est pas le plus grand musée d'art négro-africain, nulle part ailleurs, l'art nègre n'a été, à ce point, compris, commenté, exalté, assimilé. Véritablement, Paris, en me révélant les valeurs de ma civilisation ancestrale, m'a obligé à les assumer et à les faire fructifier en moi. Pas seulement moi, mais toute une génération d'étudiants nègres, des Antillais, comme des Africains.

21 ailleurs: en un autre lieu

QUESTIONNAIRE

1. Qui est Léopold Sédar Senghor?
2. Où est-il né?
3. Où a-t-il fait ses études supérieures?
4. Quelles sont ses œuvres principales?
5. Qui a préfacé l'*Anthologie de la nouvelle poésie nègre et malgache*?
6. Qu'est-ce qu'un «touriste curieux»?
7. Qu'est-ce que Senghor a d'abord connu de Paris?
8. Qu'est-ce que c'est que le Paris «by night»?
9. Comment est la lumière de Paris?
10. Paris se limite-t-il aux boulevards extérieurs?
11. Qu'apprécie avant tout l'auteur à Paris?
12. Senghor éprouve-t-il seulement de l'affection pour Paris? Qu'aime-t-il encore? Pourquoi?
13. A quoi compare-t-il Paris?
14. Sur quel paysage s'ouvre la ville?
15. Par quoi ce paysage est-il avant tout éclairé?
16. Quelle est la plus grande leçon que Senghor a reçue de Paris?
17. Comment a-t-il pu la recevoir?
18. Quels sentiments Senghor exprime-t-il dans ce texte?
19. Qu'est-ce que Paris a surtout révélé à l'auteur?
20. Sur qui Paris a-t-il exercé également les sentiments qu'éprouve l'auteur?
21. Nommez plusieurs pays africains d'expression française?
22. Où se trouvent les Antilles?

LEÇON 17

I. CONVERSATION: Au château de Chambord
(*Bande 17*)

PIERRE: Voilà, nous sommes arrivés! Il vaudrait peut-être mieux que je gare la voiture devant l'hôtel . . . qu'en pensez vous?

PHILIP: Hum! . . . Si j'étais à votre place, je la laisserais ici au bord du fossé—elle est bien.

PIERRE: C'est vrai, car au cas où il y aurait du monde, nous n'aurions pas beaucoup à marcher.

PHILIP: Est-ce que vous connaissez bien ce château?

PIERRE: Oui, j'y suis allé plusieurs fois. C'est le plus vaste des châteaux de la Loire, la création grandiose de François Ier.

PHILIP: Oh! Il est magnifique! Si je ne le voyais pas de mes propres yeux, je ne le croirais pas! Quelle belle photo je pourrais prendre au coucher du soleil!

PIERRE: Ce qui fait la beauté de ce château, c'est sa belle unité de construction et enfin ses deux merveilles: la terrasse et le grand escalier.

PHILIP: Je ne vois pas le grand escalier . . . serait-il à l'intérieur?

PIERRE: Oui. C'est un escalier double, en spirale, construit de telle sorte que le seigneur qui montait ne pouvait pas voir celui qui descendait.

PHILIP: Très pratique, je dirais! Mais . . . dites-moi . . . est-ce que ce château est encore habité?

PIERRE: Non. Même François Ier n'y a guère demeuré que quelques mois et Louis XIV n'y a fait que neuf séjours . . . mais c'est là que Molière a écrit et représenté le *Bourgeois Gentilhomme*.

PHILIP: Tiens! Je ne savais pas cela! Et à qui appartient le château à présent?

PIERRE: A l'État. Pourquoi? . . . Voudriez-vous l'acheter?

PHILIP: Oh, non! Quand même je serais très riche, je ne l'achèterais pas!

PIERRE: Vous avez raison car il n'y a ni chauffage central ni eau potable.

PHILIP: Je crois que nous ferions bien de nous dépêcher . . . on va manquer la visite. Par où entre-t-on?

PIERRE: Par ici, par la porte Royale.

PHILIP: Combien de temps dure la visite?

PHILIP: Environ trois-quarts d'heure. Le château est à peu près vide de mobilier mais il y a tout de même bien des choses intéressantes à voir.

PHILIP: Bon! Suivons le guide! — Au fait, pourrions-nous rester ce soir pour le spectacle «Son et Lumière»?

PIERRE: Bien sûr! Je ne vous laisserais pas retourner aux États-Unis sans voir cela!

Questionnaire (*Bande 17*)

Répondez aux questions suivantes:

1. Où Pierre voudrait-il garer sa voiture?

Le Château de Chambord
Documentation Française Photothèque

2. Pourquoi va-t-il la garer au bord du fossé?
3. Qui a fait construire le château de Chambord?
4. Quand Philip voudrait-il prendre une photo du château?
5. Qu'est-ce qui fait la beauté de ce château?
6. Où est le grand escalier?
7. De quelle façon cet escalier est-il construit?
8. Qu'est-ce que Molière a fait dans ce château?
9. A qui appartient le château à présent?
10. Est-ce qu'il y a tout le confort moderne dans ce château?
11. Par où entre-t-on dans le château?
12. Combien de temps dure la visite?

Dialogue

Demandez à un(e) étudiant(e):

1. quel est le plus vaste des châteaux de la Loire. [L'étudiant(e) répondra à toutes les questions posées.]
2. combien de temps François Ier a demeuré à Chambord.
3. combien de séjours Louis XIV y a fait.
4. s'il (si elle) a un appareil photographique.
5. comment s'appelle la personne qui montre un château.
6. si les châteaux sont toujours bien meublés.
7. à quel spectacle il (elle) peut assister le soir après la visite d'un château.
8. quel est le château le plus célèbre de la France.

II. EXPRESSIONS A RETENIR

à l'intérieur	*inside, indoors*
à votre place	*in your place, if I were you*
au bord de	*at the edge of, by the side of*
au coucher du soleil	*at sunset*
au lever du soleil	*at sunrise, at daybreak*
avec plaisir	*gladly, with pleasure*
garer une voiture	*to park (garage) a car*
je ferais bien de	*I had better*
prendre une photo	*to take (snap) a picture*
valoir mieux	*to be better*

III. GRAMMAIRE

78. Conditional (Le conditionnel)

entrer

j'entrerais	*I would enter*
tu entrerais	
il (elle) entrerait	
nous entrerions	
vous entreriez	
ils (elles) entreraient	

remplir

je remplirais	*I would fill*
tu remplirais	
il (elle) remplirait	
nous remplirions	
vous rempliriez	
ils (elles) rempliraient	

vendr̸e

je vendrais	*I would sell*
tu vendrais	
il (elle) vendrait	
nous vendrions	
vous vendriez	
ils (elles) vendraient	

Note: Conditional endings are identical with imperfect endings but are added to the infinitive to form the conditional. Infinitives ending in e drop e before conditional endings.

Irregular conditionals (note that the stems are identical with those of the future):

L'INFINITIF	LE FUTUR	LE CONDITIONNEL
aller	j'irai	j'irais, tu irais, etc.
avoir	j'aurai	j'aurais, tu aurais, etc.
être	je serai	je serais, tu serais, etc.
faire	je ferai	je ferais, tu ferais, etc.
pouvoir	je pourrai	je pourrais, tu pourrais, etc.
savoir	je saurai	je saurais, tu saurais, etc.
venir	je viendrai	je viendrais, tu viendrais, etc.
voir	je verrai	je verrais, tu verrais, etc.
vouloir	je voudrai	je voudrais, tu voudrais, etc.

79. Uses of the Conditional (Les emplois du conditionnel)

(a) Il m'a dit qu'il **garerait** sa voiture là-bas.
Je ne vous **laisserais** pas partir sans voir cela.
Je le **ferais** encore!

The conditional is used generally as in English.

Note:

(1) *Would* in the sense of *used to*, implying habitual past action, is expressed by the imperfect (see Section 44, b): Nous la **voyions** toutes les semaines.

(2) *Should* in the sense of *ought to*, implying duty or obligation, is expressed by the conditional of **devoir**: Vous **devriez** réviser vos cours.

(b) Si j'**étais** à votre place, je **laisserais** la voiture ici.
If I were you, I'd leave the car here.
Quel train **prendriez**-vous si vous **alliez** à Lyon?
Which train would you take if you went to Lyons?
S'il **neigeait**, ils **feraient** du ski.
If it snowed, they'd go skiing.

The conditional is used in the result clause of a conditional sentence; the **si** clause is in the imperfect.

Note: The conditional is not used in French after **si** in the sense of conditional *if*; it may be used after **si** meaning *if* in the sense of *whether*. Such usage corresponds closely to English:

Elles ne savaient pas **si elles pourraient** y aller.
They didn't know if (whether) they'd be able to go there.
Je me demandais **s'il y aurait** assez de neige.
I was wondering if (whether) there would be enough snow.

(c) Je **voudrais** un aller et retour pour Nancy.
I'd like a round-trip ticket for Nancy.
Aimeriez-vous visiter le château?
Would you like to visit the castle?
Pourrions-nous rester ici ce soir?
Could we remain here tonight?

The conditional is used in place of the present to make a statement or question more polite.

(d) Je ne vois pas le grand escalier. **Serait**-il à l'intérieur?
I don't see the grand stairway. Could it possibly be inside?

Serait-ce l'adresse que tu cherches?
Can this be the address you're looking for?

The conditional is used to express probability or conjecture.

(e) **Quand même je serais très riche**, je ne l'achèterais pas.
Au cas où elle ne pourrait pas venir, elle me téléphonerait.

The conditional is required after **quand même** (*even if*) and **au cas où** (*in case*).

80. Repassez dans l'appendice le présent de l'indicatif, l'imparfait, le passé composé, le présent du subjonctif, le futur et le conditionnel du verbe **connaître**.

IV. EXERCICES

A. *Répétez les phrases suivantes en employant les pronoms indiqués* (*Bande 17*):

1. Quand tu la connaîtras, tu la trouveras très aimable. (vous)
2. Il faut que vous sachiez cela par cœur. (tu)
3. Quand même j'aurais le temps, je n'irais pas le voir. (nous)
4. Où l'a-t-elle connu? (elles)
5. Est-ce que tu le reconnaîtras à sa voix? (on)
6. Elles connaissaient bien les œuvres de Racine. (elle)
7. Il est indispensable que nous prenions ce train. (je)
8. Nous ne savions pas cela! (il)
9. Est-ce qu'il connaît bien ce château? (tu)
10. Ce sont les meilleures photos que tu puisses prendre. (vous)
11. Elle croit qu'elle ferait bien d'y aller. (ils)

B. *Répétez les phrases suivantes en remplaçant le présent par le conditionnel* (*Bande 17*):

MODÈLE: *Voulez*-vous passer quelques jours à la campagne?
         Voudriez-vous passer quelques jours à la campagne?

1. Il ne sait pas quoi faire.
2. Nous n'avons pas beaucoup à marcher.
3. Je ne veux pas vous retarder.
4. Que font-ils pendant ce temps-là?
5. On ne voit cela qu'à Paris.

6. Est-ce qu'ils voyagent en seconde?
7. Y allez-vous plus souvent que lui?
8. Peut-on y trouver des éditions rares?
9. Que dis-tu de cela?
10. Elle ne perd jamais de temps.

C. *Répondez aux questions suivantes selon le modèle* (Bande 17):

MODÈLE: Est-ce qu'il partira demain?
Oui, je vous ai dit qu'il partirait demain.

1. Est-ce que je pourrai prendre une photo?
2. Est-ce qu'elle le laissera partir?
3. Est-ce que nous serons à l'heure?
4. Est-ce qu'elles comprendront votre explication?
5. Est-ce qu'il me conseillera de suivre ces cours?
6. Est-ce qu'ils aimeront mieux prendre un avion?
7. Est-ce qu'il viendra vous chercher?
8. Est-ce qu'elle arrivera ce soir?

D. *Répétez chacune des phrases suivantes en employant l'expression indiquée* (Bande 17):

MODÈLE: Nous ferons du ski. (Il m'a dit)
Il m'a dit que nous ferions du ski.

1. Il garera sa voiture devant l'hôtel. (Il a répondu)
2. Elle ira chercher les billets. (Tu m'as promis)
3. Nous partirons au lever du soleil. (Il a affirmé)
4. Ils feront des courses en ville. (Ils ont répété)
5. Elles reviendront tout de suite. (Nous croyions)
6. Ils passeront la nuit à Nancy. (J'étais certain)
7. La visite durera trois-quarts d'heure. (Elle a expliqué)
8. Elle tiendra sa promesse. (J'espérais)
9. Tu ne le croiras pas. (Il était évident)
10. Il y aura une demi-heure d'attente. (On a annoncé)
11. Il sera en retard ce matin. (J'étais sûr)
12. Antoine nous rencontrera à la gare. (Je pensais)

E. *Répétez les phrases suivantes en remplaçant le présent et le futur par l'imparfait et le conditionnel:*

MODÈLE: S'il *fait* beau, nous *ferons* une promenade.
S'il *faisait* beau, nous *ferions* une promenade.

1. Si tu prends l'express, tu arriveras juste à temps.
2. Si vous faites cela, je serai content.
3. S'ils étudient, ils réussiront à leurs examens.
4. Si elle veut toucher un chèque, elle ira à la banque.
5. Si je vais à la poste, j'achèterai des timbres.
6. S'il fait mauvais, nous ne sortirons pas.
7. Si elles ont froid, elles mettront leurs manteaux.
8. Si elle ne voit pas cela, elle ne le croira pas.
9. Si tu me donnes ton adresse, je t'écrirai.
10. S'il a un appareil, il prendra une photo.
11. Si elle finit son travail, elle viendra nous rejoindre.
12. Si tu as dix-huit ans, tu pourras avoir ton permis de conduire.

F. *Répondez aux questions suivantes:*

1. Où iriez-vous si vous vouliez envoyer un mandat?
2. Quels pays visiteriez-vous si vous voyagiez en Europe?
3. Qu'achèteriez-vous si on vous donnait cent dollars?
4. Quelle place prendriez-vous si vous alliez au cinéma?
5. Que pourriez-vous faire s'il y avait beaucoup de neige?
6. Qu'offririez-vous à votre ami s'il venait vous voir?
7. Que voudriez-vous voir si vous alliez au château de Chambord?
8. Que feriez-vous si vous attrapiez un rhume?
9. Que mettriez-vous s'il faisait froid?
10. Quels cours suivriez-vous si vous aviez à choisir?

G. *Répétez les phrases suivantes en mettant l'infinitif à la forme convenable:*

1. Que (faire)-vous si vous étiez à ma place.
2. Si nous (avoir) le temps, nous reviendrons.
3. Si je le (savoir), je vous le dirais.
4. S'il pleut, ils ne (sortir) pas.
5. Si le train était là, je (passer) sur le quai.
6. Si tu (prendre) ce chemin, tu y arriveras très vite.
7. S'il parlait lentement, nous (pouvoir) le comprendre.
8. S'il vous le dit, vous ne le (croire) pas.
9. Si elle (rater) son train, elle en attendra un autre.
10. Si nous garons la voiture ici, nous n'(avoir) pas beaucoup à marcher.
11. S'il (venir) me voir, je resterais chez moi.
12. Que lirais-tu si tu (vouloir) trouver une situation?
13. Si Nicole m'(écrire), je lui répondrai.
14. S'il neigeait, je (mettre) un imperméable.

H. *Répétez les phrases suivantes en remplaçant «si» et l'imparfait par «au cas où» et le conditionnel* (*Bande* 17):

MODÈLE: Si j'étais riche, je voyagerais beaucoup.
          Au cas où je serais riche, je voyagerais beaucoup.

1. S'il m'offrait sa place, je ne l'accepterais pas.
2. Si elle savait cela, elle vous le dirait.
3. S'il y avait beaucoup de monde, nous aurions beaucoup à marcher.
4. S'il était malade, il ne viendrait pas.
5. Si nous partions immédiatement, nous arriverions juste à temps.
6. Si elle rentrait de bonne heure, elle me téléphonerait.
7. Si nous ne sortions pas, nous pourrions écouter quelques disques.
8. Si la robe ne coûtait pas trop cher, elle l'achèterait.
9. Si j'allais en France, je visiterais les châteaux.
10. Si elle n'avait pas de ticket, l'employé lui en donnerait un.
11. S'ils la voyaient, ils ne lui diraient rien.

I. *Employez dans des phrases complètes les expressions à retenir qui se trouvent à la section II.*

V. COMPOSITION

A. *Dites, puis écrivez en français:*

1. What would you do if you were in my place?
2. I promised Nicole that we'd visit the Château de Chambord and that we'd spend the whole day there.
3. I didn't know that I wouldn't have a car today.
4. Why don't you ask Philip? He has a car. He told me a week ago that he'd like to go there.
5. I was wondering whether he'd still want to see it.
6. There's no one who knows the road to the castle as well as he.
7. In case there should be a crowd, would you go there anyhow?
8. Of course! Our French professor would often speak to us about that castle.
9. He would always tell us that if we visited it we'd see many interesting things.
10. He was right: it's really magnificent. I know the castle very well. It's one of the biggest in France.
11. But, if you don't see it with your own eyes, you won't believe it.

12. I think we had better hurry. We could arrive there just in time.
13. Even if we were to leave now, we would not get there for the first visit.
14. It doesn't matter. In case we should be late, we could always wait for the next one.
15. Incidentally, if you were to park the car in front of the hotel, you would not have much to walk.
16. Don't forget to tell Nicole to show you the winding staircase. I'm sure she'd want to show you that.
17. I'd also like to snap a picture of the castle at sunset.

B. *Vous êtes en vacances et vous décidez d'aller visiter un endroit historique célèbre dans votre région. Vous partez très tôt le matin (en train, en car ou en voiture) afin de passer toute la journée à cet endroit. Écrivez une composition dans laquelle vous raconterez:*

(1) ce que vous voyez dès votre arrivée (description du lieu, parc, bâtiments . . .);

(2) les différentes choses qui vous intéressent (souvenirs historiques, ameublement, objects rares . . .);

(3) ce que vous n'avez pas pu voir pour différentes raisons. En conclusion, vous pourrez donner vos impressions générales sur ce que vous venez de visiter.

VI. DICTÉE

A tirer de la dix-septième conversation.

VII. LECTURE

JEAN-JACQUES ROUSSEAU: Si j'étais riche (*Bande 17*)

Jean-Jacques Rousseau (1712–1778) est, avec Montesquieu, Voltaire et Diderot, un des plus grands écrivains du dix-huitième siècle.

Ses principaux ouvrages, après le Discours sur les sciences et les arts *(1750), qui le rendit célèbre, sont un roman,* La Nouvelle Héloïse *(1761); une étude de philosophie politique,* Le Contrat social *(1762); un livre sur l'éducation,* Émile (1762); *enfin, publiées après sa mort les* Confessions *et les* Rêveries du promeneur solitaire.

Rousseau attribue à l'excès de civilisation les maux de l'humanité. Que veut-il substituer à la vie luxueuse et artificielle de son siècle? Il nous le dit dans plusieurs passages de son Émile *et particulièrement dans celui que nous citons. Rousseau imagine comment, s'il était riche, il organiserait son existence.*

Si j'étais riche, je n'irais pas me bâtir une ville en campagne, et mettre au fond d'une province les Tuileries devant mon appartement. Sur le penchant de quelque agréable colline bien ombragée, j'aurais une petite maison rustique; une maison blanche avec des contrevents verts; et quoique une couverture de chaume soit en toute saison la 5 meilleure, je préférerais magnifiquement, non la triste ardoise, mais la tuile, parce qu'elle a l'air plus propre et plus gaie que le chaume, qu'on ne couvre pas autrement les maisons dans mon pays, et que cela me rappellerait un peu l'heureux temps de ma jeunesse. J'aurais pour cour une basse-cour, et pour écurie une étable avec des vaches, pour avoir 10 du laitage que j'aime beaucoup. J'aurais un potager pour jardin, et pour parc un joli verger.

1 bâtir: construire	5 vert: *green*
2 fond m.: partie la plus éloignée; l'endroit le plus éloigné	5 chaume f.: *straw, thatch*
2 Tuileries: palais et jardin des Tuileries. C'est l'ancienne résidence des souverains de France à Paris	6 ardoise f.: *slate*
	7 tuile f.: *tile*
	9 cour f.: *courtyard*
3 penchant m.: inclination naturelle	10 écurie f.: *stable*
3 colline f.: *hill*	10 étable f.: *barn*
3 ombragé: couvert d'ombre (*shaded*) .	11 laitage m.: *dairy products*
4 contrevent m.: volet placé à l'extérieur d'une fenêtre (*shutter*)	11 potager m.: *vegetable garden*
	12 verger m.: *orchard*

EXPLICATION DE TEXTE

Étude du passage

I. L'ensemble

1. A quelle sorte de description Rousseau se livre-t-il dans ce passage?

2. Quelle est l'idée dominante dans ce morceau?

3. Dans quelle mesure cette idée est-elle une réaction contre la vie luxueuse et artificielle au dix-huitième siècle?

4. L'habitation et le genre de vie décrits par Rousseau vous paraissent-ils séduisants? Pourquoi (pas)?

II. L'analyse du passage

1. Le cadre du bonheur—tel que le conçoit Rousseau—nous est présenté comme un contraste avec les goûts de son époque. La description étudiée comprend une succession de tableaux: distinguez-les: la maison; la basse-cour; le jardin potager; le verger.

2. Faites une étude attentive du premier tableau: la maison:

   a. Où vivrait Jean-Jacques Rousseau? A la campagne ou è la ville?

   b. Quels sont les détails concrets qui évoquent une image simple, nette et riante de la maison?

   c. Relevez les adjectifs qui caractérisent les éléments de cette maison: maison _____; volets _____; et le matériau dont doit être fait le toit.

   d. Pourquoi Rousseau choisit-il la tuile à l'ardoise et au chaume? Son choix ne révèle-t-il pas des goûts de luxe? Comment expliquez-vous l'adverbe *magnifiquement* employé par l'auteur?

   e. En plus des deux qualités qui justifient la préférence de Rousseau pour la tuile, qu'est-ce qu'elle lui rappellera avant tout?

   f. Pensez-vous que Rousseau soit objectif? Relisez le passage et voyez les raisons de ses préférences.

3. Après la maison, les dépendances:

   a. Quelles sont les dépendances d'un château? Relevez-les dans votre texte.

   b. Par contraste, dans la maison de Rousseau, tout sera consacré à l'utilité et non pas à l'apparat (cour, écuries pour les chevaux, jardins magnifiquement dessinés, parc). Relevez les principaux éléments dans chaque description et montrez comment Rousseau joue d'une certaine façon sur les mots. Exemple: c'est jouer sur les mots que d'opposer à la *cour* d'un château *la basse-cour* d'une maison de campagne.

   c. Quels sont les animaux de la basse-cour?

   d. Indiquez les arbres fruitiers que l'on pourrait trouver dans le «joli verger» de Rousseau.

III. La grammaire et le style

1. A quel mode se trouvent la plupart des verbes? Vous étudierez le mode et le temps de chaque verbe.
2. Essayez de montrer que ce passage est riche de couleurs.
3. Le style de Rousseau n'est-il pas rythmé et pour tout dire musical? Relisez le morceau à mi-voix et relevez les passages qui vous plaisent le plus.

IV. Conclusion

Vous avez dans ce passage un thème cher à Rousseau, celui de la vie simple, saine, dans le cadre de la campagne. Montrez comment une telle page vous semble d'une extrême richesse puisqu'elle est nourrie de souvenirs et de rêves. Cette maison de ses rêves est celle où il vit à l'*Ermitage* et celle où il a vécu aux *Charmettes*.

LEÇON 18

I. CONVERSATION: Au garage *(Bande 18)*

LE GARAGISTE: Bonjour, monsieur. Vous êtes servi? Est-ce qu'on s'occupe de vous?

PHILIP: Non. Je voudrais vous laisser ma voiture pour une vidange et un graissage complet.

LE GARAGISTE: Pour quelle heure la voulez-vous?

PHILIP: Quelle heure est-il?

LE GARAGISTE: Il est maintenant dix heures.

PHILIP: Pour onze heures et demie. Ça vous va?

LE GARAGISTE: Non, ça fait juste. Si vous étiez venu plus tôt, j'aurais pu vous servir tout de suite. Vous voyez, j'ai déjà une voiture sur le pont.

PHILIP: C'est bien ennuyant car j'avais dit à un de mes amis que nous irions déjeuner ensemble entre midi et midi et demi.

LE GARAGISTE: Eh bien! Disons . . . pour midi et quart au plus tard.

PHILIP: Parfait! Une autre chose: le matin, quand je démarre, je fais tourner le moteur quelques minutes . . . et chaque fois ma voiture cale.

LE GARAGISTE: Je vais voir cela. Ce sont certainement vos bougies ou le delco.

PHILIP: Ce serait une bonne idée si vous nettoyiez aussi le carburateur.

LE GARAGISTE: C'est tout?

PHILIP: Non. Vérifiez l'eau, la batterie, les pneus—surtout à l'arrière—et la roue de secours dans le coffre.

LE GARAGISTE: Oui, monsieur, avec plaisir.

PHILIP: Oh! Resserrez aussi les freins et mettez-moi de l'essence.

LE GARAGISTE: De l'ordinaire ou du super?

PHILIP: De l'ordinaire. Faites le plein.

LE GARAGISTE: Dites-moi . . . Vous avez roulé comme ça? Mais vous avez un pneu crevé à l'avant!

PHILIP: Sans blague! Eh bien, si j'avais eu cette crevaison sur la route, j'aurais bien été en peine de changer de pneu.

LE GARAGISTE: J'aurais toujours pu vous donner un coup de main ou vous remorquer.

PHILIP: Je n'aime pas être en panne. Quand je pense que je n'ai même pas de cric!

LE GARAGISTE: Ce n'est pas très prudent! Il faut que vous en achetiez un.

Questionnaire (*Bande 18*)

Répondez aux questions suivantes:

1. Pourquoi Philip a-t-il apporté sa voiture au garage?
2. Pour quelle heure veut-il sa voiture?
3. Pourquoi n'aura-t-il pas la voiture pour cette heure?
4. Quel rendez-vous Philip a-t-il entre midi et midi et demi?
5. Que se passe-t-il chaque matin quand Philip démarre?
6. Selon le garagiste, pourquoi la voiture cale-t-elle?

7. Qu'est-ce que Philip demande au garagiste?
8. Où est la roue de secours?
9. Quelle essence Philip préfère-t-il?
10. Comment est un des pneus à l'avant?
11. Qu'est-ce qui serait arrivé si Philip avait eu cette crevaison sur la route?
12. Qu'aurait pu faire le garagiste si Philip avait été en panne?
13. Pourquoi Philip n'aime-t-il pas être en panne?

Dialogue

Demandez à un(e) étudiant(e):

1. à quel âge on peut avoir un permis de conduire. [L'étudiant(e) répondra à toutes les questions posées.]
2. ce que c'est qu'un cric.
3. où on vend de l'essence.
4. quand on se sert d'une roue de secours.
5. combien de fois par an il (elle) fait graisser sa voiture.
6. quelle marque de voiture il (elle) a.
7. ce qu'il (elle) ferait s'il (si elle) avait un pneu crevé.
8. ce qu'il (elle) demande au garagiste de vérifier quand il (elle) s'arrête dans une station-service.
9. où le garagiste met une voiture pour une vidange.
10. ce qu'on dit au garagiste quand on veut de l'essence.

II. EXPRESSIONS A RETENIR

à l'arrière	*in (at) the rear*
à l'avant	*in (at) the front*
allumer (mettre) les phares	*to turn on the headlights*
au plus tard	*at the latest*
avoir un pneu crevé, avoir une crevaison	*to have a flat tire, a blowout*
donner un coup de main à quelqu'un	*to give someone a (helping) hand*
être en panne	*to have a breakdown, be stuck*
être en peine	*to be anxious about, be uneasy about*
faire le plein	*to fill up (the gas tank)*
faire tourner le moteur	*to start the engine, let the motor (engine) run*

on s'occupe de vous?	*is someone looking after you?*
sans blague!	*really! you don't say!*
une station-service	*a gasoline station, a filling station*
vérifier les pneus	*to check the tires*

III. GRAMMAIRE

81. Time of Day (L'heure du jour)

Quelle heure est-il?	*What time is it?*
Il est une heure.	*It's one o'clock.*
Il est deux heures.	*It's two o'clock.*
Il est midi (minuit).	*It's noon (midnight).*
Il est une heure et demie.	*It's half past one.*
Il est deux heures et demie.	*It's half past two.*
Il est midi (minuit) et demi.[1]	*It's half past twelve.*
Il est une heure et quart.	*It's a quarter after one.*
Il est deux heures et quart.	*It's a quarter after two.*
Il est midi (minuit) et quart.	*It's a quarter after twelve.*
Il est une heure moins le quart.	*It's a quarter to one.*
Il est deux heures moins le quart.	*It's a quarter to two.*
Il est midi (minuit) moins le quart.	*It's a quarter to twelve.*
Il est une heure dix.	*It's ten after one.*
Il est deux heures vingt.	*It's twenty after two.*
Il est une heure moins cinq.	*It's five minutes to one.*
Il est deux heures moins sept.	*It's seven minutes to two.*

Note:

(1) Except for **il est midi** and **il est minuit**, the word **heure(s)** is always expressed in French.
(2) **Et** occurs only before **demi(e)** and **quart**.
(3) The word **minutes** is not usually expressed.
(4) The equivalent of A.M. is **du matin** (*in the morning*); of P.M., **de l'après-midi** (*in the afternoon*) or **du soir** (*in the evening*):

huit heures du matin	*8 A.M.*
trois heures de l'après-midi	*3 P.M.*
neuf heures et demie du soir	*9:30 P.M.*

[1] **Demi** (*half*) is masculine here because it follows a masculine noun.

(5) In timetables and other official announcements, the French use the 24-hour clock:

4h 20	(quatre heures vingt)	4:20 A.M.
19h 25	(dix-neuf heures vingt-cinq)	7:25 P.M.
16h 50	(seize heures cinquante)	4:50 P.M.
22h 45	(vingt-deux heures quarante-cinq)	10:45 P.M.

82. Pluperfect (Le plus-que-parfait)

(a)

j'avais parlé	I had spoken
tu avais parlé	
il (elle) avait parlé	
nous avions parlé	
vous aviez parlé	
ils (elles) avaient parlé	

j'étais allé(e)	I had gone
tu étais allé(e)	
il (elle) était allé(e)	
nous étions allé(e)s	
vous étiez allé(e), allé(e)s	
ils (elles) étaient allé(e)s	

The pluperfect consists of the imperfect of **avoir** or **être** plus the past participle of the main verb.

(b) Le garagiste **avait** déjà **resserré** les freins quand je suis arrivé.
Je ne savais pas où il **avait garé** sa voiture.
Nicole **était** déjà **sortie** quand je lui ai téléphoné.
Elles **étaient parties** sans venir me voir.

The French pluperfect is equivalent to the English pluperfect. It is used to express what *had happened* (an action or state in the past which took place before another past action).

Note:

(1) Verbs requiring the auxiliary **être** in the compound past also require **être** in the pluperfect and other compound tenses.
(2) In idiomatic expressions indicating how long something had been going on, an English pluperfect is equivalent to a French imperfect (see Section 45, b):

Sa voiture **était** sur le pont depuis vingt minutes.
His car had been on the rack for twenty minutes.

83. Past Conditional (Le conditionnel passé)

j'aurais parlé	*I would have spoken*
tu aurais parlé	
il (elle) aurait parlé	
nous aurions parlé	
vous auriez parlé	
ils (elles) auraient parlé	

je serais allé(e)	*I would have gone*
tu serais allé(e)	
il (elle) serait allé(e)	
nous serions allé(e)s	
vous seriez allé(e), allé(e)s	
ils (elles) seraient allé(e)s	

The past conditional consists of the conditional of **avoir** or **être** plus the past participle of the main verb.

84. Uses of the Past Conditional (Les emplois du conditionnel passé)

(a) Il **aurait pu** vous donner un coup de main.
J'**aurais préféré** rester chez moi.
Elle a dit qu'elle **serait venue** avec nous.

The past conditional is generally used as in English.

(b) Qu'**aurais-**tu **fait** si tu **avais eu** cette crevaison sur la route?
Si vous **étiez venu** plus tôt, j'**aurais pu** vous servir.
S'il ne l'**avait** pas **vu**, il ne l'**aurait** pas **cru**.

The past conditional is used in the result clause of a conditional sentence; the **si** (*if*) clause is in the pluperfect.

Note: The past conditional is also used in a clause beginning with **si** meaning *whether:* Il ne sait plus s'**il aurait réussi.**

85. Repassez dans l'appendice le présent de l'indicatif, l'imparfait, le présent du subjonctif, le futur, le conditionnel et les temps composés du verbe **craindre.**

IV. EXERCICES

A. *Répétez les phrases suivantes en employant les pronoms indiqués* *(Bande 18)*:

1. Tu seras vite fatigué, à moins que tu ne dormes un peu. (je)
2. Il partira pour Paris d'aujourd'hui en huit. (elles)
3. Que craint-elle donc? (vous)
4. Elles ont bien dormi toute la nuit. (il)
5. Il vous aurait servi tout de suite. (on)
6. Il craignait de les voir. (nous)
7. Sortait-il tous les matins à la même heure? (tu)
8. Elle avait craint pour sa vie. (je)
9. S'il avait fait mauvais, elles ne seraient pas sorties. (elle)
10. Elle est partie sans dire un mot. (ils)

B. *Répétez les phrases suivantes en substituant les équivalents français des expressions indiquées:*

1. Il est maintenant dix heures.
   (9:30, midnight, 2:15, 11 A.M.)
2. Je voudrais la voiture pour onze heures et demie.
   (3 P.M., 10:45, 11:15, noon)
3. Philip prendra le train de cinq heures vingt.
   (4:55, 6, 8:25 P.M., 7:10)
4. Ils sont arrivés chez moi à sept heures.
   (8:30, 1:50, 6:40, 5:15)
5. Il y a un rapide qui part à quatre heures.
   (1:30, 4:52, 6:35, 7:22)
6. Il a quitté son bureau à six heures moins le quart.
   (3:15, 6:25, 4:30, 5:35)
7. Nous pourrons aller prendre nos inscriptions à une heure.
   (8:35, 12:15, 1:45, 2:30)
8. Je prends le petit déjeuner à neuf heures.
   (8:15, 9:30, 7:45, 6:50)

C. *Répondez aux questions suivantes selon le modèle en employant les équivalents français des mots indiqués (Bande 18):*

MODÈLE: A quelle heure part le train? (9 o'clock)
          Le train part à neuf heures.

1. A quelle heure arrivez-vous à l'école? (8:40)

2. A quelle heure vous levez-vous le matin? (7:15)
3. A quelle heure commencez-vous à étudier le soir? (8:30 P.M.)
4. A quelle heure précise termine votre classe de français? (9:55)
5. A quelle heure vous couchez-vous d'ordinaire? (11:45 P.M.)
6. A quelle heure prenez-vous votre déjeuner? (noon)
7. A quelle heure dînez-vous? (6:30)
8. A quelle heure sortez-vous le samedi soir? (8 o'clock)
9. Quelle heure est-il maintenant? (2:25 P.M.)
10. Jusqu'à quelle heure votre père travaille-t-il? (5:45)
11. A quelle heure quittez-vous la maison le matin? (7:50)
12. A quelle heure rentrez-vous le soir? (6 o'clock)

D. *Répétez les phrases suivantes en remplaçant le passé composé par le plus-que-parfait* (Bande 18):

MODÈLE: Je lui *ai donné* un coup de main.
           Je lui *avais donné* un coup de main.

1. Il a acheté un magnifique téléviseur.
2. Ils y sont allés plusieurs fois.
3. Je lui ai laissé ma voiture pour une vidange.
4. Elle a retenu une place pour l'express de midi.
5. Nous y sommes arrivés de bonne heure.
6. Le garagiste a nettoyé aussi le carburateur.
7. Nous l'avons vu de nos propres yeux.
8. Elles n'y ont fait que deux séjours.
9. Où a-t-elle eu cette crevaison?
10. Je lui ai déjà expliqué les règles du jeu.
11. Elles sont parties très tôt le matin.
12. Nicole a été en peine de changer de pneu.
13. Quand a-t-il pris cette photo?
14. Par où sont-elles entrées?

E. *Mettez devant chaque phrase «Je suis sûr» et remplacez le passé composé par le conditionnel passé* (Bande 18):

MODÈLE: Elle vous a téléphoné avant de partir.
           Je suis sûr qu'elle vous aurait téléphoné avant de partir.

1. Il a pu vous remorquer.
2. Elle a refusé de le faire.
3. Brigitte est venue nous rejoindre.
4. Antoine n'est pas rentré très tard.
5. Elles ont accepté votre invitation.

6. Le garagiste a vérifié la roue de secours.
7. Nicole a été contente de vous revoir.
8. Il y est arrivé à la même heure.
9. Elles ont passé toute la journée à cet endroit.
10. Madeleine n'a pas su changer de pneu.
11. Ils ont pris le même train que vous.
12. Il nous a offert un cognac.

F. *Répétez les phrases suivantes en remplaçant l'imparfait et le conditionnel par le plus-que-parfait et le conditionnel passé* (Bande 18):

MODÈLE: Si je *savais* son adresse, je lui *écrirais*.
          Si j'*avais su* son adresse, je lui *aurais écrit*.

1. Si elle avait un appareil, elle prendrait votre photo.
2. Si vous veniez plus tôt, je pourrais vous servir tout de suite.
3. Si tu étais en panne, le garagiste te remorquerait.
4. Si vous lui donniez un coup de main, il finirait vite son travail.
5. Si elle connaissait ce monsieur, elle me dirait son nom.
6. Si nous allions à Paris, nous verrions la tour Eiffel.
7. S'ils étudiaient, ils réussiraient à leurs examens.
8. Si elles arrivaient à l'heure, je serais content.
9. S'il neigeait, nous ferions du ski.
10. Si nous prenions un taxi, elle viendrait avec nous.
11. Si j'étais à votre place, je laisserais la voiture ici.
12. Si Michel me disait cela, je le croirais.

G. *Transformez les phrases suivantes selon le modèle* (Bande 18):

MODÈLE: Il avait plu. J'avais mis mon imperméable.
          S'il avait plu, j'aurais mis mon imperméable.

1. Elle avait bien dormi. Elle avait été de bonne humeur.
2. Vous aviez fait le plein. Vous n'aviez pas eu besoin d'essence.
3. Ils avaient été prêts. Nous étions partis immédiatement.
4. Tu étais venu me chercher. Nous étions allés faire des courses.
5. Il avait voulu parler à Marie. Il avait pu lui téléphoner.
6. J'étais allé en ville. J'avais acheté des chaussures.
7. Tu étais resté jusqu'à la fin. Tu avais vu le grand spectacle.
8. Nous avions pris un petit cognac. Ça nous avait réchauffés.
9. Vous m'aviez donné votre pardessus. Je l'avais déposé au vestiaire.
10. Elle n'avait pas pu y aller. Elle le lui avait dit.
11. Il n'avait pas fait trop froid. Nous étions sortis un peu.
12. Nous étions partis plus tôt. Nous étions arrivés à l'heure.

H. *Employez dans des phrases complètes dix des expressions à retenir qui se trouvent à la section II.*

V. COMPOSITION

A. *Dites, puis écrivez en français:*

1. Nicole had promised to meet us here at five after ten.
2. She said she would take the 8:15 train which would arrive here at 9:45.
3. I wonder whether she could have missed her train.
4. Even if she had left at 8:25, she would have been here at 9:55 at the latest.
5. Had I known she was going to be late, I would have left my car at a gasoline station for an oil change and a complete lubrication.
6. In case she would not have been able to come, I'm sure she would have phoned us.
7. Had I been you, I would have asked her to come here last night.
8. She told me that you had gone to visit the Château de Chambord.
9. If you had told me you were going there, I would have accompanied you.
10. I would have liked to take a picture of the castle. What time did you leave?
11. At 10:30 but I would have left earlier if my car had not stalled.
12. Did you let the motor run a few minutes? If you had done that, perhaps your car would not have stalled.
13. What would you have done if you had gotten stuck?
14. Would you have known how to change a tire if you had had a flat?
15. I'm sure someone would have given me a hand or would have towed me away.

B. *Vous allez faire un long voyage. Aussi, avant de partir, conduisez-vous votre voiture dans une station-service pour une vidange et un graissage complet. Il y a déjà une voiture sur le pont. Il faut que vous attendiez. Écrivez, sous forme de dialogue, la conversation que vous avez avec un des mécaniciens. Vous lui demanderez par exemple:*

(1) l'heure à laquelle il peut s'occuper de votre voiture;

(2) de vérifier différentes choses (freins, pneus, batterie, bougies, carburateur, essuie-glaces, glaces . . .);

(3) de mettre de l'essence (ordinaire ou super);

(4) de donner un coup d'œil à la roue de secours. En conclusion, vous demanderez au garagiste s'il a les cartes routières de la région où vous voulez aller.

VI. DICTÉE

A tirer de la dix-huitième conversation.

VII. LECTURE

MARCEL PROUST: A LA CAMPAGNE, ON CONNAÎT TOUT LE MONDE (*Bande 18*)

Marcel Proust (1871–1922) a donné aux divers volumes de son œuvre le titre général de: A la Recherche du temps perdu. *Jamais titre ne fut mieux choisi car, dans ce roman en seize volumes* (Du côté de chez Swann, 1913; A l'ombre des jeunes filles en fleur, 1918; Le côté de Guermantes, 1920; Le Temps retrouvé—*posthume*—1927, *etc.*), *l'auteur s'est appliqué à noter ses souvenirs d'enfance et de jeunesse. Combray est le nom que le romancier donne à la petite ville où, enfant, il venait en vacances.*

Ce passage nous montre tout l'émoi causé dans un milieu provincial par la rencontre d'un homme et même d'un chien «qu'on ne connaissait point».

A Combray, une personne «qu'on ne connaissait point» était un être aussi peu croyable qu'un dieu de la mythologie. . . . Quand, le

2 être m.: individu; homme   2 croyable: du verbe croire

From *Du côté de chez Swann*, by Marcel Proust. Editions Gallimard, Paris.

Marcel Proust
French Embassy Press & Information Division

soir, je montais, en rentrant, raconter notre promenade à ma tante, si
j'avais l'imprudence de lui dire que nous avions rencontré, près du
Pont-Vieux, un homme que mon grand-père ne connaissait pas: «Un
homme que grand-père ne connaissait point, s'écriait-elle. Ah! je te
crois bien?» Néanmoins, un peu émue de cette nouvelle, elle voulait
en avoir le cœur net, mon grand-père était mandé. «Qui donc est-ce
que vous avez rencontré près du Pont-Vieux, mon oncle? un homme
que vous ne connaissiez point? — Mais si, répondait mon grand-père,
c'était Prosper, le frère du jardinier de Mme Mouillebœuf. — Ah! bien,
disait ma tante, tranquilisée et un peu rouge; haussant les épaules avec
un sourire ironique, elle ajoutait: «Aussi il me disait que vous aviez
rencontré un homme que vous ne connaissiez point!» Et on me
recommandait toujours d'être plus circonspect une autre fois et de ne
plus agiter ainsi ma tante par des paroles irréfléchies.

On connaissait tellement bien tout le monde, à Combray, bêtes et
gens, que si ma tante avait vu par hasard passer un chien «qu'elle ne
connaissait point», elle ne cessait d'y penser et de consacrer à ce fait
incompréhensible ses talents d'induction et ses heures de liberté.

—Ce sera le chien de Mme Sazerat? disait Françoise, sa bonne, sans
grande conviction, mais dans un but d'apaisement et pour que ma
tante ne se «fende pas la tête».

—Comme si je ne connaissais pas le chien de Mme Sazerat! répondait ma tante, dont l'esprit critique n'admettait pas si facilement
un fait.

—Ah! ce sera le nouveau chien que M. Galopin a rapporté de
Lisieux?

—Ah! à moins de ça.

—Il paraît que c'est une bête bien affable, ajoutait Françoise, qui
tenait le renseignement de Théodore, le garçon épicier, spirituelle
comme une personne, toujours de bonne humeur, toujours aimable,
toujours quelque chose de gracieux. C'est rare qu'une bête qui n'a
que cet âge-là soit déjà si galante. Madame Octave, il va falloir que je

---

6 s'écrier: prononcer en criant; crier
7 néanmoins: cependant; pourtant
7 ému: troublé; émotionné
8 net: propre; clair; sans ambiguïté
8 mander: faire venir; appeler; convoquer
12 hausser les épaules: *to shrug one's
shoulders*

13 ajouter: *to add*
16 irréfléchi: qui n'est pas réfléchi
19 cesser: finir; arrêter
22 but m.: intention f.
23 fendre: *to split*
26 fait m.: action; événement

vous quitte, je n'ai pas le temps de m'amuser, voilà bientôt dix heures,   35
mon fourneau n'est seulement pas éclairé, et j'ai encore à plumer
mes asperges.

—Comment Françoise, encore des asperges! mais c'est une vraie
maladie d'asperges que vous avez cette année, vous allez en fatiguer
nos Parisiens!   40

—Mais non, madame Octave, ils aiment bien ça. Ils rentreront de
l'église avec de l'appétit et vous verrez qu'ils ne les mangeront pas avec
le dos de la cuiller.

—Mais à l'église, ils doivent y être déjà; vous ferez bien de ne pas
perdre de temps. Allez surveiller votre déjeuner!   45

36 fourneau m.: *oven*   43 dos m.: *back*
36 éclairer: allumer   43 cuiller ou cuillère f.: *spoon*
36 plumer les asperges: *to peel the aspara-*
  gus

EXPLICATION DE TEXTE

Étude du passage

I. L'ensemble

1. De quoi s'agit-il dans ce passage? Deux petites scènes ayant un
    sujet analogue? Énumérez-les.
2. Où se passent ces deux scènes?
3. Qu'est-ce que quelqu'un qu'«on ne connaît point» peut présenter
    de troublant?
4. Qu'est-ce qui fait l'intérêt de ce récit?

    a. l'étude d'un milieu provincial;
    b. la vérité et la vie des personnages;
    c. le naturel des dialogues.

    Vous développerez les points énumérés ci-dessus à l'aide d'exem-
    ples précis relevés dans le texte.

II. L'analyse du passage

Vous pouvez diviser le passage en deux parties bien distinctes:

A. L'émotion causée chez Madame Octave par l'annonce de la rencontre
    d'un homme «qu'on ne connaissait point».

1. Pourquoi le petit garçon a-t-il dit à sa tante qu'ils avaient rencontré un homme que son grand-père ne connaissait pas?

    a. irréflexion?
    b. désir de jouer un rôle?
    c. imprudence?

2. Relevez les expressions qui marquent l'émotion de la tante:

    a. incrédulité,
    b. indignation aussi,
    c. désir d'être tranquilisée,
    d. sourire ironique à l'égard de l'enfant,
    e. recommandations faites à l'enfant.

3. Cette attitude de la tante vis-à-vis de l'enfant vous paraît-elle naturelle?

B. L'effet produit par le passage d'un chien «qu'on ne connaissait point»:

    1. un nouveau personnage entre en scène. Lequel?
    2. Quels sont les personnages entre qui s'engage le dialogue?
    3. Analysez le caractère de Madame Octave. Relevez les expressions qui soulignent son esprit critique, sa défiance, sa sagacité et l'oisiveté.
    4. Quels traits de caractère ce dialogue révèle-t-il chez Françoise?

       a. bonté (fournissez des exemples),
       b. souci de l'exactitude,
       c. loquacité.

    5. Le langage de Madame Octave. Vous l'opposerez à celui de Françoise.

       Dit-on vraiment «éclairer un fourneau» et «plumer des asperges»? Quels sont les termes exacts?
       Qu'est-ce que ces mots impropres ont de pittoresque et d'amusant?

III. Conclusion

Quels vous paraissent être les caractères essentiels du style dans ce morceau? Naturel, vivacité des dialogues, exactitude, précision?

lEÇON 19

I. CONVERSATION: Au supermarché *(Bande 19)*

(Au rayon Boucherie-Charcuterie)

LA SERVEUSE:	A qui le tour, s'il vous plaît? . . . A vous, monsieur?
PHILIP:	Oui, je voudrais du jambon.
LA SERVEUSE:	Combien en voulez-vous?
PHILIP:	Six tranches, pas trop épaisses.
LA SERVEUSE:	Voilà, vous en avez pour trois francs . . . et avec cela?
PHILIP:	Un gigot de mouton et quatre côtelettes de porc pas trop grasses.
LA SERVEUSE:	J'ai du mouton de première qualité. Voici un beau gigot de cinq livres. Ça ira?

PHILIP:	Oui, donnez-le-moi. Je le prends.
LA SERVEUSE:	Je vous le mets avec les côtelettes, n'est ce pas?
PHILIP:	Oui, merci. Où est le rayon Épicerie?
LA SERVEUSE:	Au fond du magasin . . . vous voyez. Près des primeurs et des fruits.
	(*Au rayon Épicerie*)
PHILIP:	Bon! Commençons par ici. Prenons un kilo de sucre, des sachets de thé, un pot de confiture de fraises . . .
PIERRE:	Tenez, Philip . . . vous cherchiez des boîtes de conserves, elles sont là.
PHILIP:	Parfait. Je vais prendre une boîte de sardines, une boîte d'ananas et . . . Ah! j'allais oublier! . . . deux tablettes de chocolat au lait.
PIERRE:	Vous cherchez quelque chose d'autre?
PHILIP:	Oui, je voudrais du beurre.
PIERRE:	Ce n'est pas ici. Il faut que vous alliez au rayon Crémerie-Fromagerie.
	(*Au rayon Crémerie-Fromagerie*)
PHILIP:	Je voudrais une demi-livre de beurre, un litre de lait, un fromage et deux yaourts.
LA SERVEUSE:	Servez-vous. C'est juste en face de vous.
PHILIP:	Très bien. Est-ce que vous avez des produits congelés?
LA SERVEUSE:	Oui, nous avons des truites, des filets de sole, des crevettes et des fruits de toutes sortes. Regardez-les vous-même.
PHILIP:	C'est incroyable. On trouve de tout. C'est comme en Amérique!
LA SERVEUSE:	Je ne sais pas, je n'y suis jamais allée . . . mais enfin si vous le dites! Vous désirez autre chose, monsieur?
PHILIP:	Oui, quatre bouteilles de bière et une bouteille de vin ordinaire.
LA SERVEUSE:	C'est un peu plus loin, près des légumes, au rayon Vins et Spiritueux.
PHILIP:	Merci . . . et où est-ce que je paie?
LA SERVEUSE:	A la sortie . . . à la caisse.

Documentation Française Photothèque

Questionnaire *(Bande 19)*

Répondez aux questions suivantes:

1. Où va Philip dès son arrivée au supermarché?
2. Combien de tranches de jambon Philip veut-il?
3. Désire-t-il autre chose?
4. Comment aime-t-il les côtelettes de porc?
5. Combien pèse le gigot de mouton?
6. Où est le rayon Épicerie?
7. Quels sont les premiers articles que Philip prend?
8. Quelles boîtes de conserves cherche-t-il?
9. Quelle sorte de chocolat désire-t-il?
10. Où Philip doit-il aller pour le beurre?
11. Que prend-il à ce rayon?
12. Quels produits congelés peut-on trouver au supermarché?
13. Où se trouve le rayon Vins et Spiritueux?
14. Qu'est-ce que Philip prend au rayon Vins et Spiritueux?
15. Où paie-t-il?

Dialogue

Demandez à un(e) étudiant(e):

1. quels sont les différents rayons dans un supermarché. [L'étudiant(e) répondra à toutes les questions posées.]
2. ce qu'on peut acheter au rayon Boucherie-Charcuterie.
3. ce qu'on peut trouver au rayon Épicerie.
4. quelle confiture il (elle) préfère.
5. quels produits on peut trouver au rayon Crémerie-Fromagerie.
6. quelle sorte de fromage il (elle) aime le mieux.
7. quels sont les produits congelés qu'il (elle) aime le plus.
8. quelles sortes de boissons on peut acheter dans un supermarché.
9. quels sont les différents légumes vendus dans un supermarché.

II. EXPRESSIONS A RETENIR

à la sortie	*at the exit*
autre chose	*something else*
de toutes sortes	*all kinds of*
de première qualité	*of the best quality, of top (prime) quality*
et avec cela?	*and what else?*
le chariot	*the cart*
on trouve de tout	*one finds everything*
quelque chose d'autre?	*something else?, anything else?*
servez-vous!	*help yourself!, serve yourself!*

III. GRAMMAIRE

86. Position of Personal Pronouns; Direct and Indirect Objects (L'ordre des pronoms personnels; compléments directs et indirects)

(a) Elle **me le** donne.
    Je **te la** montrerai.
    Ils **nous les** ont apportés.
    Il **vous les** vendra.

    Je **le lui** ai écrit.
    Elle **la leur** expliquera.
    Nous **les leur** avons envoyés.

Elles **les** y ont vus.
Elle **l'**y met.
Il **m'en** donne.
Ils **vous en** montreront.

Personal pronoun objects, as well as **y** and **en**, precede the conjugated verb in the following order:

me						
te		le		lui		
se	before	la	before	leur	before y	before **en** before verb
nous		les				
vous						

Note: Personal pronoun objects, as well as **y** and **en**, precede an infinitive in the same order as above:

Il vient de **me le** donner.
Elle va **les leur** envoyer.
J'ai dit à Nicole de **m'en** apporter.
Elle a voulu **m'y** emmener.

(b) Donne-**le-moi.**
Prêtez-**les-nous.**
Rendez-**la-lui.**
Envoyons-**les-leur.**
Attendez-**nous-y.**
Mets-**les-y.**
Apportez-**m'en.**
Montrons-**leur-en.**

Personal pronoun objects, **y**, and **en** follow the verb in the affirmative imperative in the following order:

Verb—Direct Object—Indirect Object—y—en.

Note:

(1) **Moi** and **toi**, when followed by **y** or **en**, become **m'** and **t'**, respectively.
(2) In the negative imperative, the pronouns stand before the conjugated verb and have the same order as in (a) above:

Ne **me le** donne pas.
Ne **nous les** prêtez pas.
Ne **la lui** rendez pas.
Ne **les leur** envoyons pas.
Ne **les y** mets pas.
Ne **m'en** apportez pas.

87. Verbes Ending in -cer and -ger (Les verbes en -cer et -ger)

(a) Verbs ending in -cer (**commencer** *to begin*) change **c** to **ç** before **a** or **o** in order to retain the [s] sound in all their forms:

commençant
nous **commençons**
je **commençais**
il **commençait**
elles **commençaient**
But
elle **commence**
vous **commenciez**

(b) Verbs ending in -ger (**manger** *to eat*) change **g** to **ge** before **a** or **o** in order to retain the soft [ʒ] sound in all their forms:

mangeant
nous **mangeons**
je **mangeais**
il **mangeait**
elles **mangeaient**
But
elle **mange**
vous **mangiez**

88. Repassez dans l'appendice le présent de l'indicatif, l'imparfait, le présent du subjonctif, le futur, le conditionnel et les temps composés du verbe **ouvrir**.

IV. EXERCICES

A. *Répétez les phrases suivantes en employant les pronoms indiqués (Bande 19):*

1. Dès que j'irai en ville, j'ouvrirai un compte à la banque. (elle)
2. Quand as-tu découvert le vol? (vous)
3. Il est juste que vous couvriez les frais du voyage. (nous)
4. Est-ce qu'il souffre beaucoup? (tu)
5. S'il faisait froid, je n'ouvrirais pas les fenêtres. (il)
6. Aussitôt qu'elle découvrira l'erreur, elle la corrigera. (elles)
7. Il a beaucoup souffert de cette maladie. (je)
8. J'offrais souvent de la reconduire chez elle. (ils)

B. *Répétez les phrases suivantes en remplaçant le présent de l'indicatif par l'imparfait* (Bande 19):

MODÈLE: Il neige beaucoup en hiver.
          Il neigeait beaucoup en hiver.

1. La météo annonce de la neige.
2. Elles mangent de bon appétit.
3. Il commence déjà à devenir chauve.
4. Songe-t-elle à se marier?
5. Brigitte me force à danser.
6. Jean-Pierre nage comme un poisson.
7. Je prononce tous les mots à haute voix.
8. De temps en temps, ils négligent leurs devoirs.
9. Est-ce que cela vous dérange?
10. Ils renoncent entièrement à ce projet.
11. Vous voyagez beaucoup en été, n'est-ce pas?
12. Nous changeons d'appartement.
13. Le professeur corrige soigneusement nos compositions.
14. Il s'efforce de suivre votre idée.

C. *Répétez les phrases suivantes en remplaçant les noms par des pronoms personnels, par «y» ou par «en»* (Bande 19):

MODÈLES: Il rendra *la fiche à l'hôtelier.*
           Il *la lui* rendra.

           Elle a payé *ses achats à la caisse.*
           Elles *les y* a payés.

1. Il a montré *la terrasse à Philip.*
2. Elle a offert *des gâteaux à Nicole.*
3. Nous donnons *les billets à l'employé.*
4. Je voudrais te laisser *la voiture.*
5. On va vous monter *les bagages* tout de suite.
6. Le facteur n'apporte pas *de courrier à Marie.*
7. Nous remettons *les compositions au professeur.*
8. N'as-tu pas envoyé *de cartes de Noël à tes amis?*
9. La serveuse m'a vendu *des côtelettes de porc.*
10. J'ai vu *les joueurs sur le terrain.*
11. Elle a demandé *le numéro à la téléphoniste.*
12. Ils t'expliqueront *les règles* à la mi-temps.
13. La femme de chambre mettra *les serviettes dans la salle be bains.*

D. *Répondez aux questions suivantes en remplaçant les noms par des pronoms personnels, par «y» ou par «en»* (Bande 19):

MODÈLE: Avez-vous demandé *des renseignements à l'agent?*
Oui, je *lui en* ai demandé.

1. As-tu donné *du chocolat à l'enfant?*
2. A-t-il prêté *son cric à Robert?*
3. Avez-vous laissé *votre voiture au garage?*
4. A-t-elle écrit *la lettre à la secrétaire?*
5. As-tu envoyé *le télégramme à tes parents?*
6. A-t-il emmené *sa femme au théâtre?*
7. A-t-elle loué *des chambres aux étudiants?*
8. As-tu montré *les photos à tes amis?*
9. Avez-vous offert *de la bière à Jean?*
10. As-tu présenté *Michèle à Pierre?*
11. A-t-elle mis *des fleurs dans le vase?*

E. *Répondez aux questions suivantes par des impératifs en remplaçant les noms par des pronoms personnels, par «y» ou par «en»* (Bande 19):

MODÈLE: Je vous laisse la voiture?
Oui, laissez-la-moi.
Non, ne me la laissez pas.

1. Je vous vérifie la batterie?
2. Je lui raconte mes aventures?
3. Je vous fais l'addition?
4. Je te resserre les freins?
5. Je vous coupe les cheveux?
6. Je lui rends la fiche?
7. Je leur transmets le message?
8. Je les attends près de la sortie?
9. Je leur annonce la nouvelle?
10. Je vous achète du jambon?
11. Je leur sers des fraises?
12. J'envoie du parfum à Antoinette?
13. Je montre le menu à Jeannette?
14. Je cherche les conserves au rayon Épicerie?
15. Je demande des crevettes à la serveuse?
16. Je parle de mes projets aux invités?

F. *Employez dans des phrases complètes les expressions à retenir qui se trouvent à la section II.*

V. COMPOSITION

A. *Dites, puis écrivez en français:*

1. If we don't begin right away, we'll never get finished.
2. Let's start here. While I'm getting the meat, look for the pre- serves I wanted.
3. Don't look for them here, look for them there at the grocery department.
4. I already went to that department but I couldn't find any there.
5. Why didn't you call the clerk? I'm sure that if you had asked her for them she would have given them to you.
6. As soon as you find them, bring them to me.
7. Do you think I'll have enough money to buy everything we need?
8. I have some money. If you don't have enough, I'll lend you some.
9. Ask me for it, I'll be very happy to give it to you.
10. I met Nicole at the frozen food department. Didn't you see her there? She was buying some shrimps for Mrs. Sauvin.
11. No, but had I known Mrs. Sauvin wanted them, I would have bought her some.
12. Did she speak to you about her trip? — She spoke to me about it.
13. Did she tell you what happened while she was traveling in Spain? — She told it to me.

B. *C'est vendredi soir. Vous allez avoir des invités, aussi accompagnez- vous votre mère jusqu'au supermarché afin de l'aider dans tous ses achats. Votre liste en main, vous prenez un petit chariot et vous vous dirigez vers les différents rayons. Écrivez une composition dans laquelle vous raconterez ce que vous avez acheté:*

(1) au rayon Boucherie-Charcuterie (saucisses, porc, mouton, bœuf);
(2) au rayon Épicerie (conserves, boissons, pain);
(3) au rayon Crémerie-Fromagerie (produits laitiers, œufs);
(4) au rayon Primeurs et Fruits (légumes, fruits de saison . . .). A la sortie, vous payez et vous allez acheter une bouteille d'apéritif et quelques bouteilles de vin.

VI. DICTÉE

A tirer de la dix-neuvième conversation.

VII. LECTURE

BERNARD B. DADIÉ: Je vous remercie mon Dieu (*Bande 19*)

La poésie négro-africaine d'expression française a depuis longtemps ses lettres de noblesse grâce à des poètes tels que Léopold Sédar Senghor (Sénégal), Aimé Césaire (la Martinique), Birago Diop (Sénégal), Léon Damas (d'origine guyanaise) et Bernard Dadié (Côte d'Ivoire).

Si pour les uns la négritude est un mouvement politique, pour les autres l'expression d'un racisme longtemps contenu, ce concept dans l'esprit des créateurs doit être entendu dans le sens «d'ensemble des valeurs culturelles du Monde Noir». Senghor (voir Leçon 16) a précisé ce qu'il entendait par négritude:

> «J'ai souvent écrit que l'émotion était nègre. On m'en a fait le reproche, à tort. Je ne vois pas comment rendre compte autrement de notre spécificité, de cette négritude qui est ‹l'ensemble des valeurs culturelles du Monde Noir›, les Amériques y comprises, et que Sartre définit ‹une certaine attitude affective à l'égard du monde›.»

specific features

La négritude s'est réalisée, à travers la littérature, surtout par la poésie.

L'Ivoirien Bernard Dadié (né en 1916) a écrit des poèmes (Le Pagne noir, 1955; La ronde des jours), des textes de théâtre, des légendes (Légendes africaines, 1954) et des romans (Climbié, 1956—roman autobiographique; Un nègre à Paris, 1959).

Dans notre poème, extrait de La ronde des jours, le poète chante avec force la libération de l'homme noir. Il adresse à Dieu une prière de remerciement dans laquelle alternent la douleur et la joie.

> Je vous remercie mon Dieu de m'avoir créé noir,
> d'avoir fait de moi
> la somme de toutes les douleurs,
> mis sur ma tête
> Le Monde   5

From *La ronde des jours*, by Bernard B. Dadié. By permission of Editions Seghers, Paris.

J'ai la livrée du Centaure
Et je porte le Monde depuis le premier matin.
Le blanc est une couleur de circonstance,
Le Noir, la couleur de tous les jours
10   Et je porte le Monde depuis le premier soir.

Je suis content
de la forme de ma tête
faite pour porter le Monde,
satisfait de la forme de mon nez
15   Qui doit humer tout le vent du Monde,
heureux
de la forme de mes jambes
prêtes à courir toutes les étapes du Monde.

Je vous remercie mon Dieu de m'avoir créé noir,
20   d'avoir fait de moi
la somme de toutes les douleurs.
Trente-six épées ont transpercé mon cœur.
Trente-six brasiers ont brûlé mon corps.
Et mon sang sur tous les calvaires a rougi la neige,
25   Et mon sang à tous les levants a rougi la nature.

Je suis quand même
Content de porter le Monde,
Content de mes bras courts,
de mes bras longs,
30   de l'épaisseur de mes lèvres.

Je vous remercie mon Dieu de m'avoir crée noir,
Le blanc est une couleur de circonstance,
Le Noir, la couleur de tous les jours
Et je porte le Monde depuis l'aube des temps.
35   Et mon rire dans la nuit sur le Monde crée le jour.
Je vous remercie mon Dieu de m'avoir créé noir.

---

6 livrée f.: uniforme
6 le Centaure: être fabuleux, moitié cheval
15 humer: respirer profondément pour percevoir une odeur
15 vent m.: *wind*
18 prêt: *ready*
22 épée f.: *sword*
23 brasier m.: *brazier*

23 brûler: *to burn*
24 sang m.: *blood*
24 calvaire m.: ici, champ de bataille
25 levant m.: point du monde où le soleil paraît se lever
25 rougir: *to redden*
26 quand même: malgré tout
30 épaisseur f.: *thickness*
30 lèvre f.: *lip*

QUESTIONNAIRE

1. Quels sont les principaux poètes négro-africains d'expression française?
2. Qu'est-ce que la négritude?
3. Comment ce concept est-il entendu dans l'esprit des créateurs?
4. Comment Jean-Paul Sartre définit-il la négritude?
5. Comment la négritude s'est-elle réalisée à travers la littérature?
6. Qui est Bernard Dadié?
7. Qu'a-t-il écrit?
8. Dans quel recueil de poèmes figure *Je vous remercie mon Dieu?*
9. Combien de strophes y a-t-il dans ce poème?
10. Combien y a-t-il de vers dans chaque strophe?
11. Quelles strophes ont les vers les plus longs? les plus courts? Pourquoi?
12. Pourquoi le poète remercie-t-il Dieu de l'avoir créé noir?
13. Pourquoi dit-il «mon Dieu» plutôt que «Je vous remercie, Dieu»?
14. Quel est le symbolisme des couleurs blanc et noir?
15. Pourquoi est-il content de la forme de sa tête, de son nez et de ses jambes?
16. A quoi l'auteur fait-il allusion dans les quatre derniers vers de la troisième strophe?
17. Étudiez la construction des propositions de ces quatre derniers vers de la troisième strophe ainsi que la répétition de sonorités qui expriment la douleur.
18. Combien de fois est employée l'expression «porter le Monde»?
19. Qu'est-ce qui donne une telle ampleur à cette expression?
20. Observez dans la succession des strophes l'alternance de la douleur et de la joie. Reprenez chaque strophe et relevez des exemples dans chacune d'elles.
21. Le poème se termine-t-il par une note, une image douloureuse ou joyeuse?
22. Essayez de justifier le titre même du poème.

Leçon 20

I. CONVERSATION: Projets de pique-nique *(Bande 20)*

PIERRE: Alors, c'est décidé . . . on se lève très tôt demain matin et on va pique-niquer au bord de la Marne. Je connais un petit coin sensationnel!

PHILIP: D'accord. Moi, je suis toujours prêt. Qu'est-ce que vous voulez que j'apporte?

PIERRE: Rien. Occupez-vous du bar! Achetez-nous le vin, par exemple.

PHILIP: Qu'est-ce que vous préférez? . . . du rouge, du blanc ou du rosé?

PIERRE: Moi, vous savez, je crois que le rosé irait bien . . . il est léger et Nicole l'aime beaucoup.

PHILIP: Qui vous l'a dit?

PIERRE: Elle. Je lui ai téléphoné hier soir. Elle va apporter des œufs durs, du saucisson, du pâté et des petits cornichons . . .

PHILIP: Ah! Elle seule pouvait penser à cela! C'est moi qui vous le dis!

PIERRE: Bien sûr, parce qu'elle a pensé à vous, Philip!

PHILIP: Ne parlons pas de moi, voulez-vous! Au fait . . . comment s'appelle l'amie de Nicole qui doit venir avec nous?

PIERRE: Antoinette, mais nous l'appelons Toti. Elle est ravissante, vous verrez. Elle viendra avec Claude, un de ses amis étudiant en médecine.

PHILIP: Combien serons-nous en tout?

PIERRE: Eh bien, voyons . . . Vous, lui . . . moi et elles deux. Ça fera cinq.

PHILIP: Est-ce que nous pourrons nous baigner l'après-midi dans la Marne?

PIERRE: J'espère que oui, sinon on pourra toujours faire du pédalo, à moins que vous ne préfériez la pêche.

PHILIP: Vous . . . vous êtes pêcheur?

PIERRE: J'adore la pêche. Quand je n'ai rien à faire l'été, je m'assieds au bord de l'eau, je jette ma ligne et j'attends tranquillement que le poisson morde.

PHILIP: Non, eh bien, vous voyez . . . moi, je préfère la chasse, la vie active en plein air.

PIERRE: Ce n'est pas encore l'ouverture, mais je vous y emmènerai. Bon! Je crois que tout est réglé pour demain. Je prendrai les flûtes de pain juste avant de partir.

PHILIP: A quelle heure on se retrouve?

PIERRE: Disons sept heures et demie, chez moi. D'accord? C'est vous qui conduirez si ça ne vous fait rien.

PHILIP: Au contraire, avec plaisir. A demain, Pierre!

Questionnaire (*Bande 20*)

Répondez aux questions suivantes:

1. Où Pierre et Philip vont-ils aller pique-niquer?
2. De quoi Philip va-t-il s'occuper?
3. Quelle sorte de vin va-t-il acheter? Pourquoi?
4. Quand Pierre a-t-il téléphoné à Nicole?

5. Que lui a-t-elle dit au téléphone?
6. Comment s'appelle l'amie de Nicole qui doit aller avec eux?
7. Avec qui Toti viendra-t-elle?
8. Combien seront-ils en tout?
9. Que pourront-ils faire s'ils ne peuvent pas se baigner?
10. Que fait Pierre, l'été, quand il n'a rien à faire?
11. Est-ce que Philip aime aller à la pêche?
12. Que fera Pierre juste avant de partir?
13. À quelle heure vont-ils se retrouver?
14. Où Philip va-t-il retrouver Pierre?
15. Qui conduira?

Dialogue

Demandez à un(e) étudiant(e):

1. où il (elle) va généralement pique-niquer. [L'étudiant(e) répondra à toutes les questions posées.]
2. ce qu'il (elle) apporte pour un pique-nique.
3. quelle sorte de boissons il (elle) achète.
4. avec qui il (elle) va pique-niquer d'habitude.
5. ce qu'on peut faire à un pique-nique.
6. où il (elle) aime aller à la pêche.
7. ce que fait un pêcheur au bord de l'eau.
8. quand on va généralement à la pêche.
9. pourquoi certaines personnes préfèrent la chasse.
10. s'il (si elle) préfère se baigner dans l'océan ou dans un lac.

II. EXPRESSIONS A RETENIR

aller à la chasse	*to go hunting*
aller à la pêche	*to go fishing*
aller pique-niquer	*to go on a picnic*
au bord de la mer	*at (to) the seashore*
en plein air	*in the open air, outdoors*
en tout	*in all*
espérer que oui (non)	*to hope so (not)*
être réglé	*to be fixed (arranged); to be set (of time)*
faire du pédalo	*to go water-cycling*
faire un pique-nique	*to go on a picnic; have a picnic*

jeter la ligne | to cast the (fishing) line
s'occuper de | to attend to, look after, take care of

III. GRAMMAIRE

89. Disjunctive Personal Pronouns (Les pronoms personnels toniques)

The disjunctive pronouns are so called because they do not stand with a verb:[1]

moi	I, me	nous	we, us
toi	you	vous	you
lui	he, him, it (m.)	eux	they, them (m.)
elle	she, her, it (f.)	elles	they, them (f.)
		soi	one (self)

(a) Pourriez-vous faire du pédalo **avec nous?**
A quelle heure se retrouve-t-on **chez lui?**
Claude m'a tellement parlé **de vous.**

The disjunctive personal pronouns are used after a preposition.

(b) **C'est moi** qui vous ai téléphoné hier soir.
C'est vous qui achèterez le vin.
Ce sont elles qui sont venues avec Philip.

The disjunctive personal pronouns are used after **ce** + a form of **être,** often in situations where the subject is to be stressed.[2]

Note: **C'est** is used before **moi, toi, lui, elle, nous, vous; ce sont,** before **eux, elles.**

(c) Il va à la pêche plus souvent **que moi.**
Qui nous y conduira? — **Lui.**
Qui vous a dit ça? — **Elle.**

The disjunctive personal pronouns are used after **que** in comparisons and when the verb is not expressed.

---

[1] The disjunctive pronouns are also used with **même(s)** (self) in the emphatic forms **moi-même, eux-mêmes,** etc.

[2] French normally cannot stress, as English can, by merely raising the voice.

(d) **Moi,** je suis toujours prêt.
Lui préfère la chasse à la pêche.
Je **lui** ai parlé, à **elle.**

The disjunctive personal pronouns are used to stress the subject[1] or object of a sentence or to clarify the object.

(e) **Lui et moi, nous** irons nous baigner cet après-midi.
Nicole et lui sont allés au bord de la mer.
Je **les** voyais, **lui et elle,** tous les dimanches.

The disjunctive personal pronouns are used in compound subjects and objects. If one of the disjunctive pronouns is **moi,** the subject pronoun **nous** is used to summarize the compound.

(f) **Moi aussi,** je suis étudiant en médecine.
Lui seul pouvait penser à cela.

The disjunctive personal pronouns are used when a modifier separates the pronoun from the verb.

(g) Cette voiture est **à lui,** n'est-ce pas?
Est-ce que ce journal est **à vous?**

The disjunctive personal pronouns are used after **être** + **à** to indicate ownership.

90. -er Verbs with Mute e in Stem (Les verbes en -er avec un e muet)

(a) Verbs in -er with mute e in the stem change mute e to è wherever the following syllable contains a mute e:

lever *to raise*

LE PRÉSENT DE L'INDICATIF	LE PRÉSENT DU SUBJONCTIF	LE FUTUR	LE CONDITIONNEL
je lève	je lève	je lèverai	je lèverais
tu lèves	tu lèves	tu lèveras	tu lèverais
il lève	il lève	il lèvera	il lèverait
nous levons	nous levions	nous lèverons	nous lèverions
vous levez	vous leviez	vous lèverez	vous lèveriez
ils lèvent	ils lèvent	ils lèveront	ils lèveraient

---

[1] In stressed usage, **il** is replaced by the disjunctive pronoun **lui; ils** is replaced by **eux.**

(b) Most verbs ending in -eler and -eter[1] double l or t before a syllable with mute e:

appeler *to call*

PRÉS. DE L'IND.: j'appelle, tu appelles, il appelle, nous appelons, vous appelez, ils appellent

PRÉS. DU SUBJ.: j'appelle, tu appelles, il appelle, nous appelions, vous appeliez, ils appellent

FUTUR: j'appellerai, tu appelleras, il appellera etc.

COND.: j'appellerais, tu appellerais, il appellerait etc.

jeter *to throw*

PRÉS. DE L'IND.: je jette, tu jettes, il jette, nous jetons, vous jetez, ils jettent

PRÉS. DU SUBJ.: je jette, tu jettes, il jette, nous jetions, vous jetiez, ils jettent

FUTUR: je jetterai, tu jetteras, il jettera etc.

COND.: je jetterais, tu jetterais, il jetterait etc.

(c) -er verbs which have é in the last syllable of the stem (préférer) change é to è in the first, second, and third person singular and the third person plural of the present indicative and of the present subjunctive. No change occurs in the future or the conditional:

PRÉS. DE L'IND.: je préfère, tu préfères, il préfère, nous préférons, vous préférez, ils préfèrent

PRÉS. DU SUBJ.: je préfère, tu préfères, il préfère, nous préférions, vous préfériez, ils préfèrent

FUTUR: je préférerai, tu préféreras, il préférera etc.

COND.: je préférerais, tu préférerais, il préférerait etc.

91. Repassez dans l'appendice le présent de l'indicatif, l'imparfait, le présent du subjonctif, le futur, le conditionnel et les temps composés du verbe **conduire**.

---

[1] A few verbs in -eler and -eter change e to è (like lever): acheter (*to buy*): j'achète; geler (*to freeze*): il gèle.

IV. EXERCICES

A. *Répétez les phrases suivantes en employant les pronoms indiqués* (*Bande* 20):

1. Je vous y emmènerai plus tard. (nous)
2. Nous espérons faire du pédalo cet été. (je)
3. Si j'avais plus d'argent, je l'achèterais. (il)
4. Comment s'appelle-t-elle? (tu)
5. Elle a jeté un coup d'œil sur le programme. (ils)
6. Il faut que tu l'achètes immédiatement. (vous)
7. Me rappellera-t-elle avant de partir? (elles)
8. Nous préférons aller à la pêche. (je)
9. Il se promenait en vous attendant. (nous)
10. Je me lève tôt le matin. (elle)

B. *Refaites les phrases suivantes en employant le futur* (*Bande* 20):

MODÈLE: Alfred *va me conduire* au supermarché.
Alfred *me conduira* au supermarché.

1. Ils vont introduire beaucoup de réformes.
2. On va construire un nouvel aéroport.
3. Antoine va la reconduire chez elle.
4. Nous allons traduire toutes les phrases en français.
5. La France va produire beaucoup de voitures.
6. On va reconstruire cette église.
7. Elles vont reproduire de belles photos.
8. Tu vas m'instruire de ce qui se passe.
9. La guerre va détruire un grand nombre de villes.
10. Je vais réduire immédiatement mes dépenses.

C. *Remplacez le sujet par «c'est» ou «ce sont» et un pronom tonique* (*Bande* 20):

MODÈLE: Philip est toujours prêt.
C'est lui qui est toujours prêt.

1. Mon ami n'a pas de billet.
2. Antoinette me l'a dit.
3. Les Martin nous y emmèneront.
4. Nous achèterons le vin.
5. Le garagiste nous a remorqués.
6. Je vous ai téléphoné hier soir.

7. Jeannette nage comme un poisson.
8. Vous me donnerez un coup de main.
9. Claude s'occupera du bar.
10. Ces jeunes gens adorent la pêche.
11. Tu prendras les flûtes de pain.
12. Ces voyageurs connaissent un bon hôtel.
13. Nicole et Julie feront du pédalo.
14. Madeleine va apporter des œufs durs.
15. Jacques me conduira à la gare.

D. *Répondez aux questions suivantes en remplaçant les noms par des pronoms toniques* (Bande 20):

MODÈLE: Avez-vous fait cela pour votre professeur?
Oui, j'ai fait cela pour lui.

1. Êtes-vous allé pique-niquer avec vos amis?
2. Vous a-t-il présenté à sa sœur? *Oui, il m'a présenté à elle*
3. Est-elle revenue avant ses parents?
4. Est-ce qu'on se retrouve chez Paul?
5. Est-elle venue vous voir avec sa fille?
6. Sont-ils allés à la pêche sans Robert?
7. Avez-vous rempli la fiche pour l'étudiant?
8. Est-il arrivé après les autres invités?
9. Avez-vous dansé avec les jeunes filles?
10. Voudriez-vous aller chez les Martin?
11. Parle-t-elle souvent de ses camarades?
12. Est-ce qu'il a confiance en Nicole?
13. Voudrais-tu t'asseoir près de Michel?

E. *Répondez aux questions suivantes, selon les modèles, en employant des pronoms toniques* (Bande 20):

MODÈLES: Êtes-vous allé au cinéma avec Nicole?
Oui, elle et moi, nous sommes allés au cinéma.

Allait-il souvent danser avec Jeannette?
Oui, elle et lui allaient souvent danser.

1. As-tu fait des courses avec ta mère?
2. Êtes-vous allé au match avec Paul?
3. Viendront-elles au pique-nique avec Jacques?
4. Partez-vous en vacances avec vos amis?
5. Ira-t-elle au concert avec les Martin?
6. Avez-vous déjà pris le café avec Robert?

7. Vient-il d'arriver avec ses camarades?
8. Voudriez-vous aller à la mer avec Marie?
9. Est-il allé chercher les billets avec Thérèse?
10. Pourriez-vous venir avec votre sœur?

F. *Répondez aux questions suivantes en employant les pronoms indiqués (Bande 20):*

MODÈLE: Qui est venu avec Jean? (moi)
         C'est moi qui suis venu avec lui.

1. Qui cherche du travail pour son fils? (moi)
2. Qui vous emmènera chez Diane? (lui)
3. Qui partira avec les jeunes filles? (nous)
4. Qui est arrivé avant les invités? (elle)
5. Qui était assis près d'Antoinette? (moi)
6. Qui a parlé de ces écrivains? (nous)
7. Qui est invité chez les Dupont? (elles)
8. Qui l'a fait pour Jeannette? (moi)
9. Qui pense souvent à Nicole? (eux)
10. Qui l'a vu avec votre ami? (elle)

G. *Répétez les phrases suivantes en remplaçant les noms par des pronoms toniques (Bande 20):*

1. C'est Philip qui se lève très tôt le matin.
2. Henri et Michèle l'ont déjà vu.
3. Qui vous l'a dit? — Nicole.
4. On va pique-niquer avec ces jeunes filles.
5. Robert et moi, nous y irons ensemble.
6. Josette seule pouvait penser à cela.
7. Il nage aussi bien que ses sœurs.
8. Je les ai vus, Jean et Madeleine.
9. A-t-elle des courses à faire pour ses parents?
10. Mes amis et moi, nous sommes du même avis.
11. Elle m'a présenté à son fiancé.
12. Jacques préfère aller en avion.
13. Les bicyclettes sont à ces enfants.
14. Est-ce qu'on se retrouve chez Thérèse?

H. *Répondez aux questions suivantes selon les modèles. (Employez d'abord les noms indiqués, puis remplacez ces noms par des pronoms toniques):*

MODÈLES: Qui s'occupera du bar? (Philip)
C'est Philip qui s'occupera du bar.
C'est lui qui s'occupera du bar.

1. Qui commence à devenir chauve? (Robert)
2. Qui a apporté du pâté? (Madeleine)
3. Qui va pique-niquer avec nous? (les Sauvin)
4. Qui préfère la chasse à la pêche? (M. Guéry)
5. Qui vous a conseillé de faire cela? (les Girard)
6. Qui viendra avec Claude? (Antoinette)
7. Qui achètera le vin? (Pierre)
8. Qui est d'origine française? (Mme Germaine)
9. Qui est allé visiter le château? (Josette et Michèle)
10. Qui ne pourra pas faire de pédalo? (Henri)
11. Qui nous a invités? (les Martin)
12. Qui prendra les flûtes de pain? (Jeannette)
13. Qui a regardé le match à la télévision? (Michel)
14. Qui va nous retrouver ici? (les Charpentier)

I. *Employez dans des phrases complètes dix des expressions à retenir qui se trouvent à la section II.*

V. COMPOSITION

A. *Dites, puis écrivez en français:*

1. Nicole told me that she and Paul would like to go on a picnic tomorrow.
2. Didn't she promise you that the next time (that) he and she would go on a picnic they would take you there?
3. Of course and it was she who phoned me last night.
4. She invited me to go with them. She told me also that they would not go there without me.
5. We decided, therefore, that if I get up very early, I'll be able to go with them.
6. At whose house are you going to meet, at hers or at yours?
7. At mine, and I will drive.
8. Michèle, one of Nicole's best friends, will also come with us.
9. Nicole has spoken to me so much about her.
10. If you don't go bathing, what will you and they do?

11. I'd like to go fishing, but I think Michèle and Nicole prefer to go water-cycling.
12. I too would prefer to go water-cycling.
13. Did you and Nicole buy everything you need for the picnic?
14. Not yet, but as soon as we go to the supermarket, we'll buy some ham, bread and pickles.
15. Paul will buy the wine and Michèle will bring some hard-boiled eggs for us.
16. The last time Paul and I went on a picnic, he forgot the wine. I hope he doesn't forget to bring it this time.

B. *Le week-end approche. Vous téléphonez à plusieurs camarades de classe afin de les inviter au pique-nique que vous voulez organiser. Le lendemain, vous vous réunissez chez vous pour parler de vos projets. Écrivez un dialogue dans lequel vous traiterez des points suivants:*

(1) l'endroit où vous voulez aller;
(2) le moyen de transport (voiture, train, métro . . .);
(3) ce que chacun apportera (sandwiches, boissons, gâteaux . . .);
(4) ce que vous ferez l'après-midi (nage, bateau, jeux, pêche . . .). En conclusion, vous donnerez vos impressions sur la belle journée que vous venez de passer en plein air.

VI. DICTÉE

A tirer de la vingtième conversation.

VII. LECTURE

DON: Quand une Parisienne téléphone (*Bande 20*)

Don est un journaliste qui connaît particulièrement bien Paris . . . et les Parisiennes. Quand une Parisienne téléphone. . . . elle OUBLIE TOUT. Mais Jean, le mari de Suzanne, trouvera cependant un bon moyen de terminer le monologue de sa femme.

Reprinted from *Marie-Claire* by permission of *Paris-Match*.

Allô! . . . c'est moi, comment, qui moi? Tu ne reconnais plus ma voix maintenant? Moi, Suzanne . . . Oui, peut-être, j'ai un peu trop fumé hier soir, alors ma voix est un peu voilée. Comment vas-tu? Moi? Imagine-toi que j'ai fait un rêve merveilleux. Attends que je me le rappelle! Je ne sais pas si tu es comme moi, mais je n'arrive jamais à me rappeler les rêves que je fais. En tout cas, tout était rose—du rose Schiaparelli, tu vois? Ah! tu sais, j'ai été voir la collection de Balenciaga . . . Non, je n'ai rien commandé, mais . . .

Qu'est-ce que c'est? Mettez le plateau là, sur le lit. Mais non, je n'ai pas le temps de donner des ordres pour la cuisine en ce moment, vous voyez bien que je suis occupée.

C'est insensé! On est tout le temps dérangé pour des choses insignifiantes.

Qu'est-ce que je disais? Ah! oui, tout était rose . . . Non, j'irai chez Dior si je trouve une place pour garer ma voiture. Comment, je ne te l'ai pas dit? Je conduis moi-même maintenant, c'est si amusant, mais c'est fou ce que les gens sont mal élevés et grossiers, surtout les automobilistes. Ils n'arrêtent pas de me dire des choses désagréables. On dirait, ma parole, que toute la rue est à eux. Jean est furieux parce que j'ai eu trois contraventions dans la semaine, comme si j'étais la seule dans tout Paris à avoir des contraventions, surtout avec tous ces agents qui n'ont pas autre chose à faire que de guetter les femmes, qui se rangent pour leur dresser des contraventions, et il paraît qu'il ne faut plus les déchirer et les jeter. Que ça leur complique l'existence, et puis, une scène pour une aile abîmée, c'est grotesque. Est-ce de ma faute si les ailes de cette voiture sont en papier mâché? Et si les rues sont si encombrées?

Allô! Tu m'entends? Allô! Allô! Ah! tu écoutes—bien—je te croyais partie. Alors je disais . . .

Quoi, qu'est-ce qu'il y a encore, vraiment cela devient infernal, impossible de parler tranquillement. Ah! un télégramme! Mon Dieu! je n'aime pas recevoir des télégrammes: on ne sait jamais ce qui peut vous tomber sur la tête!

---

3 voilé: *husky*
7 Schiaparelli: maison de couture à Paris
7 Balenciaga: maison de couture à Paris
12 insensé: *insane, mad*
15 Dior: maison de couture à Paris

15 garer: *to park*
17 grossier: sans finesse
20 contravention f.: *traffic ticket*
22 guetter: *to watch for*
25 aile f.: *fender*
25 abîmé: *damaged, dented*
27 encombrer: *to block*

Oh! ma pauvre tête. Marie, téléphonez chez Alexandre, et prenez
35 rendez-vous pour cet après-midi. Mise en plis et manucure.

Allô! J'ai horreur d'ouvrir les télégrammes. Pourvu que ce ne soit pas
une mauvaise nouvelle de ma mère. Tu sais comme elle est, l'imprudence même, et cette manie qu'elle a de traverser les rues n'importe
où sans s'occuper des voitures, et d'insulter tous les automobilistes, et
40 de les menacer de son parapluie.

Alors bon, où ai-je mis ce télégramme? Non, ne quitte pas, je vais
l'ouvrir, reste là au cas où ce serait une catastrophe. Ça alors! non
mais, quel toupet! C'est de la cruauté mentale ou je ne m'y connais
pas. Écoute ça . . . Allô! tu écoutes? Le télégramme est de Jean:
45 Monsieur a le culot de me télégraphier:

«Raccroche le téléphone, j'ai besoin de te parler, signé Jean.»

35 mise en plis f.: *hair set*	43 toupet m.: *effrontery, cheek*
38 manie f.: coutume	45 culot m.: audace, effronterie
41 ne quitte pas: *hold on*	46 raccrocher: *to hang up*

THÈME

Suzanne is a Parisian who enjoys talking on the telephone. In the
morning she calls her friend to tell her all that she did the day before.
Even her breakfast can wait.

She likes to go to the *haute couture* shops to look at the collections,
but it is so hard to park. Now that she drives she finds that the other
drivers are rude. They say mean things to her. You would think that
the street belonged to them. Her husband is furious because she got
three tickets this week. Does he already know about the dented
fender?

Suzanne really prefers the telephone to the telegram. She is afraid
that a telegram might bring bad news from her mother or another
catastrophe.

What effrontery! Her husband, Jean, has sent her a telegram telling
her to hang up so that he can talk to her.

LEÇON 21

I. CONVERSATION: Le romantisme *(Bande 21)*

PIERRE : Je ne pensais pas vous trouver ici, un samedi, à la bibliothèque!
Qu'est-ce qui se passe?

PHILIP : Rien. Mais qui vous a dit que j'étais ici?

PIERRE : Personne. Je suis venu parce que je devais rendre ces deux livres.
Qu'est-ce que vous faites?

PHILIP : Je suis en train d'étudier le dix-neuvième siècle . . . mais je n'en
finirai jamais!

PIERRE : Pas du tout. Où en êtes-vous?

PHILIP : Je n'en suis qu'au début, au romantisme.

PIERRE : Et qu'est-ce qui vous ennuie?

PHILIP: Je n'arrive pas à dégager clairement les grands traits du romantisme . . . Somme toute, qu'est-ce que le romantisme?

PIERRE: D'abord . . . c'est un mouvement littéraire qui va être animé en France par toute une nouvelle génération d'écrivains, de poètes et d'artistes.

PHILIP: Et . . . par quoi se caractérise cette nouvelle génération?

PIERRE: Par l'enthousiasme poétique. Avec le romantisme, tout est poésie, même ce qui s'écrit en prose.

PHILIP: N'y a-t-il donc plus de genres déterminés, comme au dix-septième siècle, par exemple?

PIERRE: Non, c'est la liberté absolue: la poésie choisit librement ses rythmes; le drame rejette les règles de la tragédie classique; quant au roman, il devient historique, social, extravagant.

PHILIP: Quelle révolution! Et . . . est-ce que la poésie romantique a eu des sujets déterminés comme en a eu, par exemple, la tragédie classique?

PIERRE: Non, tout a été sujet de poésie: le ciel, la terre, l'amour, la nature, le passage du temps . . . et surtout la souffrance!

PHILIP: Autrement dit, le romantisme a été une véritable réaction contre l'art classique.

PIERRE: Oui . . . car il préfère l'imagination, la sensibilité, l'exaltation du moi à la raison classique.

PHILIP: Cela était-il vrai dans tous les domaines, je veux dire, non seulement en littérature mais aussi en peinture, en musique?

PIERRE: Oui, puisque tous—écrivains, poètes et artistes—étaient inspirés du même idéal.

PHILIP: Tous les artistes? . . . Lesquels en peinture?

PIERRE: Delacroix et Géricault. Et en musique, les deux grands maîtres sont Chopin et Berlioz.

Questionnaire *(Bande 21)*

Répondez aux questions suivantes:

1. Où se trouve Philip?
2. Qui a dit à Pierre que Philip était à la bibliothèque?
3. Qu'est-ce que Philip est en train d'étudier?
4. Qu'est-ce qui l'ennuie?
5. Qu'est-ce que le romantisme?
6. Par quoi se caractérise la nouvelle génération romantique?
7. Quels sont les sujets préférés de la poésie romantique?
8. Contre quoi le romantisme a-t-il réagi?
9. Que préfère le romantisme par rapport au classicisme?
10. Dans quels domaines le romantisme s'est-il fait sentir?

Dialogue

Demandez à un(e) étudiant(e):

1. par qui le romantisme sera animé en France. [L'étudiant(e) répondra à toutes les questions posées.]
2. s'il y a des genres déterminés dans la littérature romantique.
3. ce que le drame romantique rejette.
4. ce que devient le roman dans la littérature romantique.
5. de nommer deux grands peintres romantiques.
6. de nommer deux grands musiciens romantiques.
7. s'il (si elle) connaît des poètes romantiques anglais.
8. quel est son artiste préferé.

II. EXPRESSIONS A RETENIR

autrement dit	*in other words*
au début	*in (at) the beginning*
être en train de	*to be (doing something) just now, be engaged in, be in the act of*
faire partie de	*to be a member of, belong to, be a part of*
par rapport à	*in proportion to, in regard to, in comparison to; on account of*
qu'est-ce qui se passe?	*what's happening? what's going on?*

III. GRAMMAIRE

92. Interrogative Pronouns (Les pronoms interrogatifs)

(a) **Qui?** (**Qui** est-ce qui?[1]) and **Qu'est-ce qui?**

1. **Qui** (**Qui** est-ce qui) vous a dit cela?
   Qui (**Qui** est-ce qui) nous y emmènera?
   Qui (**Qui** est-ce qui) est allé à la chasse?

   Qui? or **Qui est-ce qui?** (*who?*) is used as the subject of a verb and refers to *persons*.

   Note: The interrogative subject pronoun **qui** remains masculine singular whether it refers to a singular or plural noun of either gender. The verb which follows **qui** is always in the third person singular (except **être** followed by a plural predicate noun or pronoun). In compound tenses, the past participle is always masculine singular:

   Leurs parents dormaient quand ils sont rentrés.
   Qui dormait quand ils sont rentrés?

   Elles sont arrivées avant nous.
   Qui est arrivé avant nous?

   But

   Qui sont ces messieurs?

2. **Qu'est-ce qui** vous ennuie?
   Qu'est-ce qui se passe?
   Qu'est-ce qui est fatigant?

   Qu'est-ce qui? (*what?*) is used as the subject of a verb and refers to *things*.

   Note: **Qu'est-ce qui** has no corresponding short form. It is the only subject referring to things.

(b) **Qui?** (**Qui** est-ce que?) and **Que?** (**Qu'est-ce que?**)

1. **Qui** avez-vous trouvé à la bibliothèque?
   Qui est-ce que vous avez trouvé à la bibliothèque?

   Qui a-t-elle rencontré au supermarché?
   Qui est-ce qu'elle a rencontré au supermarché?

---

[1] The long forms of interrogative pronouns are more emphatic than the short forms.

Qui cherchaient-ils?
Qui est-ce qu'ils cherchaient?

Qui? or **Qui est-ce que?** (*whom?*) is used as the object of a verb and refers to *persons*.[1]

2.   **Que** faites-vous?
Qu'est-ce que vous faites?

Qu'a-t-il demandé au garagiste?
Qu'est-ce qu'il a demandé au garagiste?

Que voulez-vous que j'apporte?
Qu'est-ce que vous voulez que j'apporte?

Que? or **Qu'est-ce que?**[2] (*what?*) is used as the object of a verb and refers to *things*.

(c) Interrogative Pronouns with Prepositions

1.   **A qui** avez-vous donné les billets?
Avec qui viendra-t-elle?
Pour qui a-t-il fait cela?

Qui? (*whom?*) is used as the object of a preposition referring to *persons*.

Note: The equivalent of *whose?* is **à qui?, de qui?** The former denotes ownership and the latter relationship or authorship:

A qui est cette voiture?
De qui est-il le fils?
De qui est cette pièce?

2.   **A quoi** pensez-vous?
Avec quoi as-tu fait cela?
Contre quoi le romantisme a-t-il réagi?

Quoi? (*what?*) is used as the object of a preposition referring to *things*.

---

[1] Note that there is no inversion of verb and subject after long forms of interrogative object pronouns.

[2] The compound interrogative **qu'est-ce que c'est que?** (or its shorter form **qu'est-ce que?**) means *what is?* and asks for a definition or an explanation:

Qu'est-ce que c'est qu'un salon?	*What's a "salon"?*
Qu'est-ce que le romantisme?	*What's Romanticism?*

(d) **Lequel (lesquels, laquelle, lesquelles)?**

> **Lequel** de ces étudiants a reçu une bourse?
> **Laquelle** des trois routes est la plus directe?
> **Avec lesquels** de vos amis allez-vous à la pêche?
> **Lesquelles** des chambres vous a-t-il montrées?

Lequel (lesquels, laquelle, lesquelles)? (*which? which one[s]?*) distinguish between two or more persons or things. They agree in gender and number with the noun to which they refer and are used as subject or direct object of a verb and after prepositions.

Note: **Lequel? lesquels? lesquelles?** contract with the prepositions **à** and **de**: **auquel?, auxquels?, auxquelles?; duquel?, desquels?, desquelles?**: **Auquel** de ces professeurs avez-vous parlé?

93. Negatives (Les négations)

(a) The most common negatives are:[1]

ne . . . aucun (nul)	*no, not any*
ne . . . guère	*scarcely*
ne . . . jamais	*never*
ne . . . ni . . . ni (ni . . . ni . . . ne)	*neither . . . nor*
ne . . . pas (du tout)	*not (at all)*
ne . . . personne	*nobody, no one*
ne . . . plus	*no more, no longer*
ne . . . que	*only*
ne . . . rien (du tout)	*nothing (at all), not anything*

(b) Position of Negatives

> 1. Je **ne** pensais **plus** vous trouver ici.
> Elle **ne** le finira **jamais** à temps.
> Je **n'**en suis **qu'**au début.
> Il **ne** sait **pas du tout** s'ils viendront.
> Je **n'**ai **ni** cigarettes **ni** allumettes.[2]

---

[1] After negatives, the definite article is omitted before a partitive noun. Exceptions are **ne . . . que** and **ne . . . ni . . . ni**. Review Section 73, a.

[2] No matter what position **ni . . . ni** has in a sentence, **ne** must always precede the verb. With **ni . . . ni . . . ne**, the verb is always plural in French: **Ni cet imperméable ni ce parapluie ne sont à lui.**

Negative expressions are composed of two parts, one of which is always **ne**. In simple tenses, **ne** precedes the verb or a personal pronoun object. The other part of the negative immediately follows the verb.

2. Elle **n'**a **jamais** fait de pédalo.
    Il **ne** m'a **rien** apporté.
    Elles **n'**y sont **plus** allées.

In compound tenses, **ne** precedes the auxiliary (**avoir, être**) and the second negative word precedes the past participle. Note, however, that **personne, que, aucun (nul)**, and **ni . . . ni** follow the past participle:

Nous **n'**avons trouvé **personne** chez lui.
Je **n'**ai lu **qu'**une pièce de cet auteur.
Il **n'**a acheté **ni** timbres **ni** cartes postales.

But

Ni mon père **ni** mon frère **ne** sont allés au match.

3. Il m'a dit de **ne pas** le faire.
    Je lui ai promis de **ne jamais** dire cela.

Before an infinitive, two parts of a negative usually stand together.

4. **Rien ne** m'ennuie plus que cela.
    Personne n'est allé au cinéma avec lui.

Rien and **personne** may be used as the subject of the verb; **ne** precedes the verb as usual.

5. Qu'est-ce qui est arrivé? — **Rien, rien du tout.**
    Qui vous a dit que j'étais ici? — **Personne.**
    Êtes-vous jamais[1] allé à la chasse? — **Jamais.**

When a negative is used without a verb, **ne** is omitted.

6. Je n'y vais **plus jamais.**
    Elle ne voit **plus personne.**
    Il ne me dit **jamais rien.**

Plus, jamais, rien, and **personne** may be used in combinations of two or more negatives. Their relative position is as follows:
plus + jamais + rien + personne.

---

[1] Jamais meaning *ever* is used without **ne**: Avez-vous **jamais** été au musée du Louvre?

7. Il **n**'ose le faire.
   He doesn't dare do it.
   Il **n**'a cessé de neiger.
   It hasn't stopped snowing.
   Ils **ne** sauraient me dire la vérité.
   They couldn't tell me the truth.

Ne may be used alone with full negative force with some verbs, the most common being **oser, cesser, savoir, pouvoir.**

94. Verbs Ending in -oyer and -uyer (Les verbes en -oyer et en -uyer)

Verbs ending in **-oyer** and **-uyer** change **y** to **i** before mute **e**:

employer *to employ, use*

LE PRÉSENT DE L'INDICATIF	LE PRÉSENT DU SUBJONCTIF	LE FUTUR	LE CONDITIONNEL
j'emploie	j'emploie	j'emploierai	j'emploierais
tu emploies	tu emploies	tu emploieras	tu emploierais
il emploie	il emploie	il emploiera	il emploierait
nous employons	nous employions	nous emploierons	nous emploierions
vous employez	vous employiez	vous emploierez	vous emploieriez
ils emploient	ils emploient	ils emploieront	ils emploieraient

ennuyer *to bore, annoy, bother*

j'ennuie	j'ennuie	j'ennuierai	j'ennuierais
tu ennuies	tu ennuies	tu ennuieras	tu ennuierais
il ennuie	il ennuie	il ennuiera	il ennuierait
nous ennuyons	nous ennuyions	nous ennuierons	nous ennuierions
vous ennuyez	vous ennuyiez	vous ennuierez	vous ennuieriez
ils ennuient	ils ennuient	ils ennuieront	ils ennuieraient

Note:

(1) **Envoyer** (*to send*), in addition to the change from **y** to **i**, has an irregular stem for the future and conditional: **enverr-**.
(2) Verbs ending in **-ayer** may either keep the **y** or change it to **i** before mute **e**: **j'essaye** or **j'essaie; ils payent** or **ils paient.**

95. Repassez dans l'appendice le présent de l'indicatif, l'imparfait, le présent du subjonctif, le futur, le conditionnel et les temps composés du verbe **recevoir.**

IV. EXERCICES

A. *Répétez les phrases suivantes en employant les pronoms indiqués*
   (*Bande 21*)

   1. J'ai reçu des nouvelles ce matin. (nous)
   2. Qu'est-ce que vous apercevez au loin? (elle)
   3. Vous me décevrez si vous le faites. (tu)
   4. Voilà le projet que nous avons conçu. (je)
   5. Ils reçoivent toujours de bonnes notes. (il)
   6. Nous les apercevions chaque soir. (elles)
   7. Je le recevrais avec plaisir. (ils)
   8. Quand l'avait-il aperçu? (vous)

B. *Répétez les phrases suivantes en remplaçant le passé composé par le*
   présent de l'indicatif:

   MODÈLE: Voilà ce que j'ai employé.
             Voilà ce que j'emploie.

   1. Cela ne m'a pas du tout ennuyé.
   2. C'est tout ce que nous lui avons payé.
   3. J'ai nettoyé ma voiture.
   4. Il a essayé de le faire.
   5. C'est la bonne qui a essuyé les meubles.
   6. Tu l'as effrayé en lui disant cela.
   7. Est-ce que vous lui avez envoyé un télégramme?
   8. La concierge a balayé le couloir.
   9. Elle a bien employé son temps.
   10. Ils nous ont ennuyés avec leurs histoires.

C. *Posez les questions dont les phrases suivantes seront les réponses*
   (*Employez d'abord «Qui?», puis «Qui est-ce qui?»*) (*Bande 21,*
   premier modèle)

   MODÈLES: Pierre est allé à la pêche.
              Qui est allé à la pêche?
              Qui est-ce qui est allé à la pêche?

   1. Nicole se lève très tôt le matin.
   2. Victor Hugo était le chef du romantisme.
   3. On va pique-niquer au bord de la mer.
   4. M. Martin est toujours prêt.

5. Son père nous y emmènera.
6. Maurice n'a rien à faire aujourd'hui.
7. Sa cousine va se marier dimanche prochain.
8. Philip terminera ses études en France.
9. Ma grand-mère était d'origine française.
10. Henri s'occupera du bar.

D. *Posez les questions dont les phrases suivantes seront les réponses (Employez d'abord «Qui?», puis «Qui est-ce que?») (Bande 21, second modèle):*

MODÈLES: Il a rencontré Michèle en ville.
Qui a-t-il rencontré en ville?
Qui est-ce qu'il a rencontré en ville?

1. Elle a accompagné sa mère jusqu'au supermarché.
2. Ils ont retrouvé leurs amis au café.
3. Il a reconduit Nicole à la gare.
4. Elles invitent plusieurs camarades au pique-nique.
5. Elle aidera sa sœur dans tous ses achats.
6. Nous avons vu Alfred au concert.
7. On peut voir les bouquinistes le long des quais.
8. Il ridiculise les mauvais auteurs.
9. Il a trouvé votre fiancée ravissante.
10. On rappelle encore les acteurs.
11. Elles ont emmené les enfants au zoo.

E. *Posez les questions dont les phrases suivantes seront les réponses (Bande 21):*

MODÈLE: La littérature m'intéresse beaucoup.
Qu'est-ce qui vous intéresse beaucoup?

1. Le documentaire m'a ennuyé.
2. Cette robe est très chic.
3. Le courrier arrivera tout à l'heure.
4. Le dessin animé m'a amusé.
5. Le train vient de partir.
6. Cette histoire est effrayante.
7. Ce manteau me plaît aussi.
8. Un accident a eu lieu ce matin.
9. Cette coutume est typiquement parisienne.
10. La situation était grave.

F. *Posez les questions dont les phrases suivantes seront les réponses* (*Employez d'abord «Que?», puis «Qu'est-ce que?»*) (*Bande 21, premier modèle*):

MODÈLES: Elle veut trouver une situation.
Que veut-elle trouver?
Qu'est-ce qu'elle veut trouver?

1. Elle est en train d'étudier ses leçons.
2. On va faire un pique-nique demain.
3. Elles apporteront les sandwiches.
4. Il nettoiera sa voiture.
5. Nous cherchions des boîtes de conserves.
6. Ils pourront faire du ski.
7. Il a pris le pain juste avant de partir.
8. Elle connaît bien cet endroit.
9. Il leur a conseillé de lire ces œuvres.
10. Ils ont écouté quelques disques.

G. *Posez les questions dont les phrases suivantes seront les réponses* (*Employez «qui?» ou «quoi?»*) (*Bande 21*):

MODÈLES: Elle a téléphoné à son fiancé.
A qui a-t-elle téléphoné?

Il a besoin d'un stylo.
De quoi-a-t-il besoin?

1. Elles viendront avec l'amie de Brigitte.
2. Il a parlé de ses voyages.
3. Cette voiture appartient à Jacques.
4. Elle a mis son nom sur la fiche.
5. On se retrouve chez Paul ce soir.
6. Nous commencerons par des hors-d'œuvre.
7. Elles ont fait des courses pour leur mère.
8. Il a garé sa voiture près du trottoir.
9. Elle pensait souvent à Robert.
10. Il a réagi contre l'art classique.

H. *Posez les questions dont les phrases suivantes seront les résponses* (*Employez des pronoms interrogatifs*) (*Bande 21*):

1. Cette bicyclette est à Philip.
2. Ce programme ne me plaît pas du tout.
3. Nicole est la sœur de Robert.

4. Ils parlent de leurs projets.
5. Il cherche une édition rare.
6. Claude s'occupera du bar.
7. Cette nouvelle me rend triste.
8. Il y a déjà une voiture sur le pont.
9. Nous pourrons faire du ski s'il neige.
10. Ils ont rencontré des amis au match.

I. *Répétez les phrases suivantes en remplaçant le présent de l'indicatif par le passé composé* (*Bande 21*):

MODÈLE: Ils ne vendent rien à bon marché.
          Ils n'ont rien vendu à bon marché.

1. Ils ne m'écrivent jamais.
2. On ne voit cela qu'à Paris.
3. Je ne le sais pas du tout.
4. Elles ne me disent jamais rien.
5. Il ne m'offre ni vin ni bière.
6. Elle ne fait plus de ski.
7. Nous ne rencontrons personne dans les rues.
8. Il ne peut guère le faire.
9. Rien ne n'ennuie plus que cela.
10. Elle ne m'envoie plus rien.

J. *Répétez les phrases suivantes en employant les expressions indiquées* (*Bande 21*):

1. On nous les donne automatiquement. (ne . . . jamais)
2. Il me reste deux places au balcon. (ne . . . que)
3. Il y avait une voiture sur le pont. (ne . . . plus)
4. Ont-ils fait du pédalo? (jamais)
5. Elle pouvait trouver une situation. (ne . . . guère)
6. Elles nous ont écrit à ce sujet. (ne . . . rien)
7. Nous avons commandé du porc et du poulet. (ne . . . ni . . . ni)
8. Cela nous a impressionnés. (ne . . . pas du tout)
9. Je le connaissais très bien. (ne . . . pas)
10. On se croirait en automne. (ne . . . jamais)

K. *Répondez aux questions suivantes en employant les expressions indiquées:*

MODÈLE: Est-ce qu'il y a une voiture sur le pont? (ne . . . pas)
          Non, il n'y a pas de voiture sur le pont.

1. Est-ce que cela vous a irrité? (ne . . . pas du tout)
2. Est-ce qu'il vous reste des chambres à louer? (ne . . . plus)
3. Est-ce que quelqu'un vous a dit que j'étais ici? (Personne . . . ne)
4. Est-ce qu'ils ont quelque chose à craindre? (ne . . . rien)
5. Est-ce qu'elle boit du café ou du thé? (ne . . . ni . . . ni)
6. Est-ce qu'on se croirait en automne? (ne . . . jamais)
7. Est-ce que quelque chose vous a effrayé? (Rien . . . ne)
8. Est-ce que cette chemise et cette cravate sont à vous? (ni . . . ni . . . ne)
9. Est-ce que tu as rencontré quelqu'un en ville? (ne . . . personne)
10. Est-ce que la météo annonce de la neige ? (ne . . . pas)
11. Est-ce qu'il songe à se marier? (ne . . . guère)
12. Est-ce que vous aimez la pêche ou la chasse? (ne . . . ni . . . ni)

L. *Répétez les phrases suivantes en mettant l'infinitif à la forme négative* (*Bande 21*):

1. Dites à Jean de me téléphoner demain.
2. Je préfère y aller seul.
3. Je vous demanderai de l'appeler dans la soirée.
4. Vous m'aviez promis de lui annoncer cette nouvelle.
5. Je lui ai dit de monter vos valises.
6. Elle les a priés d'envoyer des fleurs.
7. Il aimait mieux lui écrire.
8. Ils leur ont conseillé de partir avant eux.
9. Il m'avait écrit de le rejoindre avant jeudi.
10. J'ai essayé de lui mentionner cela.
11. Nous avons décidé de suivre ce cours.

M. *Employez dans des phrases complètes les expressions à retenir qui se trouvent à la section II.*

V. COMPOSITION

A. *Dites, puis écrivez en français:*

1. Whom did you see at the library when you returned your books?
2. I met Philip, but he never expected to find me there.
3. What was he doing? With whom was he?
4. No one was with him. He was studying the literature of the nineteenth century.

5. What was bothering him then?
6. He was only at the beginning, at Romanticism. He thought he would never finish.
7. I was not at all surprised when he asked me the following questions: What is Romanticism? Against what did Romanticism react? By what is the Romantic movement characterized?
8. I begged him not to ask me those questions, but to ask them of Nicole. Nothing bores me more than that movement.
9. No one could explain Romantic literature to him better than she.
10. I told him that she never has anything to do on Saturdays and that she scarcely goes out in the afternoon.
11. I'm sure she'll help him and she'll try to explain to him that neither the theater nor the novel are the important parts of French Romanticism.
12. To really understand Romanticism, one must read the French Romantic poets.
13. Whose poems? and which of the poets?—Those of Lamartine, Vigny, Hugo, or Musset.

B. *Vous devez écrire une lettre à votre meilleur(e) ami(e) afin de le (la) tenir au courant de ce que vous faites à l'université. Dans cette lettre, vous pourrez parler:*

(1) de votre travail en français (ce que vous venez d'étudier tout dernièrement: le romantisme);
(2) des conférences auxquelles vous avez assisté dans le courant de l'année;
(3) de vos professeurs et de vos camarades de classe;
(4) des distractions offertes sur le «campus».

VI. DICTÉE

A tirer de la vingt et unième conversation.

VII. LECTURE

CHARLES BAUDELAIRE: L'ALBATROS (*Bande 21*)

Nous n'avons de Charles Baudelaire (1821–1867) qu'un seul recueil de

Charles Baudelaire
French Embassy Press & Information Division

vers, Les Fleurs du Mal, *publié en 1857.* L'Albatros, *publié en 1859, démontre que l'auteur est à la ligne de partage des eaux du Romantisme, du Parnasse et du Symbolisme.*

L'idée du poème est romantique: l'albatros est grand et domine la navigation ordinaire. Le poète est grand lui aussi par le rêve, inapte à la vie pratique et supérieur à la foule. La composition toutefois possède toute l'harmonie du Parnasse. Le symbole est développé en trois strophes et l'idée ramassée dans la strophe finale. La puissance de suggestion de certains mots à double résonance fera cependant de Baudelaire un initiateur du symbolisme.

Souvent, pour s'amuser, les hommes d'équipage
Prennent des albatros, vastes oiseaux des mers,
Qui suivent, indolents compagnons de voyage,
Le navire glissant sur les gouffres amers.

A peine les ont-ils déposés sur les planches,   5
Que ces rois de l'azur, maladroits et honteux,
Laissent piteusement leurs grandes ailes blanches
Comme des avirons traîner à côté d'eux.

Ce voyageur ailé, comme il est gauche et veule!
Lui, naguère si beau, qu'il est comique et laid!   10
L'un agace son bec avec un brûle-gueule,
L'autre mime, en boitant, l'infirme qui volait!

Le Poète est semblable au prince des nuées
Qui hante la tempête et se rit de l'archer;
Exilé sur le sol au milieu des huées,   15
Ses ailes de géant l'empêchent de marcher.

1 équipage m.: *crew*
4 navire m.: *ship*
4 glisser: *to slip*
4 gouffre m.: *the deep*
4 amer: *bitter*
5 planche f.: *plank*
6 azur m.: *blue sky*
6 honteux: *shamefaced*
8 aviron m.: *oar*
8 traîner: *to drag, trail*
9 ailé: *winged*

9 veule: *ugly*
10 naguère: *lately*
11 agacer: *to tease; to bother*
11 brûle-gueule m.: *pipe*
12 boiter: *to limp*
12 voler: *to fly*
13 nuée f.: *cloud*
14 hanter: *to haunt*
15 huée f.: *cat call; boo*
16 empêcher: *to prevent*

EXPLICATION DE TEXTE

Étude du poème

I. L'ensemble

1. Combien de strophes y a-t-il dans le poème?
2. Annonce des divisions: le voyage, la capture des albatros, les impressions produites.
3. Baudelaire veut montrer à l'aide d'un symbole (qu'est-ce qu'un symbole?) toute la gaucherie du poète qui, dès qu'il cesse de planer dans les hautes sphères de l'idéal, se trouve inapte à la vie pratique.

    a. Faites ressortir la justesse du symbole (le poète comparé à l'albatros).
    b. Peut-on étendre à tous les «hommes de génie» la constatation faite par Baudelaire au sujet du poète?
    c. Où Baudelaire a-t-il puisé l'image de l'albatros? Dans des souvenirs de voyages?

II. L'analyse de la poésie

A. Premier quatrain: le voyage

1. Quelle est l'idée centrale contenue dans cette strophe?
2. Dans quelle mesure le poète est-il lui aussi un «vaste oiseau»? Est-il vaste par l'ampleur de son génie qui peut survoler les mers, c'est-à-dire les étendues infinies de la passion et de l'idéal?
3. Pourquoi—tout comme l'albatros—le poète a-t-il l'air indolent?
4. L'existence du poète ne se heurte-t-elle pas elle aussi à ces «gouffres amers» dont parle Baudelaire? S'agit-il seulement de l'eau salée ou plutôt des catastrophes et de toutes les douleurs des destinées humaines?
5. Le style: comment est formée cette première strophe? Une seule phrase. Pourquoi? Relisez attentivement et avec expression cette première strophe. Vous montrerez comment les subordonnées contenues dans cette strophe (il n'y a qu'une *seule phrase*) dessinent en arabesques le grand vol imposant de l'oiseau.
    Quel spectacle grandiose avez-vous sous les yeux? L'homme et l'oiseau perdus entre le ciel et l'eau.

B. Deuxième quatrain: la capture de l'albatros

1. Quelle est l'idée centrale contenue dans cette strophe?

2. Dès que l'oiseau se trouve sur le bateau, il a l'air piteux? Pourquoi ses ailes sont-elles des entraves?

3. En est-il de même du poète devant les conditions ordinaires de l'existence? Pourquoi? Son génie est-il une entrave? Son génie peut être remarquable, il n'a aucun intérêt dans la lutte pour la vie.

4. Combien de phrases y a-t-il dans cette strophe? Relevez l'alliance de mots: rois de l'azur—maladroits. Expliquez la comparaison «comme des avirons».

C. Troisième quatrain: l'attitude de l'albatros en captivité

1. Quelle est l'idée centrale contenue dans ce quatrain?

2. L'oiseau naguère si beau se trouve maintenant sur le pont du navire. Quelle est l'attitude des matelots?

3. Quelle est la situation du poète au milieu de la foule?

4. Le symbole se restaure facilement. Le poète est revenu à la réalité. Pourquoi est-il «comique et laid»? Relevez les adjectifs. Le réalisme des expressions est parnassien. Justifiez le choix du mot «brûle-gueule».

5. Que désigne le dernier vers? Les imitateurs du poète?

6. Le style: La strophe est composée de phrases courtes, d'exclamations. Pourquoi? Vous montrerez dans quelle mesure le style exprime les sentiments ardents, l'indignation de Baudelaire devant le spectacle présenté par la foule, incapable de rien comprendre aux grands sentiments.

D. Quatrième quatrain: le sens du poème

1. Cette fois, l'idée et l'image se confondent. Le poète est semblable à l'albatros.

2. Expliquez: «il hante la tempête et se rit de l'archer» Quel est le royaume du poète? Il est poursuivi par l'archer, c'est-à-dire par les hommes qui ne le comprennent pas.

3. Le style s'amplifie en une phrase qui prolonge la métaphore. Vous montrerez comment cette dernière strophe se réduit à une phrase nette et précise qui explique, qui enseigne et ne recherche pas les subtilités de pensée.

III. Conclusion

Vous montrerez comment ce poème caractérise l'auteur et annonce une ère nouvelle. Il a, comme l'a dit Victor Hugo, «doté l'art d'un frisson nouveau», en introduisant dans la poésie, avant Verlaine et Mallarmé, certaines nuances parfois exquises, parfois très réalistes. Il annonce le Symbolisme.

Leçon 22

I. CONVERSATION: La littérature romantique
(*Bande 22*)

PIERRE: Tenez, je me suis permis de vous apporter plusieurs livres, les *Méditations* de Lamartine, *Hernani* et *Les Burgraves* de Victor Hugo.

PHILIP: Merci bien, car je n'ai pas les miens ici. Est-ce que je pourrai garder les vôtres pendant quelques jours?

PIERRE: Bien sûr! Vous vous amuserez à les lire. Ces trois livres marquent les grandes dates du romantisme: 1820, le succès des *Méditations*; 1830, la bataille d'*Hernani* au Théâtre Français; et 1843, l'échec des *Burgraves*.

PHILIP: Et . . . de tous les poètes dont vous m'avez parlé, quels sont les
          plus grands?
PIERRE: Les quatre plus grands poètes sont Lamartine, Vigny, Victor
          Hugo et Musset.
PHILIP: J'aime beaucoup Lamartine . . . surtout *Le Lac!*
PIERRE: C'est un magnifique poème dans lequel il a chanté Elvire, son
          grand amour: ils s'étaient rencontrés près de ce lac . . .
PHILIP: Je me rappelle encore certains vers:

O lac! l'année à peine a fini sa carrière,
Et près des flots chéris qu'elle devait revoir,
Regarde! Je viens seul m'asseoir sur cette pierre
　　　　Où tu la vis s'asseoir!

PIERRE: Et Vigny . . . comment le trouvez-vous? Difficile?
PHILIP: A vrai dire, je ne le connais pas très bien. Je n'ai guère lu de lui
          que quelques poèmes.
PIERRE: Voyez-vous . . . la grande originalité de Vigny, parmi les poètes
          romantiques, a été d'être un penseur. C'est avec lui que la poésie
          philosophique s'est vraiment constituée en genre indépendant.
PHILIP: Cela se voit. Sa philosophie est trop pessimiste; j'aime beaucoup
          plus Victor Hugo qui est mon poète préféré.
PIERRE: C'est aussi le mien. Chef du romantisme, il a été tout: poète
          lyrique, épique, satirique, romancier, dramaturge.
PHILIP: Les deux romans que j'aime le plus sont *Notre-Dame de Paris* et
          Les Misérables.
PIERRE: A mon avis, Victor Hugo a peut-être une sensibilité moins pro-
          fonde que celle de Lamartine, il est peut-être moins original que
          Vigny mais il leur a été supérieur par l'imagination.
PHILIP: C'est vrai. Quelle imagination fut la sienne! Et Musset . . .
          Quelle place a-t-il dans le romantisme?
PIERRE: Il s'est fait une place à part. C'est le chantre de la jeunesse et
          de l'amour.
PHILIP: Je me souviens en particulier de *La Nuit de Mai.*
PIERRE: C'est une des plus célèbres poésies, surtout le passage du pélican.

Alfred de Vigny

Questionnaire (*Bande* 22)

Répondez aux questions suivantes:

1. Qu'est-ce que Pierre s'est permis d'apporter à Philip?
2. Quels sont les quatre grands poètes de la littérature romantique?
3. Qu'est-ce que *Le Lac?*
4. Quelle a été la grande originalité d'Alfred de Vigny?
5. Pourquoi Victor Hugo est-il aussi le poète préféré de Pierre?
6. Par quoi Victor Hugo a-t-il été supérieur à Lamartine et à Vigny?
7. Pourquoi Musset a-t-il une place à part dans le romantisme?
8. De quel poème de Musset Philip se souvient-il?
9. Quels est le passage le plus célèbre de *La Nuit de Mai?*

Dialogue

Demandez à un(e) étudiant(e):

1. quels sont les trois livres qui marquent les grandes dates du romantisme. [L'étudiant(e) répondra à toutes les questions posées.]
2. en quelle année a eu lieu la bataille d'*Hernani.*
3. où elle a eu lieu.
4. quel est son poète préféré. Pourquoi?
5. qui a été le chef du romantisme français.
6. de quoi Musset a surtout été le «chantre».
7. quels sont les deux romans de Victor Hugo que Philip aime le plus.
8. Qui est «Elvire».

II. EXPRESSIONS A RETENIR

à vrai dire	*to tell the truth*
prendre quelqu'un (quelque chose) comme témoin	*to take someone (something) as a witness*
se faire une place à part	*to be in a class by oneself*
se permettre de	*to take the liberty to, allow oneself to*
tout à la fois	*all at the same time*

III. GRAMMAIRE

96. Possessive Pronoun (Le pronom possessif)

(a)

SINGULAR	PLURAL	
le mien	les miens	
la mienne	les miennes	*mine*
le tien	les tiens	
la tienne	les tiennes	*yours*
le sien	les siens	
la sienne	les siennes	*his, hers, its*
le nôtre		
la nôtre	les nôtres	*ours*
le vôtre		
la vôtre	les vôtres	*yours*
le leur		
la leur	les leurs	*theirs*

Note:

(1) The definite articles **le** and **les** combine with **à** and **de: au mien, aux siens, du sien, des miennes.**

(2) The definite article is part of the pronoun and may not be omitted.

(b) Je vais rendre mes **livres** et **les vôtres** à la bibliothèque.
Voulez-vous que je prenne votre **photo** ou **la sienne?**
Victor Hugo est son **poète** préféré. C'est aussi **le mien.**
Ils ont téléphoné à leurs **parents** et nous avons téléphoné **aux nôtres.**

The possessive pronoun, like the possessive adjective, agrees in gender and number with the object possessed.[1]

97. Reflexive Verbs (Les verbes pronominaux)

(a) A reflexive verb denotes an action in which the subject and the recipient of the action are the same; that is, it has a pronoun object, direct or indirect, which refers back to the subject (*I wash myself, they say to themselves*). A French reflexive verb consists

---

[1] After the verb **être**, possession is normally expressed by **à** + disjunctive pronoun:

Est-ce que ce cric **est à vous?**
Cette montre **est à lui.**

The possessive pronoun after the verb **être** emphasizes distinction of ownership:

Cette radio-ci est la sienne. *This radio is his (not mine).*

of two parts, the verb itself and a reflexive pronoun. The reflexive pronoun has the following forms:

me	*myself, to myself*	nous	*ourselves, to ourselves*
te	*yourself, to yourself*	vous	*yourself, to yourself*
se	*himself, to himself*		*yourselves, to yourselves*
	herself, to herself	se	*themselves, to themselves*

MODÈLE: se **laver** (*to wash oneself, get washed*)

LE PRÉSENT DE L'INDICATIF	LE FUTUR	L'IMPÉRATIF
je me lave	je me laverai	lave-toi
tu te laves	tu te laveras	lavons-nous
il (elle) se lave	il (elle) se lavera	lavez-vous
nous nous lavons	nous nous laverons	
vous vous lavez	vous vous laverez	
ils (elles) se lavent	ils (elles) se laveront	

Note:

(1) The reflexive pronoun always precedes the verb except in the affirmative imperative:

Elle **se** levait très tôt.	But	Levons-**nous**.
Vous arrêterez-vous?		Arrête-**toi**.
Ils ne **se** lavent pas.		Lavez-**vous**.

(2) The reflexive pronoun is usually a direct object, but it may also be indirect:

DIRECT OBJECT:

Il **se** lave.
He is washing himself.
Vous **vous** amuserez à les lire.
You'll enjoy reading them.

INDIRECT OBJECT:

Nous **nous** écrivons toutes les semaines.
We write to each other every week.
Elles **se** parlaient de temps en temps.
They would speak to one another from time to time.[1]

---

[1] The reflexive pronoun may express reciprocal action (*each other, one another*). Certain reflexive constructions may have a double meaning. Whenever the context is not sufficiently clear, ambiguity may be avoided by adding a modifier such as **l'un l'autre, l'un à l'autre, les uns aux autres.** Compare:

Elles se regardent dans le miroir.
They're looking at themselves in the mirror.
Elles se regardent les unes les autres.
They're looking at each other.

(b) Reflexive verbs are conjugated with **être** in the compound tenses; the past participle agrees with the *preceding direct object*, that is, with the reflexive pronoun when it is a direct object:

je **me** suis **lavé(e)**	nous **nous** sommes **lavé(e)s**
tu **t'**es **lavé(e)**	vous **vous** êtes **lavé(e)**, **lavé(e)s**
il s'est **lavé**	ils **se** sont **lavés**
elle s'est **lavée**	elles **se** sont **lavées**

But (indirect object)

Elles **se** sont **écrit.**	*They wrote to one another.*
Nous **nous** sommes **lavé** les mains.	*We washed our hands.*
Elle s'est **peigné** les cheveux.[1]	*She combed her hair.*

(c) **Cela ne se fait pas.**
One doesn't do that.
That isn't done.
Cela s'explique facilement.
That's easily explained.
Les portes s'ouvrent à neuf heures.
The doors are opened at nine o'clock.

The reflexive may be used as a substitute for an indefinite **on** construction or for the passive.

(d) Some verbs change their meaning when used reflexively:

aller *to go*	**s'en aller** *to go away*
amuser *to amuse*	**s'amuser** *to have a good time, enjoy oneself*
appeler *to call*	**s'appeler** *to be named, call oneself*
attendre *to wait for*	**s'attendre à** *to expect*
coucher *to lay down, put to bed*	**se coucher** *to go to bed*
demander *to ask for*	**se demander** *to wonder*
douter *to doubt*	**se douter (de)** *to suspect*
lever *to raise, lift*	**se lever** *to get up, rise*
mettre *to put, place*	**se mettre à** *to begin*
passer *to pass; to spend*	**se passer** *to happen*
rappeler *to call back*	**se rappeler** *to recall, remember*
retourner *to go back*	**se retourner** *to turn around*
réveiller *to wake*	**se réveiller** *to wake up*
servir *to serve*	**se servir de** *to use*
tromper *to deceive*	**se tromper** *to be mistaken*
trouver *to find*	**se trouver** *to be located*

---

[1] The reflexive pronoun (indirect object) is used to indicate possession when the direct object in the sentence is a noun denoting a part of the body.

98. Repassez dans l'appendice le présent de l'indicatif, l'imparfait, le présent du subjonctif, le futur, le conditionnel et les temps composés des verbes **devoir**, **falloir** et **valoir**.

IV. EXERCICES

A. *Répétez les phrases suivantes en employant les pronoms indiqués* (*Bande 22*):

1. Il sait ce qu'il vaut. (ils)
2. Vous deviez partir hier soir. (elle)
3. Voici la lettre que j'ai reçue. (nous)
4. C'est tout ce que vous me devrez. (tu)
5. Nous vaudrions bien cela. (elles)
6. Il faut que je le conduise à la gare. (vous)
7. S'il avait fait chaud, j'aurais ouvert la fenêtre. (il)
8. Vous devriez le savoir. (tu)
9. Ils ne craignaient rien. (nous)
10. On aurait dû y aller plus tôt. (je)

B. *Répétez les phrases suivantes en remplaçant le nom par le pronom possessif* (*Bande 22*):

MODÈLE: Il a oublié son parapluie chez lui.
              Il a oublié le sien chez lui.

1. N'avez-vous pas encore retenu votre place?
2. Il faut que j'aille chercher mon billet.
3. Elle a envoyé presque toutes ses lettres par avion.
4. Elles étaient en train de réviser leurs cours.
5. Je voudrais terminer mes études l'année prochaine.
6. As-tu déposé ton pardessus au vestiaire?
7. Elle n'a pas réussi à ses examens.
8. De quelle couleur est votre manteau?
9. Que pensez-vous de mes photos?
10. Je viens de lire votre composition.
11. Où apportes-tu tes chemises à laver?
12. Pourriez-vous m'aider à remplir ma fiche?

C. *Répondez aux questions suivantes selon le modèle* (*Bande 22*):

MODÈLE: J'ai garé ma voiture. Et Paul?
              Il a garé la sienne.

1. Vous avez votre passeport. Et Jeannette?
2. Il a parlé de ses poètes préférés. Et vous?
3. Elle partira avec ses camarades. Et nous?
4. Il m'a présenté à sa sœur. Et Nicole?
5. Nous avons descendu nos valises. Et ces étudiants?
6. Tu as fini tous tes devoirs. Et lui?
7. J'ai enregistré ma malle. Et les Martin?
8. Il a écrit pour réserver sa place. Et Marie?
9. J'ai téléphoné à mes parents. Et Louise?
10. Ils étudieront pour leurs examens. Et nous?
11. Brigitte a perdu ses gants. Et Madeleine?
12. Il m'a donné son adresse. Et eux?
13. Jacqueline m'a montré ses photos. Et Antoine?
14. Il est allé prendre son courrier. Et vous?
15. Je suis contente de ma chambre. Et Paulette?

D. **Complétez les phrases suivantes en employant la forme convenable du pronom possessif:**

MODÈLE: J'ai rempli ma fiche. As-tu rempli _____?
As-tu rempli la tienne?

1. Je suis allé reconnaître mes bagages. Êtes-vous allé reconnaître _____?
2. Elle a oublié son passeport mais moi, je n'ai pas oublié _____.
3. Nous voudrions vendre notre maison. Voudrait-il aussi vendre _____?
4. Ils ont parlé de leurs cours et nous avons parlé _____.
5. Tu tiendras ta promesse mais tiendront-elles _____?
6. Il a pris son courrier. As-tu pris _____?
7. Occupez-vous de vos affaires et moi je m'occupe _____.
8. J'ai réservé ma chambre. N'avez-vous pas encore réservé _____?
9. Elles pensent à leurs parents et nous pensons aussi _____.
10. Nous avons passé nos vacances en Europe. Où ont-ils passé _____?
11. Il m'a donné son adresse et je lui ai donné _____.
12. Elles aiment rendre visite à leur grand-mère et nous aimons rendre visite _____.
13. Nous avons préparé nos exercices. Avez-vous préparé _____?
14. J'ai fini de lire mon journal. A-t-elle fini de lire _____?
15. Il a laissé ses chemises sur le comptoir. Où as-tu laissé _____?

E. Répétez les phrases suivantes en remplaçant le présent de l'indicatif par le passé composé (Bande 22):

MODÈLE: Ma petite sœur se réveille de bonne heure.
Ma petite sœur s'est réveillée de bonne heure.

1. Nous nous arrêtons dans une station-service.
2. S'amusent-ils à lire ces livres?
3. Te lèves-tu très tôt?
4. Elle se dépêche de le faire.
5. Je me souviens bien de cela.
6. Elle se brosse les cheveux.
7. Se baignent-ils dans la rivière?
8. Nicole se met à réviser ses cours.
9. Je me rappelle encore certains vers.
10. S'occupent-ils du bar?
11. Elles se rencontrent chaque matin.
12. Elle se couche avant minuit.
13. Ils se téléphonent une fois par semaine.
14. Elles ne se parlent jamais.

F. Mettez les phrases suivantes d'abord à l'impératif affirmatif, puis à l'impératif négatif (Bande 22):

MODÈLES: Vous vous lavez les mains.
Lavez-vous les mains.
Ne vous lavez pas les mains.

1. Nous nous promenons dans le parc.
2. Vous vous asseyez au bord de l'eau.
3. Tu te peigneras les cheveux.
4. Nous nous écrivons toutes les semaines.
5. Vous vous habillez très vite.
6. Tu t'en vas demain matin.
7. Tu te serviras de ce livre.

G. Mettez les phrases suivantes au pluriel:

MODÈLE: Elle se lève tard le dimanche.
Elles se lèvent tard le dimanche.

1. S'est-elle endormie tout de suite?
2. Je me sens beaucoup mieux depuis hier.
3. S'il m'avait vu, il se serait arrêté.
4. A moins que tu ne te dépêches, tu n'y arriveras pas à l'heure.

5. En entendant le bruit, elle s'est retournée.
6. Je ne me suis pas assis près d'eux.
7. T'es-tu bien amusé hier soir?
8. Il ne s'est pas rasé ce matin.
9. Avant qu'elle s'en aille, offrez-lui quelque chose.
10. Je ne me place jamais près de l'écran.
11. Ne s'est-il pas souvenu de sa promesse?
12. Dès qu'elle s'apercevra de son erreur, elle se corrigera.
13. Quand je me suis réveillé, il faisait beau.
14. T'es-tu coupé le doigt?
15. A quelle heure se mettra-t-il à travailler?

H. *Refaites les phrases suivantes selon le modèle* (Bande 22):

MODÈLE: On ne fait pas cela.
           Cela ne se fait pas.

1. On vend ces livres à bon marché.
2. On ferme les portes à huit heures.
3. On prononce ce mot de cette façon.
4. On ne dit pas cela en français.
5. On trouve ce café au centre de la ville.
6. On ne voit cela qu'à Paris.
7. On n'apprend pas facilement l'anglais.
8. On peut dire ça d'une autre manière.
9. On explique cela sans trop de difficulté.
10. On porte cela beaucoup en ce moment.
11. On n'emploie presque jamais cette expression.

I. *Employez dans des phrases complètes les expressions à retenir qui se trouvent à la section II.*

V. COMPOSITION

A. *Dites, puis écrivez en français:*

1. Nicole has invited us to go to her house. I took the liberty of telling her that you and I would stop there.
2. I'm sure we'll have a good time if we go there.
3. I don't know! The last time we met, we scarcely spoke to one another.
4. To tell the truth, I don't remember that incident at all.

5. It doesn't matter! Get up, dress yourself and come down immediately.

6. We'll have to hurry if we want to get there on time.

7. Before going to her house, however, we must stop at the library. I promised Nicole that I would return my books and hers.

8. By the way, do you need your anthology? I can't find mine. I would like to borrow yours for a few days. I have to read some poems by Lamartine and Victor Hugo.

9. Of course, you can use mine. I'm sure you'll enjoy reading them.

10. I like Lamartine very much. Of all the Romantic poems I prefer *Le Lac*. I still remember certain verses.

11. In this magnificent poem, Lamartine speaks of his great love for Elvire. They had met each other near this lake.

12. As for Vigny, I don't like his poems at all. They are often pessimistic and very difficult to read.

13. That's true, his are more difficult to read than those of the other Romantic poets. But what a thinker he was!

14. My favorite author is Victor Hugo. What an imagination was his!

15. You know, he was at the same time a great poet, dramatist, and novelist.

B. *Votre professeur vient de vous parler ces dernières semaines des principaux poètes romantiques. Vous en aimez un plus que tout autre et vous le défendez dans la conversation animée que vous avez avec un(e) de vos camarades. Dans votre dialogue, discutez:*

(1) du poète de votre choix;

(2) des raisons pour lesquelles vous le préférez aux autres poètes;

(3) des poèmes que vous avez lus de lui. En conclusion, vous pourrez parler de la place que lui a réservée la postérité.

VI. DICTÉE

A tirer de la vingt-deuxième conversation.

VII. LECTURE

PAUL GÉRALDY: Dualisme *(Bande 22)*

Paul Géraldy (né en 1885) est surtout célèbre par un petit recueil de poésies intitulé Toi et Moi (1920) *dans lequel il a déployé, avec toute la délicatesse de son talent, un lyrisme simple et intime. Dans ce court poème, il décrit une attitude que l'on trouve fréquemment chez les couples amoureux. Apprenez le poème par cœur.*

Chérie, explique-moi pourquoi
tu dis: «MON piano, MES roses»,
et: «TES livres, TON chien» . . . pourquoi
je t'entends déclarer parfois:
5   «c'est avec MON ARGENT A MOI
que je veux acheter ces choses».
Ce qui m'appartient t'appartient!
Pourquoi ces mots qui nous opposent:
le tien, le mien, le mien, le tien?
10   Si tu m'aimais tout à fait bien,
tu dirais: «LES livres, LE chien»
et: «NOS roses».

7 appartenir à: être la propriété de quelqu'un

QUESTIONNAIRE

1. Qui a écrit «Dualisme»?
2. Dans quel recueil le poème a-t-il été publié?
3. A quelle date le recueil a-t-il été publié?
4. Combien y a-t-il de vers dans ce poème?
5. Combien de syllabes y a-t-il dans chaque vers?
6. Combien y en a-t-il dans le dernier?
7. Comment appelle-t-on un vers de huit syllabes?
8. Relevez les rimes de chaque vers.
9. Quelle est la disposition des rimes dans ce poème?
10. A qui le poète s'adresse-t-il?
11. Que demande le poète à celle qu'il aime, à sa chérie?
12. Que lui dit-elle, d'après lui?
13. Qu'est-ce que le poète l'entend déclarer parfois?
14. Que lui répond alors le poète?
15. Quels sont les mots qui les opposent?
16. Que devrait-elle dire si elle l'aimait tout à fait bien?
17. Pensez-vous que les deux s'aiment autant l'un que l'autre?
18. Faut-il mettre tout en commun quand on s'aime?

LEÇON 23

I. CONVERSATION: A l'agence de voyages *(Bande 23)*

(Dans le bureau de M. Durand, agent de voyages)

M. DURAND: Je suis désolé de vous avoir fait attendre, monsieur. Entrez dans mon bureau.

PHILIP: Vous ne m'avez pas fait attendre. Je dois dire que j'en ai profité pour lire vos dépliants.

M. DURAND: Asseyez-vous, je vous en prie. Que puis-je faire pour vous?

PHILIP: Je voudrais retenir un passage sur le paquebot «France».

M. DURAND: Oui. Quelle classe? Première ou touriste?

PHILIP: Touriste, s'il vous plaît.

M. DURAND: Pour quelle date?

PHILIP: Je dois être à New York avant la fin de septembre . . .

M. DURAND: Bon! Voyons ce qui nous reste . . . Fin août, tout est pris et le prochain départ est le 11 septembre . . . Ça devrait vous convenir. Qu'en pensez-vous?

PHILIP: Oui, je crois. De toute façon, je me rends compte que j'aurais dû venir vous voir beaucoup plus tôt.

M. DURAND: Oui. En tout cas, sur ce départ, je pourrai vous faire avoir soit une cabine simple intérieure, soit une cabine double extérieure avec douche et toilette.

PHILIP: Sur quel pont sont-elles?

M. DURAND: Regardez le plan d'emménagement: la première est sur le pont supérieur, la seconde sur le pont promenade.

PHILIP: Parfait! Je vais prendre la cabine double.

M. DURAND: Je vous la ferai retenir: c'est donc la cabine numéro 235, avec deux couchettes basses.

PHILIP: Combien je vous dois?

M. DURAND: C'est en saison . . . Vous me devez 325 dollars 50, plus le droit de port du Havre, 4 dollars 50. Avez-vous votre passeport sur vous?

PHILIP: Oui, le voilà avec mon certificat de vaccination contre la variole.

M. DURAND: C'est parfait. Je vous ferai envoyer votre billet demain matin.

PHILIP: Est-ce que vous avez des étiquettes pour ma malle et mes valises?

M. DURAND: Oui, bien sûr. Tenez, en voilà. Vous avez d'autres questions?

PHILIP: A quelle heure dois-je être au Havre?

M. DURAND: Une heure avant le départ car il faut que vous passiez à la douane.

PHILIP: Je vous remercie infiniment . . .

M. DURAND: De rien, de rien. Bon voyage!

Questionnaire (*Bande 23*)

Répondez aux questions suivantes:

1. Où est Philip?

Agence de Voyages
French Embassy Press & Information Division

2. Qu'est-ce que Philip a fait avant d'entrer dans le bureau de M. Durand?
3. Que désire-t-il retenir?
4. En quelle classe désire-t-il retenir un passage?
5. Quand Philip doit-il être de retour à New York?
6. Sur quel départ Philip aura-t-il une cabine?
7. Quelles cabines M. Durand propose-t-il à Philip?
8. Sur quel pont sont-elles?
9. Quelle cabine Philip va-t-il prendre?
10. Quel est le prix du passage?
11. Quand M. Durand fera-t-il envoyer le billet?
12. À quelle heure Philip doit-il être au Havre?

Dialogue

Demandez à un(e) étudiant(e):

1. ce que c'est qu'une agence de voyages. [L'étudiant(e) répondra à toutes les questions posées.]
2. s'il (si elle) préfère prendre le bateau ou l'avion. Pourquoi?
3. sur quel bateau il (elle) aimerait voyager.
4. quelles sont les deux différentes classes du paquebot «France».
5. quels papiers il faut présenter pour se rendre à l'étranger.
6. de nommer les deux sortes de couchettes des cabines.
7. quels pays il (elle) aimerait visiter. Pourquoi?
8. quel est le plus beau voyage qu'il (elle) ait fait.
9. ce que font les douaniers.
10. ce qu'il faut en général déclarer à la douane.

II. EXPRESSIONS A RETENIR

de rien	*don't mention it, you're welcome*
de toute façon	*anyway, at any rate*
en tout cas	*at any rate, in any case, in any event*
être de retour	*to be back*
être désolé	*to be very sorry*
faire attendre quelqu'un	*to keep someone waiting*
profiter de	*to take advantage of*
retenir un passage	*to book passage*
se faire vacciner	*to have oneself vaccinated*
se rendre compte de	*to realize*
une couchette supérieure (basse)	*an upper (lower) berth*

III. GRAMMAIRE

99. Uses of *devoir* (Les emplois du verbe *devoir*)

(a) Combien je vous **dois?**
Tu me **devras** vingt dollars.

When not followed by an infinitive, **devoir** means *to owe.*

(b) When followed by an infinitive, **devoir** has various meanings depending on tense and context:

1. **Devoir** expresses necessity:

Je dois aller m'inscrire tout de suite.
I must (have to) go and register immediately.
Nous devrons être à New York avant la fin de septembre.
We'll have to be in New York before the end of September.
Ils ont dû faire la queue pour prendre leurs billets.
They had to stand in line to buy their tickets.

2. **Devoir** expresses probability:

Philip est très pâle; **il doit être** malade.
Philip is very pale; he must be (probably is) sick.
Je n'ai pas vu Nicole; **elle a dû rester** chez elle.
I didn't see Nicole; she must have (probably) remained at home.

3. **Devoir** expresses expectation:

Il doit être de retour demain.
He is to (is supposed to) be back tomorrow.
Nous devions partir hier soir.
We were to (were supposed to) leave last night.

4. **Devoir** expresses duty or obligation:

On doit toujours **payer** ses dettes.
One should (must) always pay one's debts.
Nous devrions réviser nos cours.
We ought to (should) review our courses.
J'aurais dû venir vous voir plus tôt.
I ought to (should) have come to see you sooner.

100. Causative *faire* (Le verbe factitif)

(a) **Elle fait recommander** cette lettre.
Je ne ferai pas resserrer les freins.

Il m'a fait retenir une cabine double.

Nous avons fait enregistrer les bagages. **Nous les avons fait¹ enre-gistrer.**

When followed by an infinitive, **faire** is causative, that is, the subject of the verb causes an action to be done by someone else. This construction is equivalent to English *have something done, have (make) somebody do something.*

Note:

(1) **Faire** and the infinitive form a thought unit and are never separated from one another.

(2) All noun objects follow the infinitive; pronoun objects precede **faire:**

Je vous ferai envoyer votre billet demain.
I'll have your ticket sent to you tomorrow.

(3) When there are two objects, the object of the infinitive is direct and the object of **faire** is indirect:

Elle a fait lire la lettre à Nicole.²
She had Nicole read the letter.
Elle la lui a fait lire.
She had her read it.

(b) Faites-le partir.   *Make (Have) him leave.*
Faisons-la-lui réparer.   *Let's make (have) him repair it.*

But

Ne **le** faites pas partir.   *Don't make (have) him leave.*
Ne **la lui** faisons pas réparer.   *Let's not make (have) him repair it.*

In the affirmative imperative, the pronoun objects follow **faire.**

101. Repassez dans l'appendice le présent de l'indicatif, l'imparfait, le présent du subjonctif, le futur, le conditionnel et les temps composés des verbes **courir, boire** et **mourir.**

---

¹ The past participle of causative **faire** is invariable, that is, it does not agree with the preceding direct object.

² This example could also mean: *She had someone read the letter to Nicole.* To avoid such ambiguity, **à** is replaced by **par** to indicate that the object of **faire** performs the action:

Elle a fait lire la lettre par Nicole. Elle l'a fait lire par elle.
She had Nicole read the letter. She had her read it.

IV. EXERCICES

A. *Répétez les phrases suivantes en employant les pronoms indiqués* (*Bande* 23):

1. Je bois toujours du lait aux repas. (elle)
2. Il avait couru aussi vite qu'il pouvait. (ils)
3. Elle mourait de faim. (je)
4. J'ai bu à sa santé. (nous)
5. Nous boirons quelque chose en arrivant. (il)
6. Il faudra que vous couriez le voir. (tu)
7. Il en serait mort s'il l'avait su. (vous)

B. *Répétez les phrases suivantes en employant la forme convenable de* «*devoir*» (*Bande* 23):

MODÈLE: Je suis obligé de me lever de bonne heure.
Je dois me lever de bonne heure.

1. Elle est obligée d'être à Paris fin août.
2. Nous avons été obligés de passer à la douane.
3. Je serai obligé de m'arrêter de fumer.
4. Vous êtes obligé d'avoir un visa.
5. Ils seront obligés de lui donner un coup de main.
6. Il est obligé de rester chez lui ce soir.
7. As-tu été obligé de les y emmener?
8. Nous serons obligés de partir très tôt.
9. Ils ont été obligés de lui en parler.
10. Je suis obligé de trouver une situation.
11. Vous serez obligé de payer un droit de port.
12. Elle est obligée de retenir un passage.
13. Nous avons été obligés de prendre l'avion.

C. *Refaites les phrases suivantes selon le modèle* (*Bande* 23):

MODÈLE: Il a probablement reçu le chèque ce matin.
Il a dû recevoir le chèque ce matin.

1. Elle a probablement appris à nager.
2. Vous avez probablement fait sa connaissance.
3. Tu as probablement vu cela à Paris.
4. Il a probablement attrapé un rhume.
5. Elles ont probablement trouvé ce qu'elles cherchaient.
6. Vous avez probablement entendu parler de lui.
7. Ils sont probablement allés à la pêche.
8. Nicole a probablement essayé de vous téléphoner.

   9. M. Martin a probablement raté son train.
  10. Elle lui a probablement écrit.

D. *Transformez les phrases suivantes en employant le conditionnel du verbe «devoir»* (Bande 23):

  MODÈLE: Il faut que je réponde à sa lettre.
                 Je devrais répondre à sa lettre.

   1. Il faut que nous partions tout de suite.
   2. Il vaut mieux que vous veniez avec nous.
   3. Il est important qu'ils le fassent immédiatement.
   4. Il est indispensable que j'obtienne un passeport.
   5. Il est nécessaire qu'elle nous dise la vérité.
   6. Il faut que vous soyez toujours à l'heure.
   7. Il est important qu'il en achète un.
   8. Il vaut mieux que nous y allions en voiture.
   9. Il est bon que tu ne fumes pas trop.
  10. Il est juste que vous preniez des vacances.
  11. Il est important que tu la revoies avant de partir.
  12. Il faut que j'ouvre un compte à la banque.
  13. Il est nécessaire que nous sachions l'heure exacte de son arrivée.
  14. Il est important que vous vous rendiez compte de cela.
  15. Il est essentiel que tu apprennes ce poème par cœur.
  16. Il faut que nous nous dépêchions.

E. *Répondez aux questions suivantes selon le modèle* (Bande 23):

  MODÈLE: Vous n'avez pas envoyé le télégramme?
                 Non. Mais j'aurais dû l'envoyer.

   1. Tu ne l'as pas fait?
   2. Il n'a pas réservé la table?
   3. Tu n'as pas vu ce film?
   4. Ils n'ont pas téléphoné à Nicole?
   5. Vous n'êtes pas resté chez vous?
   6. Il n'a pas dit ce qu'il pensait?
   7. Ils n'ont pas demandé de renseignements?
   8. Elle n'a pas mis son imperméable?
   9. Tu n'as pas lu les dépliants?
  10. Elles ne sont pas encore revenues?
  11. Vous n'avez pas pris le métro?
  12. Il n'a pas acheté le vin?
  13. Tu n'as pas regardé le plan?
  14. Elle n'a pas encore retenu son passage?

F. Transformez les phrases suivantes en employant le verbe «faire»
(Bande 23):

MODÈLE: Il a construit une maison.
          Il a fait construire une maison.

1. Il emmènera Nicole à l'aéroport.
2. Nous avons enregistré nos bagages.
3. As-tu vérifié les pneus?
4. Elle réservait toujours la même chambre.
5. Elles ont pris des photos du château.
6. Avez-vous resserré les freins?
7. Il ne publiera pas ses mémoires.
8. Il m'a offert un petit cognac.
9. Nous avons apporté nos valises à la consigne.
10. J'enverrai le paquet par avion.
11. Elle nettoyait son appartement tous les samedis.
12. Il me passe le beurre.
13. Le professeur prononçait les mots à haute voix.
14. J'ai fermé la porte.

G. Répétez les phrases suivantes en remplaçant les noms par des pro-
noms personnels, par «y» ou par «en» (Bande 23):

MODÈLE: Elle a fait remplir la fiche à Nicole.
          Elle la lui a fait remplir.

1. Je ferai retenir la cabine à Philip.
2. Il m'a fait conduire à la gare.
3. Ils nous ont fait garder les livres.
4. Ne fais pas attendre Pierre.
5. Elle a fait recommander le colis.
6. Faites nettoyer les chambres par la bonne.
7. Je ferai envoyer le billet à Paul.
8. Ne faisons pas venir le médecin.
9. Fais mettre les lettres à la poste.
10. Il a fait chanter les chansons aux jeunes filles.
11. Elle m'a fait apporter du saucisson.
12. Faites recopier la composition à Michèle.
13. Il nous faisait réciter des vers.
14. Nous faisons lire l'article à Jean.
15. Faites servir des hors-d'œuvre aux invités.
16. Le douanier a fait ouvrir la valise à Marie.

H. *Employez dans des phrases complètes huit des expressions à retenir qui se trouvent à la section II.*

V. COMPOSITION

A. *Dites, puis écrivez en français:*

1. Weren't you supposed to go to the travel agency with Philip today?
2. He and I already went there yesterday. You know he must be back in New York before the end of September.
3. He had to book passage on a French liner.
4. His ship is to leave a week from today.
5. The travel agent told him that he should have come to see him sooner because he doesn't have too many good cabins left.
6. However, he is having a cabin reserved for him on the upper deck.
7. He'll have his ticket sent to him tomorrow.
8. At what time must he be at the pier? — He ought to be there an hour before sailing because he'll have to pass through customs.
9. I don't see Philip. Hasn't he arrived yet? He probably got up late this morning.
10. In any event, when he gets here, don't keep him waiting; let him come in immediately.
11. I wonder if he realizes that he'll have to have himself vaccinated because he'll need a smallpox vaccination certificate.

B. *Vous devez faire un voyage à l'étranger. Passeport et visa en main, vous vous rendez à l'agence de voyages de votre quartier afin de retenir un passage sur un bateau. Écrivez une composition dans laquelle vous parlerez:*

(1) de votre projet de voyage;
(2) du bateau sur lequel vous aimeriez voyager—des différentes réservations que vous voudriez faire (train, hôtel . . .);
(3) de ce que l'agent de voyages peut vous offrir en cette saison de l'année.
(4) des décisions que vous prenez. En conclusion, vous parlerez des sentiments qui vous animent à la pensée du beau voyage que vous allez faire.

VI. DICTÉE

A tirer de la vingt-troisième conversation.

VII. LECTURE

ALBERT CAMUS: CALIGULA (*Bande 23*)

Albert Camus, né en Algérie en 1913, fut un des plus grands écrivains d'après guerre (deuxième guerre mondiale). Auteur lucide, penseur profond autant qu'original, Camus trouva la mort en 1960 dans un accident de voiture. Peu auparavant, en 1957, le Prix Nobel était venu couronner cette œuvre qui «met en lumière les problèmes se posant de nos jours à la conscience des hommes».

Camus fut l'inspirateur de sa génération. On lui doit des romans comme L'Étranger, La Peste, La Chute, *des essais philosophiques (*Le Mythe de Sisyphe, L'Homme *révolté), des recueils de nouvelles (*L'Exil et le Royaume*), des articles recueillis sous le titre d'*Actuelles *et des pièces de théâtre comme* Le Malentendu, Caligula, L'État de Siège *et* Les Justes.

Caligula, *jouée pour la première fois en 1945, est la pièce qui met le mieux en évidence la philosophie de l'absurde. Le jeune Caligula rêve d'être un prince juste et raisonnable. Devant la mort de celle qu'il aime, il découvre que «ce monde tel qu'il est fait n'est pas supportable» et que «les hommes meurent et ne sont pas heureux». Puisque rien n'a de sens, Caligula décide de s'affranchir de toute règle. Il tentera en vain de «donner des chances à l'impossible» en cherchant à se procurer la lune, «quelque chose qui soit dément peut-être, mais qui ne soit pas de ce monde».*

Caligula, *c'est le* Mythe de Sisyphe *en action. C'est l'homme absurde qui exécute son programme.*

Le jeune empereur Caligula a disparu après la mort de son amante, Drusilla. Les patriciens sont relativement inquiets de cette fugue qu'ils attribuent à la douleur.

Mais Caligula rentre au palais.

Hélicon, *d'un bout de la scène à l'autre.* — Bonjour Caïus.

Caligula, *avec naturel.* — Bonjour Hélicon.

(*Silence.*)

Hélicon. — Tu sembles fatigué?

Caligula. — J'ai beaucoup marché. 5

Hélicon. — Oui, ton absence a duré longtemps.

(*Silence.*)

Caligula. — C'était difficile à trouver.

Hélicon. — Quoi donc?

Caligula. — Ce que je voulais. 10

Hélicon. — Et que voulais-tu?

Caligula, *toujours naturel.* — La lune.

Hélicon. — Quoi?

Caligula. — Oui, je voulais la lune.

Hélicon. — Ah! 15

(*Silence. Hélicon se rapproche.*)

Hélicon. — Pour quoi faire?

Caligula. — Eh bien!... C'est une des choses que je n'ai pas.

Hélicon. — Bien sûr. Et maintenant, tout est arrangé?

Caligula. — Non, je n'ai pas pu l'avoir. 20

Hélicon. — C'est ennuyeux.

Caligula. — Oui, c'est pour cela que je suis fatigué.

(*Un temps.*)

Caligula. — Hélicon!

Hélicon. — Oui, Caïus. 25

Caligula. — Tu penses que je suis fou.

Hélicon. — Tu sais bien que je ne pense jamais.

Caligula. — Oui. Enfin! Mais je ne suis pas fou et même je n'ai jamais été aussi raisonnable. Simplement, je me suis senti tout d'un coup un besoin d'impossible. (*Un temps.*) Les choses, telles qu'elles 30 sont, ne me semblent pas satisfaisantes.

Hélicon. — C'est une opinion assez répandue.

Caligula. — Il est vrai. Mais je ne le savais pas auparavant. Maintenant, je sais. (*Toujours naturel.*) Ce monde, tel qu'il est fait, n'est pas supportable. J'ai donc besoin de la lune, ou du bonheur, ou de l'im- 35 mortalité, de quelque chose qui soit dément peut-être, mais qui ne soit pas de ce monde.

Hélicon. — C'est un raisonnement qui se tient. Mais, en général, on ne peut pas le tenir jusqu'au bout.

40 Caligula, *se levant, mais avec la même simplicité.* — Tu n'en sais rien. C'est parce qu'on ne le tient jamais jusqu'au bout que rien n'est obtenu. Mais il suffit peut-être de rester logique jusqu'à la fin.

(*Il regarde Hélicon.*)

Caligula. — Je sais aussi ce que tu penses. Que d'histoires pour la
45 mort d'une femme! Mais ce n'est pas cela. Je crois me souvenir, il est vrai, qu'il y a quelques jours, une femme que j'aimais est morte. Mais qu'est-ce que l'amour? Peu de chose. Cette mort n'est rien, je te le jure; elle est seulement le signe d'une vérité qui me rend la lune nécessaire. C'est une vérité toute simple et toute claire, un peu bête,
50 mais difficile à découvrir et lourde à porter.

Hélicon. — Et qu'est-ce donc cette vérité?

Caligula, *détourné, sur un ton neutre.* — Les hommes meurent et ils ne sont pas heureux.

Hélicon, *après un temps.* — Allons, Caïus, c'est une vérité dont on
55 s'arrange très bien. Regarde autour de toi. Ce n'est pas cela qui les empêche de déjeuner.

Caligula, *avec un éclat soudain.* — Alors, c'est que tout, autour de moi, est mensonge, et moi, je veux qu'on vive dans la vérité! Et justement, j'ai les moyens de les faire vivre dans la vérité. Car je sais ce qui
60 leur manque, Hélicon. Ils sont privés de la connaissance et il leur manque un professeur qui sache ce dont il parle.

Hélicon. — Ne t'offense pas, Caïus, de ce que je vais te dire. Mais tu devrais d'abord te reposer.

Caligula, *s'asseyant et avec douceur.* — Cela n'est pas possible, Héli-
65 con, cela ne sera plus jamais possible.

Hélicon. — Et pourquoi donc?

Caligula. — Si je dors, qui me donnera la lune?

QUESTIONNAIRE

1. Qui est Albert Camus?
2. Qu'est-ce que son œuvre a surtout mis en lumière?
3. En quelle année Camus a-t-il reçu le Prix Nobel?
4. Que doit-on à Camus? De quoi se compose son œuvre?
5. Qu'est-ce que *Caligula*?

6. En quelle année cette pièce a-t-elle été représentée pour la première fois?
7. Que rêvait d'être le jeune Caligula?
8. Qu'a fait Caligula après la mort de Drusilla?
9. Pourquoi les patriciens sont-ils inquiets?
10. A quoi attribuent-ils l'absence du jeune empereur?
11. Caligula rentre soudain au palais après trois jours d'absence. Par qui est-il accueilli?
12. Que voulait Caligula?
13. Pourquoi voulait-il la lune?
14. Pourquoi Caligula est-il fatigué?
15. Qu'est-ce que Caligula a soudainement éprouvé après la mort de Drusilla?
16. Que sait-il à présent?
17. Pourquoi Caligula a-t-il besoin de la lune?
18. De quoi a-t-il véritablement besoin?
19. Est-ce un raisonnement qui se tient? Peut-on tenir le raisonnement que tient Caligula jusqu'au bout?
20. Quelle est la réponse de Hélicon à cette question? Et celle de Caligula?
21. Que représente la mort de l'amante aux yeux de Caligula?
22. Quelle est la vérité que Caligula vient de découvrir?
23. Quelle décision Caligula va-t-il prendre à l'égard des patriciens?
24. De quoi les patriciens sont-ils privés?
25. Que leur manque-t-il?
26. Quel conseil Hélicon donne-t-il à Caligula?
27. Pourquoi ne lui sera-t-il jamais plus possible de se reposer?
28. Faites un portrait de chacun des deux personnages en interprétant celles de leurs paroles qui vous paraissent les plus remarquables.
29. Relevez les traits comiques de cette scène. Que pensez-vous de ce comique? Vous paraît-il sans mélange?
30. A votre avis, est-il bon que les hommes s'accommodent assez bien de la découverte faite par Caligula?

LEÇON 24

I. CONVERSATION: Traversée sur le «France»
(Bande 24)

PHILIP: Claude! En voilà une surprise! Vous ne m'aviez pas dit que vous alliez aux États-Unis! Vous êtes bien Claude Colette, je ne me trompe pas . . .

CLAUDE: Exactement. La dernière fois que nous nous sommes vus, c'était précisément à une soirée chez votre ami Pierre . . . j'étais alors interne dans un hôpital à Paris.

PHILIP: Qu'allez-vous faire aux États-Unis?

CLAUDE: Je suis envoyé par mon service pour assister au congrès de chirurgie qui aura lieu très prochainement à New York.

PHILIP: Mais c'est absolument sensationnel! Où est votre cabine?

CLAUDE: Sur le pont principal. J'ai le numéro 234. Et la vôtre?

PHILIP: La mienne est sur le pont promenade, au numéro 235.

CLAUDE: Mais je ne vous ai pas vu au gala hier soir?

PHILIP: Non, je ne me sentais pas très bien. J'avais le mal de mer. Comment était-ce?

CLAUDE: Vraiment très bien! J'étais invité à la table du commissaire de bord et nous avons dansé jusqu'à deux heures du matin ...

PHILIP: Quel bateau! Et il y a tant de distractions ...

CLAUDE: Est-ce que vous êtes déjà allé à la piscine?

PHILIP: Non, pas encore. Où est-elle située exactement?

CLAUDE: Sur le pont véranda. Elle est agréablement climatisée et il y a un bar et une salle de sports à la disposition des passagers.

PHILIP: Cette traversée est véritablement un rêve ...

CLAUDE: Au fait, avez-vous lu «L'Atlantique», le journal de bord?

PHILIP: Oui. On annonce une tempête au large de Terre-Neuve ...

CLAUDE: Nous n'avons rien à craindre: il y a des stabilisateurs qui empêchent le roulis.

PHILIP: Si nous allions déjeuner tout de suite?

CLAUDE: C'est un peu tôt. Allons au bar prendre l'apéritif ...

Questionnaire (Bande 24)

Répondez aux questions suivantes:

1. Qui Philip rencontre-t-il sur le bateau?
2. Où s'étaient-ils vus la dernière fois?
3. Que faisait alors Claude?
4. Qu'est-ce que Claude va faire aux États-Unis?
5. Où ce congrès aura-t-il lieu?
6. Où est la cabine de Claude?
7. Où Claude a-t-il passé la soirée hier soir?
8. A quelle table avait-il été invité?
9. Pourquoi Philip n'est-il pas allé au gala?
10. Où est la piscine?
11. Qu'y a-t-il près de la piscine?
12. Qu'est-ce que «L'Atlantique»?
13. Qu'est-ce que le journal de bord vient d'annoncer?
14. Qu'est-ce que Philip et Claude vont faire avant d'aller déjeuner?

Le France
French Embassy Press & Information Division

Dialogue

Demandez à un(e) étudiant(e):

1. ce que font les passagers sur le pont d'un bateau au moment du départ. [L'étudiant(e) répondra à toutes les questions posées.]
2. quel voyage il (elle) aimerait faire.
3. quels sont les différents ponts d'un paquebot.
4. quelles distractions il y a à bord d'un paquebot pendant la journée.
5. ce que l'on peut faire le soir.
6. ce qui provoque le mal de mer.
7. ce qui donne au «France» sa très grande stabilité en mer.
8. combien de temps il faut pour traverser l'océan Atlantique en bateau.

II. EXPRESSIONS A RETENIR

à la disposition de	*at the disposal of*
aller à terre	*to go ashore*
avoir le mal de mer	*to be seasick*
avoir lieu	*to take place*
être climatisé	*to be air-conditioned*
mettre (retirer) la passerelle	*to put up (withdraw) the gangplank*
monter à bord	*to go on board*

III. GRAMMAIRE

102. Formation of Adverbs (La formation des adverbes)

L'ADJECTIF	L'ADVERBE
absolu	absolument
probable	probablement
rapide	rapidement
simple	simplement
vrai	vraiment

But

actif	> active	activement
complet	> complète	complètement
essentiel	> essentielle	essentiellement
exact	> exacte	exactement
heureux	> heureuse	heureusement

Adverbs are formed regularly by adding **-ment** to the masculine singular form of the adjective if it ends in a vowel. If it ends in a consonant, **-ment** is added to the feminine singular form of the adjective.[1]

Adjectives ending in **-ant** or **-ent** form adverbs by dropping **-nt** and adding **-mment**:

constant	constamment
courant	couramment
évident	évidemment
récent	récemment

103. Position of Adverbs (La place des adverbes)

(a) Elle avait **constamment** le mal de mer.
On ne voit **vraiment** cela qu'à Paris.
Il passaient **toujours** leurs vacances au bord de la mer.

Adverbs normally follow the verb in simple tenses.[2]

---

[1] A few adverbs change final **e** of the adjective to **é**:

énorme	énormément
précis	précisément
profond	profondément

[2] When an object follows the verb, the adverb may follow the verb or the object:

Il remplit **immédiatement** la fiche.
Il remplit la fiche **immédiatement**.

(b) 1.　Est-ce que vous êtes **déjà** allé à la piscine?
　　　Il n'a pas **encore** lu le journal.
　　　Nicole m'a **souvent** parlé de vous.

In compound tenses, such adverbs as **souvent, bien, déjà, toujours, encore, mal** stand between the auxiliary verb and the past participle.

2.　Est-ce que Nicole vous a téléphoné **aujourd'hui?**
　　　Nous nous sommes rencontrés **hier.**
　　　Je me suis levé **tôt** ce matin.
　　　Nous sommes venus **ici** pour étudier.
　　　Ils m'ont écouté **attentivement.**

Certain adverbs of time and place (such as **aujourd'hui, hier, tard, tôt, ici, là, partout**) and most adverbs ending in -ment generally follow the past participle in the compound tenses.[1]

Note:

(1) Adverbial phrases (such as **tout de suite, de bonne heure**) follow the past participle (or an object):

　　A-t-elle envoyé la lettre **tout de suite?**
　　Vous êtes-vous couché **de bonne heure** hier soir?

(2) When **peut-être** (*perhaps*), **à peine** (*hardly, scarcely*), **aussi** (*so, therefore*), or **du moins** (*at least*) begins a clause, there is inversion of subject and verb:

　　Peut-être vaudrait-il mieux rester ici.
　　Perhaps it would be better to stay here.
　　Aussi a-t-il pris le premier bateau.
　　So he took the first boat.

104.　Passive Voice (La voix passive)

A verb is in the passive voice when the subject, instead of performing the action, receives the action of the verb:

(active)　　Philip is taking the picture.
(passive)　　The picture is (being) taken by Philip.

The passive in French consists of the proper form of **être** plus past

---

[1] With noun objects, these adverbs usually have the same position as in English:

　　Il m'a envoyé les billets **hier.**
　　J'aurais garé la voiture **ici.**

participle. The past participle always agrees in gender and in number with the *subject*. The agent (doer of the action) is usually introduced by **par**:

Les règles **sont expliquées** par Pierre.
The rules are being explained by Peter.
Cette pièce **a été écrite** par Molière.
This play was written by Molière.
Josette **sera conduite** à l'aéroport par Michel.
Josette will be driven to the airport by Michael.

Note:

(1) **De** is preferred before the agent when the verb expresses a mental, emotional, or habitual relationship:

Jean est estimé **de** ses camarades.
Jean is esteemed by his friends.
Elle était toujours accompagnée **de** sa sœur.
She was always accompanied by her sister.

(2) French tends to avoid the passive in favor of an active construction, especially when the agent is *not* expressed. **On** plus active verb or a reflexive construction is usually substituted for the passive:

Ici **on trouve** de tout.
Everything is found here.
On a annoncé une tempête à la radio.
A storm was reported on the radio.

Cela ne **se fait** pas.
That isn't done.
Ces produits **se vendent** partout.
These products are sold everywhere.

105. Repassez dans l'appendice le présent de l'indicatif, l'imparfait, le présent du subjonctif, le futur, le conditionnel et les temps composés des verbes **plaire** et **battre**.

IV. EXERCICES

A. *Répétez les phrases suivantes en employant les pronoms indiqués* (*Bande 24*):

    1. Je me plaisais toujours à la campagne. (elles)
    2. Nous nous battrions pour cela. (on)

3. Ils se sont tus pendant le discours. (elle)
4. Il se plaît à le faire. (je)
5. Nous combattrons vigoureusement ces idées. (ils)
6. Il faut que vous vous taisiez en classe. (tu)
7. En entendant cela, elle avait battu des mains. (nous)

B. *Répondez aux questions suivantes selon le modèle en employant les adverbes indiqués* (Bande 24):

MODÈLE: Est-ce que tu avais peur d'être en retard? (tellement)
Oui, j'avais tellement peur d'être en retard.

1. Est-ce que j'aurais pu vous donner un coup de main? (toujours)
2. Est-ce qu'elle me donnera une fiche à remplir? (sûrement)
3. Est-ce qu'il y a une voiture sur le pont? (déjà)
4. Est-ce que tu les voyais à la piscine? (souvent)
5. Est-ce qu'il vous a raconté ce qu'il avait fait? (brièvement)
6. Est-ce que je m'amuserai à les relire? (bien)
7. Est-ce qu'on l'a reçu à bras ouverts? (partout)
8. Est-ce que votre cabine était climatisée? (agréablement)
9. Est-ce qu'il neigera ce soir? (probablement)
10. Est-ce que la ligne était occupée? (constamment)

C. *Mettez les phrases suivantes au passé composé* (Bande 24):

1. Viendront-elles directement de Paris?
2. Il prend toujours un apéritif avant de dîner.
3. Les vacances passent trop rapidement.
4. Elle me faisait souvent attendre.
5. Je les voyais rarement chez Paul.
6. Nous irons nous inscrire tout de suite.
7. Elles arrivent fréquemment en retard.
8. Les soldats se battent courageusement.
9. Nous le remarquons déjà.
10. Elle ne partira pas encore.

D. *Répétez les phrases suivantes en mettant les adjectifs indiqués à la forme adverbiale* (Bande 24):

MODÈLE: Il fait chaud aujourd'hui. (vrai)
Il fait vraiment chaud aujourd'hui.

1. Je sais ce que je dois faire. (parfait)
2. Il vous a donné un mauvais numéro. (probable)

3. Nous aurons le temps de tout voir. (certain)
4. Elle est revenue d'un voyage en France. (récent)
5. Ils voyagent en classe touriste. (général)
6. Je le verrai ce soir. (sûr)
7. Ce paquebot est magnifique. (réel)
8. Pourrez-vous la réparer? (facile)
9. Je comprenais ce qu'il voulait dire. (exact)
10. Elle s'est mise à la recherche d'une chambre. (immédiat)
11. Il a répondu aux questions des passagers. (poli)
12. Elles ont regardé le plan d'emménagement. (attentif)
13. Leurs idées étaient fausses. (absolu)
14. Pierre m'a parlé de vous. (constant)

E. *Répétez les phrases suivantes en remplaçant la forme active du verbe par la forme passive* (Bande 24):

MODÈLE: Philip a réglé l'image.
L'image a été réglée par Philip.

1. Le douanier a examiné les bagages.
2. Le gouvernement paiera son passage.
3. Tout le monde respecte Marie.
4. Les étudiants ont discuté la situation politique.
5. Le professeur corrigeait les compositions.
6. Jean a emmené Michèle au concert.
7. Mon père prendra les billets.
8. François Ier a habité ce château.
9. Le garagiste vérifie toujours l'huile.
10. La femme de chambre a monté les valises.
11. Ces ouvriers ont construit la maison.
12. Tous ses camarades l'admirent.
13. La bonne lavera les fenêtres.
14. Des amis avaient conduit Paul à l'hôtel.

F. *Répétez les phrases suivantes, selon le modèle, en remplaçant la forme passive du verbe par la forme active* (Bande 24):

MODÈLE: J'ai été présenté à Thérèse.
On m'a présenté à Thérèse.

1. La table a été réservée hier.
2. La fiche est déjà remplie.
3. Je serai conduit à la gare.
4. Ces photos avaient été prises récemment.

5. Le dîner sera servi à six heures.
6. Nous avons été reçus cordialement.
7. Elle avait été vue au gala.
8. Le télégramme sera envoyé aujourd'hui.
9. Les enfants ont été grondés.
10. La lettre sera écrite en français.
11. Ce projet avait été commencé avant son départ.
12. Le problème sera discuté demain.

G. *Employez dans des phrases complètes les expressions à retenir qui se trouvent à la section II.*

V. COMPOSITION

A. *Dites, puis écrivez en français:*

1. Claude, what a nice surprise! I'm really very happy to see you again.
2. The last time we saw each other was precisely at Pierre's house. What are you doing here in the United States?
3. I was given a scholarship to study in an American hospital.
4. I didn't realize you had been sent here by your hospital.
5. I should have studied English more seriously. Many of the passengers on board spoke that language fluently.
6. I'll have to work diligently now if I want to succeed in learning English.
7. By the way, why are so many Americans seen everywhere in Europe during the summer?
8. That's easily explained! Americans like to travel. Perhaps they've already seen most of the interesting places in the United States.
9. Did you have a nice trip? — Generally, yes! All of the cabins on the ship were pleasantly air-conditioned, and many diversions were placed at the disposal of the passengers.
10. And how was the sea? — It was extremely calm during most of the crossing.
11. However, hardly had the trip started when we were told that there would be a storm.
12. I became seasick during the storm and I was terribly ill for two days.

B. *Une semaine vient de s'écouler depuis votre retour aux États-Unis. Aussi vous décidez-vous à écrire une lettre à un(e) de vos ami(e)s afin de lui donner de vos nouvelles et de lui raconter votre traversée. Dans votre lettre, vous pourrez parler:*

(1) de ce que vous avez fait sur le bateau;

(2) des distractions offertes (jeux, soirées, spectacles);

(3) des amis que vous avez rencontrés;

(4) et le cas échéant, des incidents survenus au cours de la traversée (tempête, sauvetage en mer).

VI. DICTÉE

A tirer de la vingt-quatrième conversation.

VII. LECTURE

ANTOINE DE RIVAROL: Clarté de la langue française (*Bande 24*)

En 1783, l'Académie des Sciences de Berlin proposa comme sujet de concours cette triple question: «Qu'est-ce qui a fait la langue française la langue universelle de l'Europe? Par où mérite-t-elle cette prérogative? Peut-on présumer qu'elle la conserve?»

Le prix, décerné le 3 juin 1784, fut partagé entre Antoine de Rivarol (1753–1801) pour son Discours sur l'universalité de la langue française et un professeur d'université allemand.

Cette universalité du rayonnement français, que proclame Rivarol, est, au XVIIIe siècle, reconnue par l'Europe elle-même: ce n'est pas une illusion nationaliste. Il y a cependant quelque chose d'arbitraire à expliquer ce rayonnement par la clarté et la logique — ce que Rivarol appelle «l'ordre direct» — et il a une curieuse façon d'identifier la pensée logique et claire à une pensée rectiligne et la vie passionnelle à des courbes. Psychologiquement, ce serait plutôt l'inverse. Ne pourrait-on pas dire avec raison que la passion est rectiligne et que la pensée intellectuelle est sinueuse?

En fait, ce texte constitue avant tout un témoignage sur une certaine vision

*que la culture française a d'elle-même. Les chances d'universalité de la
langue française sont surtout dans l'universalité des pensées qu'elle
véhicule.*

    Ce qui distingue notre langue des anciennes et modernes, c'est
l'ordre et la construction de la phrase. Cet ordre doit toujours être
direct et nécessairement clair. Le Français nomme d'abord le *sujet* de
la phrase, ensuite le *verbe* qui est l'action, et enfin l'*objet* de cette
5 action: voilà la logique naturelle à tous les hommes; voilà ce qui constitue le sens commun. Or cet ordre si favorable, si nécessaire au
raisonnement, est presque toujours contraire aux sensations, qui nom-
ment le premier l'objet qui frappe le premier: c'est pourquoi *tous* les
peuples, abandonnant l'ordre direct, ont eu recours aux tournures plus
10 ou moins hardies, selon que leurs sensations ou l'harmonie des mots
l'exigeaient, et l'inversion a prévalu sur la terre, parce que l'homme est
plus impérieusement gouverné par les passions que par la raison.
    Le Français, par un privilège unique, est seul resté fidèle à l'ordre
direct, comme s'il était toute raison; et on a beau, par les mouvements
15 les plus variés et toutes les ressources du style, déguiser cet ordre, il
faut toujours qu'il existe: et c'est en vain que les passions nous boule-
versent et nous sollicitent de suivre l'ordre des sensations: la syntaxe
française est incorruptible. C'est de là que résulte cette admirable
clarté, base éternelle de notre langue: ce qui n'est pas clair n'est pas
20 français; ce qui n'est pas clair est encore anglais, italien, grec ou latin.
Pour apprendre les langues à inversion, il suffit de connaître les mots
et leurs régimes; pour apprendre la langue française, il faut encore
retenir l'arrangements des mots. On dirait que c'est d'une géométrie
tout élémentaire, de la simple ligne droite que s'est formée la langue
25 française; et que ce sont les courbes et leurs variétés infinies qui ont
présidé aux langues grecque et latine. La nôtre règle et conduit la
pensée; celles-là se précipitent et s'égarent avec elle dans le labyrinthe
des sensations, et suivent tous les caprices de l'harmonie: aussi furent-
elles merveilleuses pour les oracles, et la nôtre les eût absolument
30 décriés (...).

---

10 hardi: audacieux   27 s'égarer: se perdre
10 selon que: ainsi que; en proportion que   30 décrier: discréditer

Si on ne lui trouve pas les diminutifs et les mignardises de la langue italienne, son allure est plus mâle. Dégagée de tous les protocoles que la bassesse inventa pour la vanité et la faiblesse pour le pouvoir, elle en est plus faite pour la conversation, lien des hommes et charme de tous les âges; et puisqu'il faut le dire, elle est de toutes les langues la 35 seule qui ait une probité attachée à son génie. Sûre, sociale, raisonnable, ce n'est plus la langue française, c'est la langue humaine. Et voilà pourquoi les puissances l'ont appelée dans leurs traités: elle y règne depuis les conférences de Nimègue; et désormais les intérêts des peuples et les volontés des rois reposeront sur une base plus fixe; on ne 40 sèmera plus la guerre dans des paroles de paix.

31 mignardise f.: douceur affectée; affectation
33 bassesse f.: *lowness; baseness*

39 Nimègue: célèbre par les traités qui s'y conclurent en 1678

THÈME

That which distinguishes most languages is the order and construction of the sentence. This order must always be direct and necessarily clear. French, for instance, starts a sentence with the subject, then come the verb, which denotes action, and finally the object of this action. Natural logic, common sense, you would say. Thus, this order, so favorable, so necessary to reason is most often contrary to feeling. Inversion has prevailed on earth because man is more imperiously governed by passion than by his reason. French is the only language to have remained faithful to the direct order, as though it were all reasoning. No matter how we disguise this order, it must always exist.

It is in vain that passions might shake us and invite us to follow the order of feelings. French syntax is incorruptible. Therein resides the admirable clarity of our language. That which is not clear is not French. That which is not clear is still English, Italian, Greek, or Latin. This is also why the great powers have used it for their treaties. In this way the interests of the people and the wills of kings and heads of state will rest on a more stable basis. We shall no longer sow the seeds of war while using words of peace.

AppeNdix

106. Pronunciation (Prononciation)

The letters of the French alphabet are generally the same as in English; the sounds these letters represent are, of course, quite different. Correct pronunciation of French sounds is necessary if you want to make yourself understood. Listen closely, therefore, to your instructor or the tape, imitate carefully what you hear, and repeat aloud as often as possible.

Strictly speaking, there is not a single letter of the French alphabet that is pronounced exactly like its English counterpart. When we compare a French sound with its English equivalent, the comparison is, at best, only an approximation. Keep in mind the following differences in articulation between French and English:

(a) In general, French sounds are articulated more clearly and energetically than those in English. Each sounded syllable in a French word is pronounced distinctly. While English vowels tend to be slurred, diphthongized, or prolonged, French vowels are crisp, sharp, and tense.

(b) French words are pronounced by syllables. In general, a French syllable begins with a consonant and ends with a vowel:

cho-co-lat	ga-re
co-mé-die	pro-me-na-de
é-di-fi-ce	té-lé-pho-ne
	tra-gé-die

(c) In English, there is usually a strong stress on one or more syllables of a word; in French, there is practically no stress. Each French syllable is pronounced with almost equal intensity, except that the last syllable of a word or sense group is held slightly longer. If the last syllable ends in unaccented e, the next-to-last syllable is held slightly longer:

é-cri-VAIN	é-QUI-pe
hô-TEL	ma-DA-me
res-tau-RANT	pro-BA-ble

madame MarTIN
Madame Martin est joLIE.

(d) French intonation is related to sense groups, in which words closely connected in meaning are pronounced as a group. Pauses usually occur between groups and at punctuation marks. In French, the voice rises toward the end of each sense group and falls with the final syllable to indicate the end of the statement:

Je cherche la préfecture de police.

La voilà, juste en face de vous.

C'est un de ces gros bâtiments.

(e) There are three written accents in French:[1]

(´) the acute accent (l'accent aigu) may occur only over the letter e: arrivée, écran, invité, jeté, télévision.

[1] In modern practice, it is permissible to omit accents on capital letters, especially on A, O, U.

(`) the grave accent (l'accent grave) may occur over the vowels **a, e, u**: à, là, voilà; chèque, dernière, siècle, très; où.

(^) the circumflex accent (l'accent circonflexe) may occur over any vowel: bâtiment, château, pâtisserie; être, fenêtre, même, pêche; boîte, dîner, maître; aussitôt, côté, hôtel, tôt; août, sûr.

Note: Accents do not indicate emphasis or stress.

The following are other orthographic signs:

(ç) the cedilla (la cédille) occurs only under **c** to indicate the sound [s]: ça, garçon, reçu.

(¨) the diaeresis (le tréma) occurs over a vowel to show that it has its own pronunciation separate from the preceding vowel: **Citroën, Noël.**

(-) the hyphen (le trait d'union) is used to form compound words: **celui-ci, dix-huit, donne-t-il.**

(') the apostrophe (l'apostrophe) is used to replace **e, a, i** when elided before a vowel sound: **l'école.**

(f) **Liaison** (Linking) is the sounding of a final consonant that is usually silent before a word beginning with a vowel sound. Linking occurs only between words which are closely connected within a sense group.

When linked, a few consonants change their sound: **s** and **x** become [z]; **d** becomes [t]; **f** sometimes becomes [v]:

ses affaires	prend - elle?	neuf heures
aux étudiants	un grand auteur	

Linking normally occurs:

1. between an article and a following noun or adjective:

> les Américains
> les autres cours

2. between an adjective and a following noun:

> de bons amis
> de grands écrivains

3. between a pronoun and verb or between a verb and pronoun:

ils écrivent	nous les avons vus
vous avez	sont - ils

4. after a preposition of one syllable:

chez‿elles
dans‿un instant

5. after an adverb of one syllable:

pas‿encore
très‿heureux

Linking often (but not always) occurs:

6. between an auxiliary verb and a past participle:

nous‿avons‿écrit   or   nous‿avons écrit
sont‿-‿elles‿arrivées?   or   sont‿-‿elles arrivées?

Linking never occurs:

7. after **et**:

lui et eux
un et un font deux

8. before **oui** and the numerals **un, huit, onze**:

mais oui
cent un
ses huit frères
il est onze heures

107. Sizes (Votre taille)

(a) Women (Dames)

1. Coats and Dresses (Manteaux et robes)

American:	8	10	12	14	16	18	20
French:	38	40	42	44	46	48	50

2. Shoes and Slippers (Chaussures et chaussons)

American:	4	5	6	7	8	9
French:	35	36	37	38	39	40

3. Blouses, Sweaters, and Slips (Corsages, chandails et combinaisons)

American:	32	34	36	38	40	42
French:	38	40	42	44	46	48

(b) Men (Messieurs)

 1. Coats and Suits (Pardessus et complets)

American:	36	38	40	42	44	46
French:	46	48	51	54	56	59

 2. Shoes and Slippers (Chaussures et pantoufles)

American:	8	8½	9½	10	10½
French:	41	42	43	44	45

 3. Shirts (Chemises)

American:	14½	15	15½	16	16½
French:	37	38	39	40	41

108. Weights and Measures (Poids et mesures)

1 centimètre	.39 inch (less than half an inch)
1 mètre	39.37 inches (about 1 yard, 3 inches)
1 kilomètre (1000 mètres)	.62 mile (about ⅝ of a mile)
1 gramme	.035 ounce
100 grammes	3.52 ounces
500 grammes (une livre)	17.63 ounces (about 1.1 pounds)
1000 grammes (un kilo)	35.27 ounces (about 2.2 pounds)
1 litre	1.06 quarts

109. Simple Past (Le passé simple)

(a) INFINITIVE   SIMPLE PAST

parler	je parlai	I spoke
	tu parlas	
	il parla	
	nous parlâmes	
	vous parlâtes	
	ils parlèrent	
finir	je finis	I finished
	tu finis	
	il finit	
	nous finîmes	
	vous finîtes	
	ils finirent	
vendre	je vendis	I sold
	tu vendis	
	il vendit	

nous vendîmes
vous vendîtes
ils vendirent

(b) Irregular **passé simple** forms:

avoir:	eus, eus, eut, eûmes, eûtes, eurent
boire:	bus, bus, but, bûmes, bûtes, burent
conduire:	conduisis, conduisis, conduisit, conduisîmes, conduisîtes, conduisirent
connaître:	connus, connus, connut, connûmes, connûtes, connurent
courir:	courus, courus, courut, courûmes, courûtes, coururent
craindre:	craignis, craignis, craignit, craignîmes, craignîtes, craignirent
croire:	crus, crus, crut, crûmes, crûtes, crurent
devoir:	dus, dus, dut, dûmes, dûtes, durent
dire:	dis, dis, dit, dîmes, dîtes, dirent
écrire:	écrivis, écrivis, écrivit, écrivîmes, écrivîtes, écrivirent
être:	fus, fus, fut, fûmes, fûtes, furent
faire:	fis, fis, fit, fîmes, fîtes, firent
falloir:	il fallut
lire:	lus, lus, lut, lûmes, lûtes, lurent
mettre:	mis, mis, mit, mîmes, mîtes, mirent
mourir:	mourus, mourus, mourut, mourûmes, mourûtes, moururent
plaire:	plus, plus, plut, plûmes, plûtes, plurent
pouvoir:	pus, pus, put, pûmes, pûtes, purent
prendre:	pris, pris, prit, prîmes, prîtes, prirent
recevoir:	reçus, reçus, reçut, reçûmes, reçûtes, reçurent
savoir:	sus, sus, sut, sûmes, sûtes, surent
valoir:	valus, valus, valut, valûmes, valûtes, valurent
venir:	vins, vins, vint, vînmes, vîntes, vinrent
voir:	vis, vis, vit, vîmes, vîtes, virent
vouloir:	voulus, voulus, voulut, voulûmes, voulûtes, voulurent

(c) L'enfant **fit** un effort désespéré pour se relever; mais il n'en **eut** pas le temps. Matéo **fit** feu, et Fortunato **tomba** raide mort.
The child made a desperate effort to get up; but he didn't have time. Mateo fired, and Fortunato fell stone-dead.

The simple past indicates an action or state entirely completed in the past. It is the narrative or historical past used in literary style, but generally not in conversation. The compound past replaces the simple past in conversation.

110. Past Anterior (Le passé antérieur)

The past anterior consists of the simple past of **avoir** or **être** plus past participle:

I had spoken	*I had gone*
j'eus parlé	je **fus allé(e)**
tu eus parlé	tu **fus allé(e)**
il **eut parlé**	il **fut allé**
nous **eûmes parlé**	nous **fûmes allé(e)s**
vous **eûtes parlé**	vous **fûtes allé(s), allée(s)**
ils **eurent parlé**	ils **furent allés**

The past anterior occurs in literary writings and not normally in conversation:

Dès qu'il **fut parti,** elle commença à pleurer.
As soon as he had left, she began to cry.

In conversation, the past anterior is replaced by the pluperfect or double compound past.[1] Compare:

(plus-que-parfait)   Après qu'il **était parti,** elle a commence à pleurer.
                     (Sometime) After he had left, she began to cry.
(passé surcomposé)   Après qu'il **a été parti,** elle a commencé à pleurer.
                     (Immediately) After he had left, she began to cry.

111. Future Perfect (Le futur antérieur)

(a) The future perfect consist of the future of **avoir** or **être** plus past participle:

j'**aurai parlé**	*I will have spoken*
tu **auras parlé**	
il **aura parlé**	
nous **aurons parlé**	
vous **aurez parlé**	
ils **auront parlé**	

je **serai allé(e)**	*I will have gone*
tu **seras allé(e)**	
il **sera allé**	
nous **serons allé(e)s**	
vous **serez allé(s), allée(s)**	
ils **seront allés**	

---

[1] The **passé surcomposé** consists of the **passé composé** of avoir or être plus past participle and expresses an action completed immediately before an action in the **passé composé.**

(b) **J'aurai** déjà **mangé** avant de vous rejoindre.
Nous **serons partis** avant son arrivée.

Il est huit heures; il lui en **aura** déjà **parlé**.
It's eight o'clock; he probably has already spoken to her about it.

The future perfect is used, as in English, to indicate an action that will have been completed before another action begins; also to express probability or conjecture in the past (last example).

(c) **Quand nous aurons fini** notre travail, nous irons au cinéma.
Dès qu'elle y sera arrivée, elle vous enverra un télégramme.
Fermez la porte **aussitôt qu'il sera sorti.**

The future perfect is used in French after such conjunctions of time as **quand, lorsque** (*when*), **aussitôt que, dès que** (*as soon as*), to express an action that will have taken place before another future action takes place.

112. Imperfect Subjunctive (L'imparfait du subjonctif)

(a) The imperfect subjunctive is formed by dropping the last letter of the first person singular of the simple past and adding the endings:

SIMPLE PAST	IMPERFECT SUBJUNCTIVE
je parla~~i~~	parlasse, parlasses, parlât, parla**ss**ions, parlassiez, parlassent
je fini~~s~~	finisse, finisses, finît, fini**ss**ions, finissiez, finissent
je vendi~~s~~	vendisse, vendisses, vendît, vendi**ss**ions, vendissiez, vendissent
j'eu~~s~~	eusse, eusses, eût, eu**ss**ions, eussiez, eussent
je fu~~s~~	fusse, fusses, fût, fu**ss**ions, fussiez, fussent

(b) J'étais content qu'il **fît** cela.
I was happy he was doing that.
I was happy he would do that.
Il doutait qu'elle **arrivât** avant les autres.
He doubted she was arriving before the others.
He doubted she would arrive before the others.

The imperfect subjunctive occurs primarily in literary and formal writings. It expresses an action that is simultaneous with or future to the action of the main verb. In conversation, the present subjunctive is used instead, although some third-person imperfect subjunctive forms are occasionally heard:

Je regrettais qu'elle **fût** malade.
I was sorry she was ill.

113. Pluperfect Subjunctive (Le plus-que-parfait du subjonctif)

(a) The pluperfect subjunctive consists of the imperfect subjunctive of **avoir** or **être** plus past participle:

j'eusse parlé
tu eusses parlé
il eût parlé
nous eussions parlé
vous eussiez parlé
ils eussent parlé

je **fusse allé(e)**
tu **fusses allé(e)**
il **fût allé**
nous **fussions allé(e)s**
vous **fussiez allé(s), allée(s)**
ils **fussent allés**

(b) J'étais content qu'il **eût fait** cela.
I was happy he had done that.
Il doutait qu'elle **fût arrivée** avant les autres.
He doubted she had arrived before the others.

The pluperfect subjunctive, like the imperfect subjunctive, occurs primarily in literary and formal writings. It expresses an action that had been completed before the action of the verb in the main clause. In conversation, the past subjunctive is used instead.

114. Verbs Requiring no Preposition Before a Dependent Infinitive (Les verbes qui sont suivis d'un infinitif sans préposition)

aimer	*to like*
aimer mieux	*to prefer*
aller	*to go*
assurer	*to assure*
avoir beau	*to be in vain*
courir	*to run*
croire	*to believe*
désirer	*to desire*
devoir	*to have to, must*
écouter	*to listen (to)*
entendre	*to hear*
envoyer	*to send*
espérer	*to hope*
faillir	*to be on the point of*
faire	*to make, do*

falloir	to be necessary
laisser	to leave, allow, let
mener	to lead, bring
mettre	to put, set
monter	to go (come) up
oser	to dare
paraître	to appear, seem
penser	to think, expect
pouvoir	to be able, can
préférer	to prefer
prétendre	to claim
se rappeler	to remember, recall
reconnaître	to recognize
regarder	to look at
rentrer	to go home, come back
retourner	to return, go back
revenir	to come back
savoir	to know (how)
sembler	to seem
sentir	to feel
souhaiter	to wish
supposer	to suppose
se trouver	to be
valoir mieux	to be better
venir	to come
voir	to see
voler	to fly
vouloir	to want, wish

115. Verbs Requiring the Preposition à Before a Dependent Infinitive (Les verbes qui sont suivis de la préposition à devant un infinitif)

aider à	to help
amener à	to bring
s'amuser à	to amuse oneself, have a good time
apprendre à	to learn
arriver à	to succeed in
aspirer à	to aspire
s'attendre à	to expect
avoir à	to have to
chercher à	to seek, try
commencer à	to begin
se consacrer à	to devote oneself
condamner à	to sentence, condemn

conduire à	to lead
consentir à	to consent
continuer à	to continue
décider à	to persuade
se décider à	to make up one's mind, decide
demander à	to ask (permission)
encourager à	to encourage
engager à	to urge
enseigner à	to teach
forcer à	to force
habituer à	to accustom
hésiter à	to hesitate
s'intéresser à	to be interested in
inviter à	to invite
se mettre à	to begin
obliger à	to oblige
parvenir à	to succeed in
passer (du temps) à	to spend (time) in
se plaire à	to delight in
pousser à	to urge
recommencer à	to begin again
renoncer à	to give up
se résoudre à	to make up one's mind, resolve
réussir à	to succeed in
servir à	to serve
songer à	to think (dream) of
suffire à	to suffice
tendre à	to tend
tarder à	to delay in
tenir à	to be anxious, insist upon
travailler à	to work

116. Verbs Requiring the Preposition *de* Before a Dependent Infinitive (Les verbes qui sont suivis de la préposition *de* devant un infinitif)

accuser de	to accuse of
achever de	to finish
admirer de	to admire for
s'apercevoir de	to notice
s'arrêter de	to stop
s'aviser de	to take it into one's mind
avoir peur de	to be afraid
cesser de	to cease
charger de	to charge with

choisir de	to choose
commander de	to order
conseiller de	to advise
se contenter de	to be satisfied with
convaincre de	to convince
convenir de	to agree
craindre de	to fear
crier de	to shout
décider de	to decide
défendre de	to forbid
demander de	to ask (someone) to
se dépêcher de	to hurry
dire de	to tell
se douter de	to suspect
écrire de	to write
s'efforcer de	to strive
empêcher de	to prevent from
entreprendre de	to undertake
essayer de	to try
s'étonner de	to be surprised (astonished)
éviter de	to avoid
s'excuser de	to apologize for
faire bien de	to do well
se fatiguer de	to be tired
finir de	to finish
forcer de	to force
se garder de	to take care not to
gêner de	to embarrass
se hâter de	to hasten
s'impatienter de	to be impatient
inspirer de	to inspire
interdire de	to forbid
jouir de	to enjoy
manquer de	to come near
menacer de	to threaten
mériter de	to deserve
se moquer de	to make fun of
mourir de	to die of
négliger de	to neglect
être obligé de	to be obliged to
obtenir de	to obtain (the right)
s'occuper de	to take charge of
offrir de	to offer
ordonner de	to order
oublier de	to forget
parler de	to talk (speak) of

se passer de	to do (go) without
permettre de	to permit
persuader de	to persuade
plaindre de	to pity for
se plaindre de	to complain of
prier de	to beg, ask
promettre de	to promise
proposer de	to propose
punir de	to punish for
refuser de	to refuse
regretter de	to regret
remercier de	to thank for
reprocher de	to reproach with
résoudre de	to resolve
rire de	to laugh at
risquer de	to risk
souffrir de	to suffer from
se souvenir de	to remember
tâcher de	to try
venir de	to have just

117. Auxiliary Verbs (Les verbes auxiliaires)

avoir	to have		être	to be
ayant	having		étant	being
eu	had		été	been

PRESENT INDICATIVE

I have

j'ai	nous **avons**
tu **as**	vous **avez**
il **a**	ils **ont**

I am

je **suis**	nous **sommes**
tu **es**	vous **êtes**
il **est**	ils **sont**

IMPERFECT INDICATIVE

I had, used to have

j'**avais**	nous **avions**
tu **avais**	vous **aviez**
il **avait**	ils **avaient**

I was, used to be

j'**étais**	nous **étions**
tu **étais**	vous **étiez**
il **était**	ils **étaient**

SIMPLE PAST

I had

j'**eus**	nous **eûmes**
tu **eus**	vous **eûtes**
il **eut**	ils **eurent**

I was

je **fus**	nous **fûmes**
tu **fus**	vous **fûtes**
il **fut**	ils **furent**

FUTURE

I will have		*I will be*	
j'aurai	nous aurons	je serai	nous serons
tu auras	vous aurez	tu seras	vous serez
il aura	ils auront	il sera	ils seront

CONDITIONAL

I would have		*I would be*	
j'aurais	nous aurions	je serais	nous serions
tu aurais	vous auriez	tu serais	vous seriez
il aurait	ils auraient	il serait	ils seraient

PRESENT SUBJUNCTIVE

(that) I have, may have	*(that) I am, may be*
(que) j'aie	(que) je sois
(que) tu aies	(que) tu sois
(qu')il ait	(qu')il soit
(que) nous ayons	(que) nous soyons
(que) vous ayez	(que) vous soyez
(qu')ils aient	(qu')ils soient

IMPERFECT SUBJUNCTIVE

(that) I had, might have	*(that) I was, might be*
(que) j'eusse	(que) je fusse
(que) tu eusses	(que) tu fusses
(qu')il eût	(qu')il fût
(que) nous eussions	(que) nous fussions
(que) vous eussiez	(que) vous fussiez
(qu')ils eussent	(qu')ils fussent

IMPERATIVE

aie	*have*	sois	*be*
qu'il ait	*let him have*	qu'il soit	*let him be*
ayons	*let us have*	soyons	*let us be*
ayez	*have*	soyez	*be*
qu'ils aient	*let them have*	qu'ils soient	*let them be*

COMPOUND PAST

I have had, had	*I have been, was*
j'ai eu	j'ai été
tu as eu	tu as été
il a eu	il a été
nous avons eu	nous avons été
vous avez eu	vous avez été
ils ont eu	ils ont été

PLUPERFECT

I *had had*	I *had been*
j'avais eu	j'avais été
etc.	etc.

PAST ANTERIOR

I *had had*	I *had been*
j'eus eu	j'eus été
etc.	etc.

FUTURE PERFECT

I *will have had*	I *will have been*
j'aurai eu	j'aurai été
tu auras eu	tu auras été
il aura eu	il aura été
nous aurons eu	nous aurons été
vous aurez eu	vous aurez été
ils auront eu	ils auront été

PAST CONDITIONAL

I *would have had*	I *would have been*
j'aurais eu	j'aurais été
etc.	etc.

PAST SUBJUNCTIVE

(*that*) I *have had, had,*	(*that*) I *have been, was,*
may have had	*may have been*
(que) j'aie eu	(que) j'aie été
etc.	etc.

PLUPERFECT SUBJUNCTIVE

(*that*) I *had had, might*	(*that*) I *had been, might*
have had	*have been*
(que) j'eusse eu	(que) j'eusse été
etc.	etc.

118. Regular Verbs (Les verbes réguliers)

-er		-ir		-re	
parler	*to speak*	finir	*to finish*	vendre	*to sell*
parlant	*speaking*	finissant	*finishing*	vendant	*selling*
parlé	*spoken*	fini	*finished*	vendu	*sold*

PRESENT INDICATIVE

I speak, am speaking, do speak	*I finish, am finishing, do finish*	*I sell, am selling, do sell*
je **parle**	je **finis**	je **vends**
tu **parles**	tu **finis**	tu **vends**
il **parle**	il **finit**	il **vend**
nous **parlons**	nous **finissons**	nous **vendons**
vous **parlez**	vous **finissez**	vous **vendez**
ils **parlent**	ils **finissent**	ils **vendent**

IMPERFECT INDICATIVE

I was speaking, used to speak, spoke	*I was finishing, used to finish, finished*	*I was selling, used to sell, sold*
je **parlais**	je **finissais**	je **vendais**
tu **parlais**	tu **finissais**	tu **vendais**
il **parlait**	il **finissait**	il **vendait**
nous **parlions**	nous **finissions**	nous **vendions**
vous **parliez**	vous **finissiez**	vous **vendiez**
ils **parlaient**	ils **finissaient**	ils **vendaient**

SIMPLE PAST

I spoke	*I finished*	*I sold*
je **parlai**	je **finis**	je **vendis**
tu **parlas**	tu **finis**	tu **vendis**
il **parla**	il **finit**	il **vendit**
nous **parlâmes**	nous **finîmes**	nous **vendîmes**
vous **parlâtes**	vous **finîtes**	vous **vendîtes**
ils **parlèrent**	ils **finirent**	ils **vendirent**

FUTURE

I will speak	*I will finish*	*I will sell*
je **parlerai**	je **finirai**	je **vendrai**
tu **parleras**	tu **finiras**	tu **vendras**
il **parlera**	il **finira**	il **vendra**
nous **parlerons**	nous **finirons**	nous **vendrons**
vous **parlerez**	vous **finirez**	vous **vendrez**
ils **parleront**	ils **finiront**	ils **vendront**

CONDITIONAL

I would speak	*I would finish*	*I would sell*
je **parlerais**	je **finirais**	je **vendrais**
tu **parlerais**	tu **finirais**	tu **vendrais**
il **parlerait**	il **finirait**	il **vendrait**

nous parlerions	nous finirions	nous vendrions
vous parleriez	vous finiriez	vous vendriez
ils parleraient	ils finiraient	ils vendraient

PRESENT SUBJUNCTIVE

(that) I speak, am speaking, may speak	*(that) I finish, am finishing, may finish*	*(that) I sell, am selling, may sell*
(que) je parle	(que) je finisse	(que) je vende
(que) tu parles	(que) tu finisses	(que) tu vendes
(qu')il parle	(qu')il finisse	(qu')il vende
(que) nous parlions	(que) nous finissions	(que) nous vendions
(que) vous parliez	(que) vous finissiez	(que) vous vendiez
(qu')ils parlent	(qu')ils finissent	(qu')ils vendent

IMPERFECT SUBJUNCTIVE

(that) I speak, was speaking, might speak	*(that) I finish, was finishing, might finish*	*(that) I sell, was selling, might sell*
(que) je parlasse	(que) je finisse	(que) je vendisse
(que) tu parlasses	(que) tu finisses	(que) tu vendisses
(qu')il parlât	(qu')il finît	(qu')il vendît
(que) nous parlassions	(que) nous finissions	(que) nous vendissions
(que) vous parlassiez	(que) vous finissiez	(que) vous vendissiez
(qu')ils parlassent	(qu')ils finissent	(qu')ils vendissent

IMPERATIVE

parle	*speak*	finis	*finish*
qu'il parle	*let him speak*	qu'il finisse	*let him finish*
parlons	*let us speak*	finissons	*let us finish*
parlez	*speak*	finissez	*finish*
qu'ils parlent	*let them speak*	qu'ils finissent	*let them finish*

vends	*sell*
qu'il vende	*let him sell*
vendons	*let us sell*
vendez	*sell*
qu'ils vendent	*let them sell*

COMPOUND PAST

I have spoken, spoke	*I have finished, finished*	*I have sold, sold*
j'ai parlé	j'ai fini	j'ai vendu
tu as parlé	tu as fini	tu as vendu
il a parlé	il a fini	il a vendu
nous avons parlé	nous avons fini	nous avons vendu
vous avez parlé	vous avez fini	vous avez vendu
ils ont parlé	ils ont fini	ils ont vendu

DOUBLE COMPOUND PAST

I had spoken	*I had finished*	*I had sold*
j'ai eu parlé	j'ai eu fini	j'ai eu vendu
etc.	etc.	etc.

PLUPERFECT

I had spoken	*I had finished*	*I had sold*
j'avais parlé	j'avais fini	j'avais vendu
etc.	etc.	etc.

PAST ANTERIOR

I had spoken	*I had finished*	*I had sold*
j'eus parlé	j'eus fini	j'eus vendu
etc.	etc.	etc.

FUTURE PERFECT

I will have spoken	*I will have finished*	*I will have sold*
j'aurai parlé	j'aurai fini	j'aurai vendu
tu auras parlé	tu auras fini	tu auras vendu
il aura parlé	il aura fini	il aura vendu
nous aurons parlé	nous aurons fini	nous aurons vendu
vous aurez parlé	vous aurez fini	vous aurez vendu
ils auront parlé	ils auront fini	ils auront vendu

PAST CONDITIONAL

I would have spoken	*I would have finished*	*I would have sold*
j'aurais parlé	j'aurais fini	j'aurais vendu
etc.	etc.	etc.

PAST SUBJUNCTIVE

(that) I have spoken, spoke, may have spoken	*(that) I have finished, finished, may have finished*	*(that) I have sold, sold, may have sold*
(que) j'aie parlé	(que) j'aie fini	(que) j'aie vendu
etc.	etc.	etc.

PLUPERFECT SUBJUNCTIVE

(that) I had spoken, might have spoken	*(that) I had finished, might have finished*	*(that) I had sold, might have sold*
(que) j'eusse parlé	(que) j'eusse fini	(que) j'eusse vendu
etc.	etc.	etc.

119. Regular Verbs Conjugated with *être* in the Compound Tenses (Les verbes réguliers conjugués avec *être* aux temps composés)

entrer   *to enter*
entrant   *entering*
entré   *entered*

COMPOUND PAST

je **suis** entré(e)
tu **es** entré(e)
il **est** entré
nous **sommes** entré(e)s
vous **êtes** entré(s), entrée(s)
ils **sont** entrés

DOUBLE COMPOUND PAST

j'ai été entré(e)
etc.

PLUPERFECT

j'étais entré(e)
etc.

PAST ANTERIOR

je fus entré(e)
etc.

FUTURE PERFECT

je **serai** entré(e)
tu **seras** entré(e)
il **sera** entré
nous **serons** entré(e)s
vous **serez** entré(s), entrée(s)
ils **seront** entrés

PAST CONDITIONAL

je serais entré(e)
etc.

PAST SUBJUNCTIVE

(que) je **sois** entré(e)
etc.

PLUPERFECT SUBJUNCTIVE

(que) je **fusse** entré(e)
etc.

120. Irregular Verbs (Les verbes irréguliers)

aller   *to go*

FUT. irai; COND. irais
PRES. PART. allant; IMPERF. INDIC. allais; PRES. SUBJ. aille, ailles, aille, allions, alliez, aillent
PAST PART. allé; COMPOUND PAST je suis allé
PRES. INDIC. vais, vas, va, allons, allez, vont; IMPER. va, allons, allez
SIMPLE PAST allai; IMPERF. SUBJ. allasse
Like aller: s'en aller *to go away*

battre   *to beat*

This verb loses one **t** in the present indicative singular: bats, bats, bat; otherwise is conjugated like **vendre**, section 118.
Like **battre**: se battre *to fight*; combattre *to fight, combat*

boire   *to drink*

FUT. boirai; COND. boirais
PRES. PART. buvant; IMPERF. INDIC. buvais; PRES. SUBJ. boive, boives, boive, buvions, buviez, boivent
PAST PART. bu; COMPOUND PAST j'ai bu
PRES. INDIC. bois, bois, boit, buvons, buvez, boivent; IMPER. bois, buvons, buvez
SIMPLE PAST bus; IMPERF. SUBJ. busse

conduire   *to conduct; to escort; to drive*

FUT. conduirai; COND. conduirais
PRES. PART. conduisant; IMPERF. INDIC. conduisais; PRES. SUBJ. conduise
PAST PART. conduit; COMPOUND PAST j'ai conduit
PRES. INDIC. conduis, conduis, conduit, conduisons, conduisez, conduisent; IMPER. conduis, conduisons, conduisez
SIMPLE PAST conduisis; IMPERF. SUBJ. conduisisse
Like **conduire**: se conduire *to conduct oneself; to behave*; construire *to construct*; cuire *to cook*; détruire *to destroy*; instruire *to instruct*; introduire *to introduce; to bring in*; produire *to produce*; réduire *to reduce*; reproduire *to reproduce*; traduire *to translate*

connaître   *to know, be acquainted with*

FUT. connaîtrai; COND. connaîtrais
PRES. PART. connaissant; IMPERF. INDIC. connaissais; PRES. SUBJ. connaisse
PAST PART. connu; COMPOUND PAST j'ai connu
PRES. INDIC. connais, connais, connaît, connaissons, connaissez, connaissent; IMPER. connais, connaissons, connaissez
SIMPLE PAST connus; IMPERF. SUBJ. connusse
Like **connaître**: apparaître *to appear*; disparaître *to disappear*; paraître *to seem*; reconnaître *to recognize*

courir　*to run*

FUT. **courrai**; COND. **courrais**
PRES. PART. **courant**; IMPERF. INDIC. **courais**; PRES. SUBJ. **coure**
PAST PART. **couru**; COMPOUND PAST **j'ai couru**
PRES. INDIC. **cours, cours, court, courons, courez, courent**; IMPER. **cours, courons, courez**
SIMPLE PAST **courus**; IMPERF. SUBJ. **courusse**
Like courir: accourir *to run to; to hasten;* parcourir *to run through; to glance over;* secourir *to help*

craindre　*to fear*

FUT. **craindrai**; COND. **craindrais**
PRES. PART. **craignant**; IMPERF. INDIC. **craignais**; PRES. SUBJ. **craigne, craignes, craigne, craignions, craigniez, craignent**
PAST. PART. **craint**; COMPOUND PAST **j'ai craint**
PRES. INDIC. **crains, crains, craint, craignons, craignez, craignent.** IMPER. **crains, craignons, craignez**
SIMPLE PAST **craignis**; IMPERF. SUBJ. **craignisse**
Like craindre: atteindre *to attain;* contraindre *to constrain;* éteindre *to extinguish;* joindre *to join;* peindre *to paint;* plaindre *to pity;* rejoindre *to rejoin;* se plaindre de *to complain;* teindre *to dye*

croire　*to believe*

FUT. **croirai**; COND. **croirais**
PRES. PART. **croyant**; IMPERF. INDIC. **croyais**; PRES. SUBJ. **croie, croies, croie, croyions, croyiez, croient**
PAST PART. **cru**; COMPOUND PAST **j'ai cru**
PRES. INDIC. **crois, crois, croit, croyons, croyez, croient**; IMPER. **crois, croyons, croyez**
SIMPLE PAST **crus**; IMPERF. SUBJ. **crusse**

devoir　*to owe, must, have to*

FUT. **devrai**; COND. **devrais**
PRES. PART. **devant**; IMPERF. INDIC. **devais**; PRES. SUBJ. **doive, doives, doive, devions, deviez, doivent**
PAST PART. **dû** (f. due, pl. du[e]s); COMPOUND PAST **j'ai dû**
PRES. INDIC. **dois, dois, doit, devons, devez, doivent**
SIMPLE PAST **dus**; IMPERF. SUBJ. **dusse**

dire　*to say, tell*

FUT. **dirai**; COND. **dirais**
PRES. PART. **disant**; IMPERF. INDIC. **disais**; PRES. SUBJ. **dise**
PAST PART. **dit**; COMPOUND PAST **j'ai dit**
PRES. INDIC. **dis, dis, dit, disons, dites, disent**; IMPER. **dis, disons, dites**
SIMPLE PAST **dis**; IMPERF. SUBJ. **disse**

dormir   *to sleep*

FUT. **dormirai**; COND. **dormirais**
PRES. PART. **dormant**; IMPERF. INDIC. **dormais**; PRES. SUBJ. **dorme**
PAST PART. **dormi**; COMPOUND PAST **j'ai dormi**
PRES. INDIC. **dors, dors, dort dormons, dormez, dorment**; IMPER. **dors, dormons, dormez**
SIMPLE PAST **dormis**; IMPERF. SUBJ. **dormisse**
Like **dormir**: **endormir** *to put to sleep*; **s'endormir** *to fall asleep*; **mentir** *to lie*; **partir** *to leave*; **sentir** *to feel; to smell*; **se sentir** (+ adj. or adv.) *to feel*; **consentir** *to consent*; **servir** *to serve*; **se servir de** *to use*; **desservir** *to clear the table*; **sortir** *to go out*
Note: **Partir, sortir**, and reflexive verbs are conjugated with **être**.

écrire   *to write*

FUT. **écrirai**; COND. **écrirais**
PRES. PART. **écrivant**; IMPERF. INDIC. **écrivais**; PRES. SUBJ. **écrive**
PAST PART. **écrit**; COMPOUND PAST **j'ai écrit**
PRES. INDIC. **écris, écris, écrit, écrivons, écrivez, écrivent**; IMPER. **écris, écrivons, écrivez**
SIMPLE PAST **écrivis**; IMPERF. SUBJ. **écrivisse**
Like **écrire**: **décrire** *to describe*; **inscrire** *to inscribe; to enroll, register*

faire   *to make, do*

FUT. **ferai**; COND. **ferais**
PRES. PART. **faisant**; IMPERF. INDIC. **faisais**; PRES. SUBJ. **fasse, fasses, fasse, fassions, fassiez, fassent**
PAST PART. **fait**; COMPOUND PAST **j'ai fait**
PRES. INDIC. **fais, fais, fait, faisons, faites, font**; IMPER. **fais, faisons, faites**
SIMPLE PAST **fis**; IMPERF. SUBJ. **fisse**
Like **faire**: **défaire** *to undo*; **refaire** *to do again*; **satisfaire** *to satisfy*

falloir   *to be necessary, must* (impersonal)

FUT. **il faudra**; COND. **il faudrait**
IMPERF. INDIC. **il fallait**; PRES. SUBJ. **il faille**
PAST PART. **fallu**; COMPOUND PAST **il a fallu**
PRES. INDIC. **il faut**
SIMPLE PAST **il fallut**; IMPERF. SUBJ. **il fallût**

lire   *to read*

FUT. **lirai**; COND. **lirais**
PRES. PART. **lisant**; IMPERF. INDIC. **lisais**; PRES. SUBJ. **lise**
PAST PART. **lu**; COMPOUND PAST **j'ai lu**
PRES. INDIC. **lis, lis, lit, lisons, lisez, lisent**; IMPER. **lis, lisons, lisez**
SIMPLE PAST **lus**; IMPERF. SUBJ. **lusse**
Like **lire**: **relire** *to reread*; **élire** *to elect*; **réélire** *to reelect*

mettre   *to place, put*

FUT. mettrai; COND. mettrais
PRES. PART. mettant; IMPERF. INDIC. mettais; PRES. SUBJ. mette
PAST PART. mis; COMPOUND PAST j'ai mis
PRES. INDIC. mets, mets, met, mettons, mettez, mettent; IMPER. mets,
   mettons, mettez
SIMPLE PAST mis; IMPERF. SUBJ. misse
Like mettre: admettre *to admit*; commettre *to commit*; omettre *to omit*;
   permettre *to permit*; promettre *to promise*; remettre *to put back*; *to
   defer*; se mettre à *to begin*; soumettre *to submit*; transmettre *to transmit*

mourir   *to die*

FUT. mourrai; COND. mourrais
PRES. PART. mourant; IMPERF. INDIC. mourais; PRES. SUBJ. meure, meures,
   meure, mourions, mouriez, meurent
PAST PART. mort; COMPOUND PAST je suis mort
PRES. INDIC. meurs, meurs, meurt, mourons, mourez, meurent; IMPER.
   meurs, mourons, mourez
SIMPLE PAST mourus; IMPERF. SUBJ. mourusse

ouvrir   *to open*

FUT. ouvrirai; COND. ouvrirais
PRES. PART. ouvrant; IMPERF. INDIC. ouvrais; PRES. SUBJ. ouvre
PAST PART. ouvert; COMPOUND PAST j'ai ouvert
PRES. INDIC. ouvre, ouvres, ouvre, ouvrons, ouvrez, ouvrent; IMPER. ouvre,
   ouvrons, ouvrez
SIMPLE PAST ouvris; IMPERF. SUBJ. ouvrisse
Like ouvrir: couvrir *to cover*; découvrir *to discover, uncover*; offrir *to offer*;
   souffrir *to suffer*

plaire   *to please*

FUT. plairai; COND. plairais
PRES. PART. plaisant; IMPERF. INDIC. plaisais; PRES. SUBJ. plaise
PAST PART. plu; COMPOUND PAST j'ai plu
PRES. INDIC. plais, plais, plaît, plaisons, plaisez, plaisent; IMPER. plais,
   plaisons, plaisez
SIMPLE PAST plus; IMPERF. SUBJ. plusse
Like plaire: se taire *to be silent*

pouvoir   *to be able*

FUT. pourrai; COND. pourrais
PRES. PART. pouvant; IMPERF. INDIC. pouvais; PRES. SUBJ. puisse, puisses,
   puisse, puissions, puissiez, puissent
PAST PART. pu; COMPOUND PAST j'ai pu
PRES. INDIC. peux (puis), peux, peut, pouvons, pouvez, peuvent
SIMPLE PAST pus; IMPERF. SUBJ. pusse

prendre   *to take*

FUT. prendrai; COND. prendrais
PRES. PART. prenant; IMPERF. INDIC. prenais; PRES. SUBJ. prenne, prennes, prenne, prenions, preniez, prennent
PAST PART. pris; COMPOUND PAST j'ai pris
PRES. INDIC. prends, prends, prend, prenons, prenez, prennent; IMPER. prends, prenons, prenez
SIMPLE PAST pris; IMPERF. SUBJ. prisse
Like prendre: apprendre *to learn;* comprendre *to understand;* entreprendre *to undertake;* reprendre *to take back; to resume, continue;* se méprendre *to be mistaken;* surprendre *to surprise*

recevoir   *to receive*

FUT. recevrai; COND. recevrais
PRES. PART. recevant; IMPERF. INDIC. recevais; PRES. SUBJ. reçoive, reçoives, reçoive, recevions, receviez, reçoivent
PAST PART. reçu; COMPOUND PAST j'ai reçu
PRES. INDIC. reçois, reçois, reçoit, recevons, recevez, reçoivent; IMPER. reçois, recevons, recevez
SIMPLE PAST reçus; IMPERF. SUBJ. reçusse
Like recevoir: apercevoir *to perceive;* concevoir *to conceive;* décevoir *to deceive; to disappoint*

savoir   *to know*

FUT. saurai; COND. saurais
PRES. PART. sachant; IMPERF. INDIC. savais; PRES. SUBJ. sache, saches, sache, sachions, sachiez, sachent
PAST PART. su; COMPOUND PAST j'ai su[1]
PRES. INDIC. sais, sais, sait, savons, savez, savent; IMPER. sache, sachons, sachez
SIMPLE PAST sus; IMPERF. SUBJ. susse

valoir   *to be worth*

FUT. vaudrai; COND. vaudrais
PRES. PART. valant; IMPERF. INDIC. valais; PRES. SUBJ. vaille, vailles, vaille, valions, valiez, vaillent
PAST PART. valu; COMPOUND PAST j'ai valu
PRES. INDIC. vaux, vaux, vaut, valons, valez, valent; IMPER. vaux, valons, valez
SIMPLE PAST valus; IMPERF. SUBJ. valusse
Like valoir: équivaloir *to be equivalent;* prévaloir *to prevail*

---

[1] May have idiomatic meaning of I *found out.*

venir *to come*

FUT. viendrai; COND. viendrais

PRES. PART. venant; IMPERF. INDIC. venais; PRES. SUBJ. vienne, viennes, vienne, venions, veniez, viennent

PAST PART. venu; COMPOUND PAST je suis venu

PRES. INDIC. viens, viens, vient, venons, venez, viennent; IMPER. viens, venons, venez

SIMPLE PAST vins, vins, vint, vînmes, vîntes, vinrent; IMPERF. SUBJ. vinsse, vinsses, vînt, vinssions, vinssiez, vinssent

Like venir: convenir *to agree*; devenir *to become*; parvenir *to attain*; prévenir *to prevent*; *to warn*; revenir *to come back*; se souvenir de *to remember*

voir *to see*

FUT. verrai; COND. verrais

PRES. PART. voyant; IMPERF. INDIC. voyais; PRES. SUBJ. voie, voies, voie, voyions, voyiez, voient

PAST PART. vu; COMPOUND PAST j'ai vu

PRES. INDIC. vois, vois, voit, voyons, voyez, voient; IMPER. vois, voyons, voyez

SIMPLE PAST vis; IMPERF. SUBJ. visse

Like voir: entrevoir *to catch sight of*; pourvoir *to provide*; prévoir *to foresee*; revoir *to see again*

vouloir *to wish, want*

FUT. voudrai; COND. voudrais

PRES. PART. voulant; IMPERF. INDIC. voulais; PRES. SUBJ. veuille, veuilles, veuille, voulions, vouliez, veuillent

PAST PART. voulu; COMPOUND PAST j'ai voulu[1]

PRES. INDIC. veux, veux, veut, voulons, voulez, veulent; IMPER. veuillez

SIMPLE PAST voulus; IMPERF. SUBJ. voulusse

[1] May have idiomatic meaning of *I tried.*

VOCABULARIES

ABBREVIATIONS

adj.	adjective
adv.	adverb
cond.	conditional
conj.	conjunction
def. art.	definite article
f.	feminine
inf.	infinitive
interr. pron.	interrogative pronoun
m.	masculine
past part.	past participle
pl.	plural
prep.	preposition
pres. part.	present participle
pron.	pronoun
qqch	quelque chose
qqn	quelqu'un
rel. pron.	relative pronoun
sing.	singular
s.o.	someone
s.t.	something
subj.	subjunctive

à   to, at, in

abandonner   to abandon, give up, forsake, renounce

abbé   *m.* abbot, abbé

abîmé   damaged,   destroyed,   ruined, spoiled; dented

abord: d'—   first, at first

absolu   absolute

absolument   absolutely

absurde   absurd, nonsensical

académie   *f.* academy

accident   *m.* accident

accidentellement   accidentally, by chance

accommoder   to accommodate, adapt, adjust, suit; s'—   to make the best of, accommodate (adapt) oneself to, agree, put up with

accompagner   to accompany, go with

accomplir   to fulfill, perform, carry out, accomplish

accord   *m.* agreement; d'—! agreed! fine! O.K.!

accorder   to grant, admit

accouder: s'—   to lean on one's elbow

accourir   to run to

accueil   *m.* welcome, reception, greeting

accueillir   to greet, welcome

accuser   to accuse

achat   *m.* purchase; faire des —s to make some purchases, do some shopping

acheter   to buy

achever   to finish

acteur   *m.* actor

actif, active   active

activement   actively

actrice   *f.* actress

actualités   *f.pl.* newsreel

actuellement   now, at the present time

addition   *f.* bill, check

additionner   to add

adieu   *m.* farewell, parting, leave-taking

admettre   to admit

admirer   to admire

adorer   to adore

adresse   *f.* address

adresser   to direct, address; s'— to speak, address oneself

aéroport   *m.* airport

affable   affable, courteous

affaire   *f.* affair, business, matter; —s personnelles personal things (effects)

affecter   to affect, assume

affectueux, affectueuse   affectionate, warmhearted

affiche   *f.* placard, bill, poster, billboard

affirmer   to affirm, assert, declare

affranchir   to pay postage on, stamp, set free; combien faut-il pour — une lettre? what's the postage on a letter?; s'— to rid (free) oneself of, break away from

afin que   in order that, so that

Afrique   *f.* Africa

agaçant   annoying, irritating

agacer   to tease, bother, annoy

âge   *m.* age, epoch, era

agence   *f.* agency; — de voyages travel agency

agent   m.   agent; — de police policeman; — de voyages travel agent

agir   to act; s'— de to be a question of, deal with

agiter   to agitate, stir, excite, perturb

agréable   pleasant, nice

agréablement   pleasantly, nicely

agréer   to accept, approve

agrégé   *m.* teacher who has passed the agrégation examinations thus allowing him to teach in the State secondary schools (Lycées)

aide   *f.* help, relief, assistance

aider   to help

aile   *f.* wing, fender

ailé   winged

ailleurs   elsewhere, somewhere else; d'— however, besides, moreover, anyway

aimable   kind, amiable, obliging

aimer   to like, love; — mieux to prefer

aîné   eldest, elder

ainsi   thus, so; — que as well as, in the same way as, just as; pour — dire so to speak, as it were

air   *m.* air, look; avoir l'— to look, appear, seem; en plein — in the open air, outdoors

aisé   easy

ajouter   to add

albatros   *m.* albatross; L'— poem (1859) by Charles Baudelaire

allée   *f.* walk, lane, path

alléguer   to allege, advance, quote, cite

Allemagne   *f.* Germany

allemand   *m.* German (language)

Allemand   *m.* German

allemand   *adj.* German

aller   to go, be (health); to be becoming (clothes), fit; — à la chasse to go hunting; — à la pêche to go fishing; — à terre to go ashore; — chercher to go for, go and get; — et retour *m.* round-trip ticket; — pique-niquer to go on a picnic; — simple *m.* one-way ticket; **allons!** come!; **laisser** — to let fall, let go; **s'en** — to go away

allô hello

allonger to lengthen, elongate, stretch

allumer to light, turn on the light; — **le fourneau** to light the oven; — **les phares** to turn on the headlights

allumette f. match

allure f. carriage, bearing, demeanor, gait, walk

allusion f. allusion, hint, innuendo; **faire** — **à qqch** to allude to s.t.

alors then, well then, at that time, in that case; — **que** while, whereas

alsacien, alsacienne Alsatian

alternance f. alternating, alternation

alterner to alternate

amant m., **amante** f. lover, sweetheart

ambiance f. surroundings, environment, atmosphere

âme f. soul

amener to bring, lead

amer, amère bitter

Américain m. American; **Américaine** f. American (woman); **nous autres** —**s** we Americans

américain adj. American

Amérique f. America; — **centrale** f. Central America; — **du Nord** f. North America; — **du Sud** f. South America

ameublement m. furnishing, (set of) furniture

ami m., **amie** f. friend

amour m. love

amoureux, amoureuse loving, in love

Amphitryon 38 play (1929) by Jean Giraudoux

ampleur fullness

amplifier to amplify, develop, enlarge

amusant amusing

amuser to amuse; **s'** — to enjoy oneself, have a good time

an m. year

analogue analogous, similar

analyse f. analysis

ananas m. pineapple

ancien, ancienne ancient, former, old

anecdote f. anecdote

angélique angelic, angelical

anglais m. English (language)

Anglais m. Englishman; **Anglaise** f. Englishwoman

anglais adj. English

Angleterre f. England

angoisse f. anguish, agony, distress

animal m. (pl. **animaux**) animal

animateur m. animator, promoter

animer to animate, give life to, arouse, excite

année f. year; — **scolaire** school year

anniversaire m. birthday

annonce f. announcement, notice

annoncer to announce, forecast, report

anthologie f. anthology

Antillais m. West Indian

Antilles f.pl. The West Indies

antithétique antithetic(al), in strong contrast

août m. August

apaisement m. appeasement

apaiser to calm, pacify, appease

apercevoir to notice, perceive; **s'** — to notice, perceive, realize

apéritif m. appetizer, aperitif

Apollon de Bellac unfinished play by Jean Giraudoux

apôtre m. apostle

apparaître to appear

apparat m. pomp, show, display

appareil m. appliance; — **photographique** camera

appartement m. apartment

appartenir to belong

appel m. appeal

appeler to call; **s'** — to be called, call oneself, be named

appétit m. appetite; **de bon** — heartily

appliquer to apply; **s'** — to apply oneself, work hard

apporter to bring

apprécier to appreciate, esteem, value

apprendre to learn, teach; — **par cœur** to learn by heart, memorize

apprêt m. preparation, affectation (of language)

approcher to approach, draw near

après after; — **tout** after all; **d'** — after, from, according to, following

après-guerre m. postwar (period)

après-midi m. or f. afternoon; **de l'** — in the afternoon, P.M.

aquarelle f. watercolor

arabesque Arabesque, Arabian

arbitraire arbitrary

arbitre m. arbitrator, umpire, referee

arbre m. tree

archer m. archer, bowman

ardoise f. slate

argent m. money, silver

armée f. army

armer: s' — to arm oneself, take arms

arranger to arrange, put in order, settle; **s'—** to prepare oneself, manage, make arrangements; **arrangez-vous** do as best you can

arrêter to stop; **— la télévision** to turn off the television; **s'—** to stop

arrière *m.* back, back part; **à l'—** in (at) the rear; **en —** backward

arrivée *f.* arrival; **hall des —s** entrance hall of the arrival building

arriver to arrive, happen; **— à** to succeed in

artiste *m.* or *f.* artist

Art Poétique didactic poem (1674) by Boileau setting forth certain rules for classical French literature

ascenseur *m.* elevator

Asie *f.* Asia

aspect *m.* aspect, look, bearing, sight, appearance

asperge *f.* asparagus; **plumer les —s** to peel the asparagus

aspirer to aspire

aspirine *f.* aspirin

asseoir to seat; **s'—** to sit down

assez enough, rather, quite

assimilé assimilated

assis seated, seating

assister à to attend, be present at

assumer to assume, take upon oneself

assurément assuredly, surely, undoubtedly, certainly

assurer to assure

attacher to fasten, attach, tie

atteindre to attain, overtake, reach

attendant: en — in the meanwhile, in the meantime

attendre to wait (for); **faire — qqn** to keep s.o. waiting; **s'— à** to expect

attente *f.* wait, waiting; **avoir un quart d'heure d'—** to have a quarter of an hour's wait; **salle d'—** *f.* waiting room

attention! careful! look out!; **faire —** to pay attention

attentivement attentively

attirer to attract, draw, lure

attraper to catch; **— un rhume** to catch (a) cold

attribuer to attribute, assign, ascribe

aube *f.* dawn

auberge *f.* inn, tavern

aucun none; **ne . . . —** not . . . any, no

audacieux, audacieuse audacious, bold, daring

aujourd'hui today; **d'— en huit** a week from today

auparavant before, previously

auprès (de) near, by, close (to)

aurore *f.* dawn, daybreak

ausculter to examine (by auscultation)

aussi also, too, therefore; **— . . . que** as . . . as

aussitôt immediately; **— que** as soon as

autant as many, as much

auteur *m.* author

autobus *m.* bus; **en —** by bus

autodidacte self-taught

automatiquement automatically

automne *m.* autumn; **en —** in autumn, in the fall

automobiliste *m.* or *f.* motorist

autour de around

autre other; another; **— chose** something else; **nous —s Américains** we Americans; **quelque chose d'—?** something else?, anything else?; **rien d'—?** anything else?, nothing else?

autrement otherwise, else, in another manner; **— dit** in other words

auvent *m.* hood, weather-board, porch roof, overhang

auxiliaire auxiliary

avance *f.* advance, lead; **à l'—** in advance; **en —** in advance; **être en — de . . . minutes** to be . . . minutes ahead of time, be . . . minutes early

avancer to advance, move forward, run fast (watch)

avant before; **à l'—** in (at) the front; **— de** (+ *inf.*) before; **— hier** the day before yesterday; **— que** (+ *subj.*) before; **— tout** first of all, above all

avantage *m.* advantage, benefit

Avare comedy (1668) by Molière

avarice *f.* avarice, greed

avec with: **et — cela?** and what else?

avertir to inform, warn

aveuglément blindly

avion *m.* airplane; **par —** (by) airmail; **voyager en —** to travel by airplane

aviron *m.* oar

avis *m.* opinion; **à mon —** in my opinion

aviser to inform, apprise; **s'— (de)** to take it into one's mind (to)

avocat *m.* lawyer

avoir to have; **— à** to have to; **— . . . ans** to be . . . years old; **— beau** to be in vain; **— besoin de** to need; **— de la chance** to be lucky; **— de la monnaie** to have change; **— des courses à faire** to have errands to do; **— faim** to be hungry; — **froid** to be cold (of person); — **le mal de mer** to be seasick; — **le temps de** to have time to; — **lieu** to take place; — **l'intention de** to have the intention of, intend to; — ... **minutes de retard** to be ... minutes late; — **peur** to be afraid; — **raison** to be right; — **soif** to be thirsty; — **tort** to be wrong; — **un coup de peigne** to get a comb out; — **un pneu crevé** to have a flat tire, have a blowout; — **un quart d'heure d'attente** to have a quarter of an hour's wait; — **une crevaison** to have a flat tire, have a blowout; — **une permanente** to have (get) a permanent wave

avril *m.* April

azur *m.* azure, blue sky

bagage *m.* baggage, luggage

baigner to bathe; **se** — to bathe, go bathing, take a bath

bain *m.* bath; **salle de —s** *f.* bathroom

baisser to lower, stoop; — **le prix** to lower the price

bal *m.* ball, dance

balancer to balance; **se** — to swing, rock

balayer to sweep

balcon *m.* balcony; **une place au** — a balcony seat

Balzac, Honoré de French novelist (1799–1850)

banal (*pl.* **banaux**) banal, commonplace, trite

banque *f.* bank

bar *m.* bar, club car

barbe *f.* beard, whiskers, shave; **c'est pour la** — **ou pour les cheveux?** shave or haircut? **se faire la** — to shave (oneself)

barque *f.* small craft, boat

bas, basse low, bottom, lower; **au** — **de** at (on) the bottom of; **là** — down there, over there; **ici** — down here, here below

base *f.* base, basis, foundation

basse-cour *f.* poultry-yard

bassesse *f.* lowness, baseness

bataille *f.* battle; **champ de** — *m.* battlefield

bateau *m.* boat; **par** — by boat

bâtiment *m.* building

bâtir to build, erect, construct

batterie *f.* battery, percussion instruments

battre to beat, hit, strike; — **des mains** to applaud; **se** — to fight

Baudelaire, Charles French poet (1821–1867)

bavarder to chat

beau, bel, belle beautiful, handsome, fine; **avoir** — to be in vain; **il fait** — the weather is fine

beaucoup many, much, very many, very much, a lot

beauté *f.* beauty

bébé *m.* baby

bec *m.* beak, bill

belette *f.* weasel

berceau *m.* cradle

Berlioz, Hector French composer (1803–1869)

berlue *f.* false vision; **avoir la** — to misjudge, see things wrong, be blind to facts

besoin *m.* need; **avoir** — **de** to need

bête *f.* animal, beast

bête *adj.* silly, stupid, nonsensical

beurre *m.* butter

bibliothèque *f.* library

bicyclette *f.* bicycle

bien *m.* good, blessing, well-being, property, wealth

bien well, very, quite, indeed; — **de** (+ *def. art.*) many, much; — **que** although; — **sûr** surely, certainly, of course: yes, indeed; **eh** —! very well!, well!; **être** — to be comfortable; **on y mange très** — the food is very good here; **ou** — or else; **très** — fine, very well

bientôt soon

bière *f.* beer

bifteck *m.* steak

bijou *m.* (*pl.* **bijoux**) jewel, gem

billet *m.* ticket, banknote, note, chance (of a raffle); — **de loterie** lottery (raffle) ticket; **prendre un** — to buy a ticket

bizarre peculiar, queer, strange

Bizet, Georges French composer (1838–1875)

blague: sans —! really!, you don't say!

Blanc, Louis socialist who played an important role in the revolution of 1848 (1811–1882)

blanc, blanche white

blanchir to whiten

blanchisserie *f.* laundry

blessé *m.* wounded (injured) person

blessure *f.* wound, injury

bleu blue

bœuf *m.* ox, beef

Boileau-Despréaux, Nicolas French poet and critic (1636–1711)

boire to drink

bois *m.* wood, woods

boisson *f.* beverage, drink

boîte *f.* box, bookstall, can

boiter to limp

bon, bonne good, kind

bonheur *m.* happiness, joy, good fortune, good luck

bonhomme *m.* simple, good-natured man

bonjour good afternoon, good morning

bonne *f.* maid

bonsoir good evening, good night

bonté *f.* goodness, kindness

bord *m.* edge; **à — de** on board; **au — de** at the edge of, by the side of; **au — de la mer** at (to) the seashore; **monter à —** to go on board

borne *f.* landmark, boundary, limit; **sans —** without limits

bouche *f.* mouth

boucherie *f.* butchershop

bouge *m.* hovel

bougie *f.* candle, spark plug

boulangerie *f.* bakery

boulevard *m.* boulevard

bouleversant overthrowing, upsetting

bouleverser to upset, overthrow, agitate, unsettle, shake

bouquiniste *m.* bookdealer

bourgeois *m.* middle-class man; **Le — gentilhomme** comedy (1670) by Molière

Bourgogne *m.* Burgundy (wine)

bourse *f.* scholarship, grant, purse

bout *m.* end, tip, bit; **au — de** after, at the end of; **un petit —** a (little) bit

bouteille *f.* bottle

boutique *f.* shop, store

bouton *m.* button, knob

bracelet *m.* bracelet

brancardier *m.* stretcher-bearer

bras *m.* arm; **à — ouverts** with open arms

brasier *m.* brazier

brave brave, good, kind

bravoure *f.* bravery, courage, gallantry

bref, brève brief

Brésil *m.* Brazil

Bretagne *f.* Brittany

brièvement briefly

briller to shine, glitter, sparkle

brique *f.* brick

briquet *m.* cigarette lighter

brisé broken to pieces, crushed

briser to break, smash, shatter

broché embossed, brocaded; **livre —** paperback book

brosser to brush; **se — les dents** to brush one's teeth

brouter to graze, eat grass

bruit *m.* noise, rumor

brûle-gueule *m.* (short) pipe

brûler to burn

brusquement brusquely, bluntly, abruptly

bruyère *f.* heather

buffet *m.* buffet, sideboard, refreshment table, railway restaurant

buraliste *m.* tobacconist

bureau *m.* desk, office; **— de placement** placement bureau; **— de poste** post office; **— de renseignements** information bureau (office); **— de tabac** tobacco shop; **— des P.T.T.** postal, telegraph, and telephone office; post-office

Burgraves: Les — verse drama (1843) by Victor Hugo

buse *f.* buzzard, blockhead, fool

but *m.* end, aim, purpose

ça that; **— alors!** well then!, oh my gosh!; **— fait juste** it's a little close (tight); **— ne fait rien** it makes no difference, it (that) doesn't matter; **— va** it's all right, everything's fine, O.K.; **— va comme —?** is it all right like that?; **— vous dit de voir?** how about going to see?; **— va mieux** I'm better, I feel better; **— y est!** that's it!, all right! there now!; **c'est —** that's it, that's right; **— m'est égal** it's all the same to me

cabine *f.* cabin, stateroom; **— avec douche et toilette** stateroom with shower and toilet; **— double** double stateroom (cabin); **— simple** single stateroom (cabin); **— téléphonique** phone booth; **— intérieure** inside cabin; **— extérieure** outside cabin

cabinet *m.* office, study, small room; **— de consultation** examining room, (doctor's) consulting room

cadeau *m.* gift

cadre *m.* frame, framework, setting

café *m.* café, coffee

cahier *m.* notebook

caisse *f.* cashier's window

caissier *m.*, **caissière** *f.* cashier

caler to stall
calculer to calculate, compute
Caligula play (1945) by Albert Camus
calvaire *m.* calvary
camarade *m.* or *f.* friend; — de classe classmate
campagne *f.* country; à la — in the country
Camus, Albert French essayist, novelist, and playwright (1913–1960)
capitaine *m.* captain
caprice *m.* caprice, whim
car *m.* coach, (long-distance) bus
car because, for
caractère *m.* character, feature, nature
caractériser to characterize, describe
caractéristique characteristic
carafe *f.* decanter, bottle, pitcher
caramba Spanish swearword
carburateur *m.* carburetor
cardinal (*pl.* cardinaux) cardinal, chief, principal
caresser to caress, fondle, stroke, pat
carnet *m.* notebook, book (of stamps or tickets)
carotte *f.* carrot
carrière *f.* career, course, orbit, scope; diplomate de — *m.* professional diplomat
carte *f.* card, map, menu; — de métro subway map; — de Noël Christmas card; — d'identité identification card; — des vins wine list; — postale postcard; — routière road map
cartésianisme *m.* Cartesian philosophy
cas *m.* case; au — où in case; dans le — où in the event, in case; en tout — at any rate, in any case, in any event; le — échéant if such should be the case, in that case
cataclysme *m.* cataclysm, disaster
catastrophe *f.* catastrophe, calamity
cause *f.* cause, case, trial, suit; à — de on account of, because of
causer to cause, chat, talk
cavalerie *f.* cavalry
ce *adj.* this, that; *pron.* it, he she, they; — à quoi which, of which; — dont of which; — que what, that which; — qui what, that which
ceci this
ceindre to surround, encircle
cela that; à part — aside from that, apart from that; — ne fait rien it makes no difference, it (that) doesn't

matter; c'est — that's it, that's right; et avec —? and what else?
célèbre famous, well-known
célébrer to celebrate, praise, extol
celle the one; —-ci this one, the latter; —-là that one, the former
celles the ones; —-ci these, the latter; —-là those, the former
celui the one; —-ci this one, the latter; —-là that one, the former
cendrier *m.* ash tray
centime *m.* centime (one hundredth part of a franc)
centre *m.* center; au — de la ville downtown
centrer to center
cependant however
cercle *m.* circle, club; **Cercle Français** French Club
certain certain, sure
certainement certainly, surely
certificat *m.* certificate; — de vaccination vaccination certificate
ces these, those
cesser to cease, stop
cet, cette this, that
ceux the ones; —-ci these, the latter; —-là those, the former
chacun each, each one
chaîne *f.* chain, (radio or television) network, channel
chaise *f.* chair
chalet *m.* (Swiss) cottage, chalet, country cottage
Chambord: Château de — famous castle built by François Ier
chambre *f.* room; — à louer room for rent; — individuelle single room; — pour une (deux) personne(s) single (double) room; femme de — *f.* chambermaid
champ *m.* field, battlefield; — de bataille battlefield; — de foire fair ground
chance *f.* luck, fortune, chance; avoir de la — to be lucky
chandail *m.* sweater
changer to alter, change; — de pneu to change a tire
chanson *f.* song
chant *m.* song, carol, ditty, tune; **Les —s du Crépuscule** a collection of poems (1835) by Victor Hugo
chanter to sing
chanteur *m.*; chanteuse *f.* singer

chantre *m.* singer, poet

chapeau *m.* hat

chapitre *m.* chapter

chaque each

charcuterie *f.* pork store

charger to charge, load; **se — de** to take charge of, see to, look after

chariot *m.* cart

charité *f.* charity

Charles VII king of France 1422–1461

charmant charming

chasse *f.* hunting; **aller à la —** to go hunting; **ouverture de la —** opening of the hunting season

chasser to hunt, chase, expel, dislodge, turn out

chat *m.*, **chatte** *f.* cat

château *m.* (*pl.* **châteaux**) château, palace, castle

Châtiments: **Les —** a collection of poems (1853) by Victor Hugo

chaud hot, warm; **avoir —** to be warm (person); **il fait —** it's hot (weather)

chauffage *m.* heating; **— central** central heating

chauffer to heat, warm; **se —** to warm oneself

chaume *f.* straw, thatch

chaussette *f.* sock

chausson *m.* slipper

chaussure *f.* shoe, boot

chauve bald, hairless

chef *m.* chief, head, leader

chef-d'œuvre *m.* masterpiece

chemin *m.* road, way; **— faisant** on the way

chemise *f.* shirt

chêne *m.* oak tree

chèque *m.* check; **toucher un —** to cash a check

cher, **chère** dear, expensive; **coûter —** to be expensive

chercher to look for, seek, try; **aller —** to go for, go and get; **venir —** to come for

chéri beloved

chérir to cherish, love dearly, be attached to

cheval *m.* (*pl.* **chevaux**) horse; **à —** on horseback

cheveux *m. pl.* hair; **c'est pour la barbe ou pour les —?** shave or haircut?; **coupe de —** *f.* haircut; **rafraîchir les — à qqn** to trim s.o.'s hair, give s.o. a trim; **se faire couper les —** to have one's hair cut, get a haircut

chèvre *f.* goat

chez at, in, to the house (office, store) of

chic stylish, smart

chien *m.* dog

chirurgie *f.* surgery

choc *m.* shock, collision, blow

chocolat *m.* chocolate; **— au lait** milk chocolate

choisir to choose

choix *m.* choice, selection

chose *f.* thing; **autre —** something else

choucroute *f.* sauerkraut

chute *f.* fall; **La —** novel by Albert Camus

Cid: **Le —** tragedy (1636) by Pierre Corneille

ciel *m.* (*pl.* **cieux**) heaven, sky

cinéma *m.* movies, cinema

cinq five

cinquante fifty

cinquième fifth

circonspect circumspect, wary, discreet

circonstance *f.* circumstance; **de —** improvised for the occasion, adopted to circumstances

ciseaux *m. pl.* scissors

citer to cite, quote

clair clear, light; **il est —** it's clear; **il fait —** it's clear (weather)

clairement clearly

clairon *m.* bugle

clarté *f.* clarity, clearness

classe *f.* class; **première —** first class; **— touriste** tourist class

classicisme *m.* classicism

classique classical

clé *f.* key

Climbié autobiographical novel (1956) by Bernard Dadié

client *m.*, **cliente** *f.* client, patient, customer

climatisé air-conditioned

clou *m.* nail

cochon *m.* pig

cœur *m.* heart; **apprendre par —** to learn by heart, memorize

coffre *m.* trunk, chest

coffret *m.* little chest, casket, ornamental box; **Le — de Santal** a collection of poems (1873) by Charles Cros

coiffeur *m.* barber, hairdresser

coiffure *f.* hairdo, coiffure; **salon de —** *m.* barbershop, beauty parlor

coin *m.* corner, nook, (corner) seat

coing *m.* quince

Colette, Gabrielle French novelist (1873–1954)

colis *m.* luggage, parcel, package; **—postal** parcel post

colline *f.* hill, hillock

colonel *m.* colonel; **Le — Chabert** novel (1832) by Honoré de Balzac

combattre to combat, fight (against), struggle

combien how many, how much

combler to fill to overflowing, fill to the brim, heap up, load

comédie *f.* comedy, play; **Comédie Française** state theater in Paris; **—s et Proverbes** general title under which appeared the dramatic works of Alfred de Musset (1840–1851); **La — humaine** general title given to all of the novels of Honoré de Balzac

comique *m.* comedy, humor, comic art

comique *adj.* comic, comical

commander to order

comme as, like, how; **— si** as if, as though

commencer to begin, start; **— par faire qqch** to begin by doing s.t.

comment how; **— allez-vous?** how are you?; **— vous appelez-vous?** what's your name?; **comment!** what!, why!

commentaire *m.* commentary, exposition, comment

commenté commented on

commerce *m.* commerce, trade

commettre to commit

commissaire de bord *m.* ship's purser

commun common; **le sens —** common sense

commune *f.* commune, municipality, town

compagnon *m.* companion

comparaison *f.* comparison

compartiment *m.* compartment

compenser to compensate, make up for, counterbalance

**complément: pronoun — ** *m.* object pronoun

complet *m.* (man's) suit

complet, complète complete

complètement completely

compléter to complete

compliquer to complicate

composé: passé — compound past, past indefinite

comprendre to comprise, include, understand

compris included, understood

compte: ouvrir un — to open an account; **rendre — de** to account for, render an account of; **se rendre — de** to realize

compter to count, intend, expect

comptoir *m.* counter

comte *m.* count

conception *f.* conception, notion, idea

concerner to relate to, concern, regard

concevoir to conceive

conclure to conclude

concours *m.* competitive examination, contest, competition

condamner to sentence, condemn

conduire to conduct, drive, escort, guide, lead; **permis de —** *m.* driver's license; **se —** to conduct oneself, behave

conférence *f.* conference, lecture

confession *f.* confession, acknowledgment, avowal; **La — d'un enfant du siècle** novel (1836) by Alfred de Musset; **Les —s** autobiographical work (written 1765–1770) by Jean-Jacques Rousseau and published posthumously 1782

confiance *f.* confidence, reliance, trust; **avoir — en qqn** to have confidence in s.o.

confiture *f.* jam, preserves

conflit *m.* conflict, strife, clash

confondre to confound, mix, mingle

confort *m.* comfort; **— moderne** *m.* modern convenience(s)

congeler to freeze, congeal

congrès *m.* congress, general meeting, conference

conifère coniferous, evergreen

conjugaison *f.* conjugation

connaissance *f.* acquaintance, knowledge, idea; **faire la — de** to become acquainted with, make someone's acquaintance, meet; **très heureux de faire votre —** how do you do, I'm happy to make your acquaintance, I'm glad to meet you

connaître to be acquainted with, know; **s'y — à (en) qqch** to know all about s.t., be a good judge of s.t.

consacrer to dedicate, devote; **se — à** to devote oneself

conseil *m.* advice

conseiller to advise, counsel, recommend

consentir to consent

conséquence *f.* consequence, result, conclusion

conserve *f.* preserve

conserver to preserve, keep, retain

consigne f. cloakroom, checkroom, baggage room

consister to consist, be composed of, reside

consonne f. consonant

constamment constantly

constatation f. declaration, statement

constipé constipated

constituer to constitute, form, compose, establish

construire to build, construct

consultant m. consultant, adviser, patient

consultation f. consultation, advice, (medical) appointment; cabinet de — m. examining room, (doctor's) consulting room

conte m. story, tale

Contemplations: Les — collection of poems (1856) by Victor Hugo

contemporain contemporary

contenter to satisfy, please; se — de to be satisfied with

contenir to contain

content glad, happy, pleased; être — de to be pleased with, be pleased (+ inf.)

contenu contained

conter to tell, relate

contestant m. litigant, contesting party

continuer to continue

contraindre to constrain

contraire m. contrary, opposite; au — on the contrary, far from it

contrat m. contract; Le — social a work of political philosophy (1762) by Jean-Jacques Rousseau

contravention f. traffic ticket; dresser une — à qqn to take s.o.'s name and address (with a view to prosecution)

contre against; — remboursement C.O.D.

contrevent m. shutter

convaincre to convince

convenable appropriate, proper, suitable

convenir to agree, suit; ça vous convient? does that suit you? is that suitable to you? is that agreeable to you?

convertir to convert, transform, change

convoquer to convoke, convene, call together, summon

cordialement cordially, heartily, sincerely

Corneille, Pierre French dramatist (1606–1684)

cornichon m. gherkin, pickle

corps m. body

correspondance f. correspondence; connection (between trains), change of trains

correspondre to correspond, communicate

corriger to correct

corsage m. blouse, body (of a dress)

côté m. side; à — de beside, next to; sur les —s on the sides

côtelette f. chop, cutlet; — de porc pork chop

cotonneux, cotonneuse cottony, downy, spongy

coucher m. setting; au — du soleil at sunset

coucher to lay down, put to bed; se — to go to bed

couchette f. berth; — basse (supérieure) lower (upper) berth

couler to flow, flow on

couleur f. color

couloir m. aisle, corridor

coup m. blow, knock, stroke, bullet; avoir un — de peigne to get a comb out; — d'oeil m. glance, look; donner un — de main à qqn to give s.o. a (helping) hand; donner un — de téléphone à qqn to phone s.o.; tout a — all of a sudden, suddenly; tout d'un — at once, all at once; un petit — a sip

coupe de cheveux f. haircut

couper to cut; se faire — les cheveux to have one's hair cut, get a haircut

cour f. court, courtyard, courtship; faire sa (la) — to court, woo

courage m. courage

courageux, courageuse courageous, daring

courageusement courageously

couramment fluently

courant m. current; course; se tenir au — de qqch to keep oneself informed about s.t.

courbature f. stiffness

courbe f. curve, graph

courbé bent

courir to run

couronne f. crown

couronner to crown

courrier m. mail

cours m. course; au — de during; suivre un — to take a course

course f. race, errand; avoir des —s à faire to have errands to do; faire des —s to do errands, go shopping

court short

cousin *m.*, **cousine** *f.* cousin; **La cousine Bette** novel (1846) by Honoré de Balzac; **Le cousin Pons** novel (1847) by Honoré de Balzac

coûter to cost, be painful; — **cher** to be expensive

coûteux, coûteuse expensive, costly

coutume *f.* custom

couture *f.* sewing, dressmaking; **maison de** — *f.* dressmaking establishment

couturier *m.* dressmaker, dress designer

couverture *f.* blanket, quilt, covering, roofing

couvrir to cover

craindre to fear

crainte *f.* fear; **de** — **que** for fear that

cravate *f.* necktie, tie

créateur *m.* creator

créer to create

crème *f.* cream

crémerie *f.* dairy

crevaison *f.* blowout, puncture; **avoir une** — to have a flat tire, have a blowout

crevette *f.* shrimp

cric *m.* jack

crier to shout, call out, cry; — **miséricorde** to cry for mercy

critique *f.* criticism

croire to believe, think

croisé folded, crossed

croquer to crunch, devour

Cros, Charles French poet and inventor (1842–1888)

croyable credible, likely

cruauté *f.* cruelty, cruel deed

cuiller or **cuillère** *f.* spoon

cuir *m.* leather, hide; **livre relié en** — leather-bound book

cuire to cook

cuisine *f.* cooking, kitchen

cuit (from **cuire** to cook); **bien** — well done

culot *m.* bottom, base; audacity, effrontery

culotte *f.* breeches, trouser; — **courte** knee breeches

culturel, culturelle cultural

curieux, curieuse curious, inquisitive

Dadié, Bernard poet from the Ivory Coast (1916– . . .)

dame *f.* lady; — **oui!** why, yes!

Danemark *m.* Denmark

dangereux, dangereuse dangerous

dans in, into, within

danser to dance

davantage more, any more, any longer

de of, from, with, than (before numbers)

débat *m.* dispute, debate

debout upright, standing; **être** — to be up, be standing

début *m.* beginning, first appearance; **au** — in (at) the beginning

décembre *m.* December

décerner to award, bestow, confer

décevoir to deceive, disappoint

déchirer to tear (up)

décider to decide; — **à** to persuade to; **se** — **à** to make up one's mind to, decide

déclarer to declare, proclaim

décomposer to decompose, split up, break up

découverte *f.* discovery

découvrir to discover, uncover

décrier to decry, discredit

décrire to describe

dédier to dedicate, consecrate

défaire to undo

défaut *m.* defect, fault

défavorable unfavorable, disadvantageous

défendre to forbid; to defend, protect

défiance *f.* distrust, mistrust

définir to define, determine; **se** — to be defined, be determined

dégager to disentangle, clear, remove

dégoûté (de) disgusted (with), sick (of)

degré *m.* degree, stage, extent

déguiser to disguise, conceal

dehors out, outside; **en** — (on the) outside, without; **au** — outside

déjà already

déjeuner *m.* lunch; **petit** — *m.* breakfast

déjeuner to lunch, have lunch

Delacroix, Eugène French Romantic painter (1789–1863)

delco *m.* ignition

délicat delicate, ticklish, embarrassing

délicatesse delicacy, refinement, tenderness, nicety

délice *m.* delight, pleasure

délicieux, délicieuse delicious, delightful

déloger to remove, go (from one's house), go off; — **sans trompette** to steal away, march off in silence, decamp quietly

demain tomorrow; **à** — (I'll) see you tomorrow, until tomorrow

demande *f.* application, request; — d'admission application for admission
demander to ask (for), require; se — to wonder
démarrer to start (car)
dément mad, crazy
demeurer to dwell, live, remain
demi half
démontrer to demonstrate, prove
dénouement *m.* ending, outcome, conclusion
dent *f.* tooth
dentelle *f.* lace
départ *m.* departure
département *m.* department
dépêcher to dispatch; se — to hurry
dépendances *f. pl.* out-buildings
dépendre to depend
dépense *f.* expenditure, expense
dépenser to spend (money)
dépliant *m.* folder, prospectus, leaflet
déployer to unfold
déposer to deposit, set down, leave, lay down; — au vestiaire to check (in the cloakroom)
depuis since, for (in time expressions); — combien de temps? how long?
déranger to bother, disturb
dérégler to put out of order, upset, disarrange, unsettle
dernier, dernière last
dernièrement lately, recently
dérouler to unroll, spread out, display; se — to take place
déroute *f.* rout; en — routed, in flight
derrière behind, in back of
dès from, since; — que as soon as
désagréable disagreeable, unpleasant, obnoxious, offensive
Descartes, René French philosopher and mathematician (1596–1650)
descendre (être) to go down, go downstairs, get off; (avoir) to take down
désespéré desperate
désigner to designate, denote
désirer to desire, wish
désolé very sorry, grieved; être — to be very sorry
désormais henceforth
dessert *m.* dessert
desservir to clear the table
dessin *m.* cartoon, drawing, sketch; — animé animated cartoon
dessiner to design, lay out, draw, sketch
dessus *m.* top, upper part; ci-dessus above

destinataire *m.* or *f.* addressee
destiner to destine, reserve (for a particular fate)
détacher to detach, untie, undo; se — to stand out clearly, become unfastened (loose)
détail *m.* detail
détaillé detailed
déterminer to determine, fix
détourner to turn away, turn aside
détruire to destroy
dette *f.* debt
deux two
deuxième second (in series)
devant before, in front of
développer to develop, unfold
devenir to become
deviner to guess, predict
devise *f.* motto
devoir *m.* duty, exercise; *pl.* homework
devoir to owe, ought, must, have to
dévorer to devour, eat up, consume
dévot devout, pious
diable *m.* devil; diable! goodness! good gracious!
diamant *m.* diamond
dictée *f.* dictation
dictionnaire *m.* dictionary
Diderot, Denis French philosopher and novelist (1713–1784)
Dieu *m.* God; Mon —! my goodness!, dear me!, good heavens!
différent different, various
difficile difficult, hard
digne deserving, worthy
dignité *f.* dignity, self-respect
dimanche *m.* Sunday
diminutif *m.* diminutive
dîner *m.* dinner
dîner to dine, have dinner; — au menu to have the complete dinner
diplôme *m.* diploma
dire to say, tell; à vrai — to tell the truth; c'est à — that is to say; entendre — to hear (said); pour ainsi — so to speak, as it were; pour tout — in a word; vouloir — to mean
directement directly
directeur *m.* director, manager, head
diriger to direct; se — vers to make one's way toward
discours *m.* speech, address; Le — sur les sciences et les arts first critical work (1750) by Jean-Jacques Rousseau
discréditer to discredit
discuter to discuss, debate

disparaître to disappear
disparition f. disappearance
disposition f. disposition, disposal; **à la — de** at the disposal of
disque m. (phonograph) record
dissimuler to conceal, hide
dissiper to dissipate, scatter, dispel
dissonance f. discord
distinctement distinctly, clearly, plainly
distinguer to distinguish
distraction f. diversion, amusement
distribuer to deliver (mail), distribute
distribution f. delivery (of mail); cast (of a play)
divers diverse
diviser to divide
dix ten
dix-huit eighteen
dix-huitième eighteenth
dixième tenth
dix-neuvième nineteenth
dix-septième seventeenth
docteur m. doctor
documentaire m. documentary (film)
doigt m. finger; **mettre le — sur qqch** to put one's finger on s.t., pinpoint s.t.
domaine m. domain, realm, sphere
domestique m. or f. servant
domestique adj. domestic, domesticated, tame; household
dominer to dominate, rule, hold sway, domineer
dommage: c'est — it's a pity, it's too bad
donc then, therefore, hence
donner to give; **— sur** to face, look out on, overlook; **— un coup de main à qqn** to give s.o. a hand; **— un coup de téléphone à qqn** to phone s.o.; **— une pièce (un film)** to present (show) a play (a film); **je vous le donne en trois** I'll give you three guesses
dont whose, of whom, of which
dormir to sleep
dos m. back
dossier m. file, folder, record
doter to endow
douane f. customs; **passer à la —** to pass (through) customs
douanier m. customs officer
doucement gently, softly
douche f. shower
douceur f. sweetness, gentleness, rapture
douleur f. pain, suffering, sorrow

douloureux, douloureuse painful, grievous, sad
doute m. doubt; **sans —** surely, undoubtedly, without a doubt
douter to doubt; **se — de** to suspect
doux, douce mild, soft, sweet, pleasant; **il fait —** it's mild (weather)
douzaine f. dozen
douzième twelfth
dramaturge m. playwright, dramatist
drame m. drama, play
drap m. cloth, sheet
dresser to erect, set up, make out; **— une contravention à qqn** to take s.o.'s name and address (with a view to prosecution)
droit m. right, fee, duty; **tout —** straight ahead
droit, droite straight, upright; **ligne — (e)** straight line
droite f. right; **à —** to the right
duc m. duke
dur hard
durée f. duration, length of time
durer to last

eau f. water; **— courante (chaude et froide)** (hot and cold) running water
écart m. stepping aside, swerving; **faire un —** to step aside; (of horse) start, shy
écarter to separate, set aside, spread
échafaudage m. scaffolding
échantillon m. sample, specimen
échapper to escape
écharpe f. scarf
échec m. defeat, failure
échelle f. ladder
éclairer to light, illuminate; **— le fourneau** to light the oven; **s'—** to shine, light up
éclat m. burst, outburst
éclatant sparkling, glittering, striking
école f. school; **à l'—** at, in, or to school; **— primaire** elementary school; **— secondaire** secondary (high) school
écouler: s'— to elapse, slip away
écouter to listen (to)
écran m. screen
écraser to crush, squash
écrier: s'— to cry out, exclaim
écrire to write
écrivain m. writer
écurie f. stable
édifice m. building

effet *m.* effect; en — in fact, indeed

efforcer: s'— to exert oneself, strive, endeavor, do one's utmost

effrayant frightful, terrifying, dreadful

effrayer to frighten

égal (*pl.* égaux) equal; ça m'est — it's all the same to me

également equally, also, too

égalité *f.* equality, evenness, uniformity

égard *m.* regard, respect; à l'— de with respect to

égaré strayed, misguided, distracted

égarer to lead astray, mislead, misguide; s'— to lose one's way, stray

église *f.* church

Électre tragedy (1937) by Jean Giraudoux

élémentaire elementary

élever to raise, bring up, rear

élire to elect

elle she, it, her

elles they, them

éloigné removed, distant, remote

emballer to pack, wrap; to be carried away (by enthusiasm)

embouchure *f.* mouth (of river)

Émile pedagogical novel (1762) by Jean-Jacques Rousseau

emménagement: plan d'— *m.* deck plan

emmener to take (a person)

émoi *m.* emotion, excitement

émotionné thrilled, moved, touched

emparer: s'— (de) to take possession of, seize, secure

empêcher to prevent

empereur *m.* emperor

emphase *f.* emphasis, stress, bombast, grandiloquence

emploi *m.* use

employé *m.* employee

employer to employ, use

emporter to carry (take) away, remove; l'— sur to prevail over, triumph over, get the better of, win out

emprunter to borrow

ému moved, touched

en in, to, of it, of them, some, any; from there; while, in, on (+ *pres. part*)

encombrer to block, obstruct

encore again, still, yet; — moins still less; pas — not yet

encourager to encourage, stimulate

endormir to put to sleep; s'— to fall asleep

endroit *m.* place, spot

enfance *f.* infancy, childhood

enfant *m.* or *f.* child

enfin at last, finally

engagé pledged, engaged, enlisted

engager to engage, pledge, begin; urge, enlist; — la conversation to begin (start) the conversation

énigmatique enigmatical

énigme *f.* enigma, riddle

ennuyant annoying, tiresome, irksome

ennuyer to annoy, bore, bother; s'— to be bored

ennuyeux, ennuyeuse boring, tedious, dull, annoying, tiresome

énorme enormous

énormément enormously

enregistrer to check, register, record; faire — les bagages to have one's baggage checked

enrichir to enrich, adorn, embellish; s'— to grow rich, thrive

enseignement *m.* teaching, instruction

enseigner to teach, instruct

ensemble *m.* whole

ensemble together

ensuite after, afterwards, then

entamer to make an incision in, cut into; — avec les dents to bite

entendre to hear, understand; — dire to hear (said); — parler de to hear of, hear spoken of

entendu understood, very well; bien — of course

entier, entière entire, whole

entièrement entirely

entourer to surround

entracte *m.* intermission

entrave *f.* shackle, clog, hindrance, obstacle

entre among, between

entrée *f.* entrance, admission

entreprendre to undertake

entreprise *f.* enterprise, undertaking

entrer to enter, go in(to)

entrevoir to catch sight of

énumérer to enumerate

enveloppe *f.* envelope

envie *f.* desire, envy; avoir — de to feel like

environ about

envoyer to send; — en colis postal to send parcel-post; — un mandat (un télégramme) to send a money order (a telegram)

épais, épaisse thick, dense

épaisseur *f.* thickness

épanouir: s'— to expand, blossom (out)

épaule *f.* shoulder; **hausser les —s** to shrug one's shoulders

épée *f.* sword

épicerie *f.* grocery store

épicier *m.* grocer

Épinal town on the Moselle River famous for its production of colored prints

épique epic, epical

épistolaire epistolary

époque *f.* epoch, era, age

épouser to marry, wed

épouvantable frightful, dreadful, appalling

époux *m.* husband, bridegroom

éprouver to experience, feel, test

équipage *m.* crew

équipe *f.* team

équivaloir to be equivalent

ère *f.* era, epoch

erreur *f.* error, mistake; **induire en —** to lead into error

ermite *m.* hermit, recluse

escalier *m.* stairs, staircase, stairway; **— double** double stairway; **— en spirale** winding (spiral) staircase

espace *m.* space, interval (of time)

Espagne *f.* Spain

Espagnol *m.* Spaniard; **Espagnole** *f.* Spanish woman

espagnol *adj.* Spanish

espèce *f.* kind, sort

espérer to hope; **— que oui (non)** to hope so (not)

esprit *m.* spirit, mind, wit

Essais: Les — collection of essays (1580–1588) by Montaigne

essayer to try, try on; **s'—** to try one's hand

essence *f.* gasoline

essentiellement essentially, above all

essuie-glace *m.* windshield wiper

essuyer to wipe, wipe away, wipe up, dry

est *m.* east

estampe *f.* print

estimer to esteem; to estimate

estuaire *m.* estuary

et and

étable *f.* barn

étage *m.* floor, story

étalage *m.* display

étape *f.* stage, halting-place, stop

état *m.* state; **L'— de Siège** play by Albert Camus

États-Unis *m. pl.* United States

été summer; **en —** in the summer

éteindre to extinguish

étendre to extend, stretch out; **s'—** to stretch (oneself) out, reach, extend

étendu *f.* extent, extensiveness, stretch

éternel, éternelle eternal

éterniser to eternize, make eternal, perpetuate, immortalize

Éthiopiques Nocturnes collection of poems by Leopold Senghor which won the international prize in 1906

étiquette *f.* ticket, label, tag, sticker

Etna volcano in Sicily

étonnant surprising, astonishing

étonner to astonish, surprise; **s'—** to be astonished, be surprised

étourdissant deafening, stunning, astounding

étranger *m.*, **étrangère** *f.* foreigner, stranger; **l'—** abroad; **L'—** novel (1942) by Albert Camus

étranger, étrangère foreign

être *m.* being

être to be; **— à** to belong to; **— bien** to be comfortable; **— de retour** to be back; **— en avance de … minutes** to be … minutes ahead of time, be … minutes early; **— en panne** to have a breakdown, be stuck; **— en peine** to be anxious about, be uneasy about; **— en train de** to be (doing s.t.) just now, be in the act of; **— occupé** to be busy, be occupied; **— pressé** to be in a hurry; **— réglé** to be fixed (arranged) set (of time); **n'est-ce pas?** isn't it?, aren't we?, didn't you?, etc., **vous y êtes** here (there) you are, you have it

étreindre to clasp, grip

étude *f.* study

étudiant *m.*, **étudiante** *f.* student; **— en médecine** medical student

étudier to study

étui *m.* box, case, cover; **— à cigarettes** cigarette case

Eugénie Grandet novel (1833) by Honoré de Balzac

européen, européenne European

eux they, them

événement *m.* event

éventuellement possibly, on occasion

évidemment evidently, obviously

évidence *f.* evidence, obviousness; **mettre en —** to bring to light

évident evident

éviter to avoid

évoquer to evoke, conjure up, call to mind

exactement exactly

exactitude *f.* exactness, correctness

exalté exalted

examen *m.* examination; **passer un —** to take an examination; **réussir à un —** to pass an examination

examiner to examine, check

exécuter to execute, carry out, accomplish

excès *m.* excess

excuse *f.* excuse, (*pl.*) apology; **faire des —s** to apologize

excuser to excuse, pardon; **s'—** (**de**) to apologize (for)

exemplaire *m.* copy, specimen

exemple *m.* example; **par —** for example

exercer to exert

exercice *m.* exercise; **faire l'—** to exercise, drill

exiger to require, demand, necessitate

exil *m.* exile; **L'— et le royaume** a collection of short stories by Albert Camus

exister to exist

expéditeur *m.* **expéditrice** *f.* sender

expérience *f.* experience, experiment, test

explication *f.* explanation

expliquer to explain

exploiter to work, improve, cultivate, exploit

exposer to expose

exposition *f.* art exhibit, exhibition

express *m.* limited (express train)

exprimer to express; **s'—** to express oneself

exquis exquisite

extérieur exterior, outside, outer

extraire to extract, draw

extrait *m.* extract, excerpt, selection

fabliau *m.* (*pl.* **fabliaux**) medieval short story in old French

fabuleux, fabuleuse fabulous, fictitious

fabuliste *m.* fabulist, writer of fables

face: en — de opposite; **d'en —** across the way

fâcher to anger; **se —** to become angry

facile easy

facilement easily

façon *f.* way, manner; **de toute —** anyway, at any rate; **d'une — générale** in a general way; **— de vivre** manner (way) of living, way of life

facteur *m.* mailman, postman

Faculté *f.*: **— de Médecine** School of Medicine; **— des Lettres** School of Letters (Liberal Arts)

faible weak

faiblesse *f.* weakness

faillir to be on the point of

faim *f.* hunger; **avoir —** to be hungry; **mourir de —** to be starving, famished

faire to do, make; **— attendre qqn** to keep s.o. waiting; **— attention** to pay attention; **— bien de** to do well; **— des achats** to make some purchases, do some shopping; **— des courses** to do errands, go shopping; **— de son mieux** to do one's best; **— du patin** to skate, go skating; **— du patin à glace** to go ice skating, to ice-skate; **— du pédalo** to go water cycling; **— du ski** to ski, go skiing; **— enregistrer les bagages** to have one's baggage checked; **— feu** to fire, shoot; **— la connaissance de** to become acquainted with, make someone's acquaintance, meet; **— la queue** to stand in line; **— la raie** to part one's hair; **— le plein** to fill up (gasoline tank); **— mal** to ache, be painful, hurt; **— partie de** to be a member of, belong to, be a part of; **— plaisir à** to give pleasure, please; **— recommander une lettre** to register a letter; **— son entrée** to make one's entrance; **— tourner le moteur** to start the engine, let the motor run; **— tout son possible** to do everything possible; **— un pique-nique** to go on a picnic, have a picnic; **— un voyage** to take a trip; **— une friction à qqn** to give s.o. a massage; **— une promenade** to take a walk; **— valoir qqch** to make the most of s.t.; **— venir** to send for; **il fait beau** the weather is fine; **il fait chaud** it's warm, it's hot (weather); **il fait clair** it's clear (weather); **il fait doux** it's mild; **il fait du soleil** it's sunny; **il fait du vent** it's windy; **il fait frais** it's cool; **il fait frisquet** it's chilly; **il fait froid** it's cold (weather); **il fait humide** it's humid; **il fait mauvais** the weather is bad; **il fait sombre** it's dark; **il fait un froid de loup** it's bitter cold; **je ferais bien de** I had better; **se — couper les cheveux** to have one's hair cut, get a haircut; **se — la barbe** to shave oneself; **se — une place à part** to be in a class by oneself; **se — vacciner** to have oneself vaccinated

fait *m.* act, fact, deed; **au —** incidentally, as a matter of fact, in fact,

after all; **en —** as a matter of fact;
tout à — entirely, quite, altogether
falloir to be necessary, must (impersonal)
fameux, fameuse famous
famille *f.* family
fantastique fantastic
farine *f.* flour
fatigant fatiguing, tiring, wearisome
fatigue *f.* fatigue, tiredness, weariness, hard toil, hardship
fatigué tired
fatiguer to fatigue, tire; **se —** (de) to be tired (of)
faussement falsely, erroneously, wrongfully
faut: il — it is necessary, one must
faute *f.* fault, error, mistake
fauteuil *m.* armchair, barber's chair
faux, fausse false, counterfeit
favori, favorite favorite
femelle *f.* female, she-animal
femme *f.* wife, woman; **— de chambre** chambermaid; **Les —s savantes** comedy (1672) by Molière
fendre to split, slit, cut, open
fenêtre *f.* window
ferme *f.* farm
fermement firmly
fermer to close, shut
féroce ferocious, fierce, savage
fesse *f.* buttock, rump
fête *f.* celebration, feast, festival, holiday
feu *m.* fire, glow; **faire —** to fire, shoot
feu *adj.* late, deceased, defunct
feuille *f.* leaf, sheet; **Les —s d'Automne** a collection of poems (1831) by Victor Hugo
février *m.* February
ficelle *f.* string
fiche *f.* card, slip
fictif, fictive fictitious, imaginary
fidèle faithful, loyal; exact, accurate
fierté *f.* pride
figure *f.* face
figuré figurative
figurer to figure, appear
fille *f.* daughter, girl; **jeune —** *f.* girl; **petite—** *f.* granddaughter
film *m.* film; **donner un —** to show a film; **grand —** feature film, main feature
fils *m.* son
filtre *m.* filter, cup of filtered coffee
fin *f.* end; **à la —** at the end, at last
fin, fine fine, thin, delicate

finalement finally
finir to furnish; **— par faire qqch** to end in (by) doing s.t.
fixe fixed, firm, stable
flamme *f.* flame, fire, passion
flanc *m.* side, flank; **à mi-flanc** halfway up the side
flatteur, flatteuse flattering
Flaubert, Gustave French novelist (1821–1880)
fleur *f.* flower; **en —** in bloom; **Les —s du mal** a collection of poems (1857) by Charles Baudelaire
fleuve *m.* river
flot *m.* wave
flou blurred, out of focus
foi *f.* faith, belief, creed; **ma —!** par **ma —!** really!, to be sure!, goodness!, my word!, why!, oh, well!
fois *f.* time; **tout à la —** all at the same time; **des —** sometimes
fond *m.* bottom, back, rear; **au — de** in the rear of, in the back of, at the bottom of
fondateur *m.* founder
fondation *f.* foundation, basis; **Fondation des États-Unis** part of the Cité Universitaire which serves as a residence and cultural center for students
force *f.* strength, force, might
forcer to force, compel
forêt *f.* forest
formalité *f.* formality
forme *f.* form, shape
former to form, make up, assemble
fort strong; very, very much
fossé *m.* ditch
fou, fol, folle mad, crazy, insane, foolish, silly, senseless
foule *f.* crowd, throng, multitude
four *m.* oven; **pommes de terre au —** baked potatoes
fourneau *m.* oven; **allumer le —** to light the oven; **éclairer le —** to light the oven
fournir to furnish, supply; **— qqch à qqn** to supply s.o. with s.t.
fourré furry, lined with fur
fourrure *f.* fur
fragilité *f.* fragility, frailty
frais *m.* expense, cost
frais, fraîche cool, fresh; **il fait —** it's cool
fraise *f.* strawberry; **tarte aux —s** strawberry pie (tarts)
franc, franche frank

français *adj.* French

français *m.* French (language)

Français *m.* Frenchman; **Française** *f.* Frenchwoman

François Ier King of France (1515–1547)

frapper to knock, strike

frein *m.* brake

fréquemment frequently

frère *m.* brother

friction *f.* friction, rubdown, scalp massage; **faire une — à qqn** to give s.o. a massage

frisquet: il fait — it's chilly

frisson *m.* shiver, shudder, thrill

frites *f. pl.* (French) fried potatoes

froid *m.* cold; **avoir —** to be cold (person); **il fait —** it's cold (weather); **il fait un — de loup** it's bitter cold

fromage *m.* cheese

fromagerie *f.* dairy

front *m.* forehead

fructifier to fructify, bear fruit, thrive

fruitier, fruitière fruit-bearing; **arbre —** *m.* fruit tree

fugitif, fugitive fleeting, fugitive

fugue *f.* flight, escapade

fuir to flee, flee away, run away, escape

fuite *f.* flight; **— du temps** flight of time

fumé smoked

fumée *f.* smoke

fumer to smoke

fumeur *m.* smoker

fureur *f.* rage, fury; **mettre en —** to annoy

furieux, furieuse furious

gagner to earn, gain, win

gai gay, merry

gaîté *f.* gaiety, mirth, glee

galerie *f.* balcony, gallery

gant *m.* glove

garage *m.* garage

garagiste *m.* garage man, mechanic

garçon *m.* boy; waiter

garder to guard, keep, protect; **se — (de)** to take care not (to)

gare *f.* station

garer to park, garage

gâteau *m.* cake

gauche *f.* left; clumsy, awkward; **à — to** the left

gaucherie *f.* awkwardness, clumsiness

Gautier, Théophile French poet and novelist (1811–1872)

géant *m.* giant

geler to freeze; **il gèle** it's freezing

gêner to embarrass

général general; **en —** in general, generally

généreux, généreuse generous

génie *m.* genius; spirit

gens *m.* people

gentil, gentille nice

gentilhomme *m.* nobleman, gentleman

genre *m.* class, gender, genre, kind, type

géométrie *f.* geometry

Géraldy, Paul French poet and dramatist (1885–...)

Géricault, Théodore French Romantic painter (1791–1824)

germain German

Gigi novel by Gabrielle Colette

gigot *m.* leg (of lamb); **— de mouton** leg of lamb

Giraudoux, Jean French novelist and dramatist (1882–1944)

glace *f.* ice, ice cream, mirror; **— au chocolat** chocolate ice cream

glisser to slip, slide, glide

gothique gothic, ogival

gouffre *m.* the deep, abyss

gourde *f.* calabash, wicker bottle, flask, wineskin

goût *m.* taste

goutte *f.* drop

gouverner to govern, rule

grâce *f.* grace, charm, pardon; **— à** thanks to, owing to

gracieux, gracieuse graceful, gracious

graissage *m.* lubrication, greasing

graisser to grease, lubricate, oil

grammaire *f.* grammar

grand big, great, large, tall

grandement greatly, highly, very much

grandeur *f.* greatness, grandeur

grand-mère *f.* grandmother

grand-père *m.* grandfather

gras, grasse fat, thick

gratuit free

grave serious

gravure *f.* engraving, print

grec *m.* Greek (language)

grec, grecque *adj.* Greek

Grèce *f.* Greece

Greco: El — Spanish painter (1548–1614?)

grêler to hail; **il grêle** it's hailing

griffe *f.* claw

griller to grill, broil (meat), toast (bread)

gris gray
gronder to scold
gros, grosse big, fat, large
grosseur *f.* size, largeness
grossier, grossière coarse, crude, rough, unpolished
guère: ne ... — hardly, scarcely
guérir to heal, cure, be cured
guerre *f.* war; La — de Troie n'aura pas lieu play (1935) by Jean Giraudoux
guetter to watch for, lie in wait for
guichet *m.* (ticket) window
guyanais Guianese

habile able, capable, clever, skillful
habiller to dress; s'— to dress oneself, get dressed
habitant *m.* inhabitant, resident
habitation *f.* dwelling, residence, abode
habiter to dwell, inhabit, live
habitude *f.* habit, practice; d'— ordinarily, usually
habituer to accustom
hall *m.* (large) entrance hall (of hotel, station, etc.), room
hanter to haunt
haricot *m.* bean; —s verts stringbeans
hardi daring, bold, audacious
hareng *m.* herring
harmonie *f.* harmony; —s poétiques et religieuses a collection of poems (1830) by Alphonse de Lamartine
harmonieux, harmonieuse harmonious
hasard *m.* chance, hazard; par — by chance, accidentally
hâter to hasten, hurry; se — (de) to hasten (to)
hausser to raise; lift up; — les épaules to shrug one's shoulders
haut high, tall, upper; tout en — way up high
hélas! alas!
Henri IV King of France 1589–1610
herbe *f.* grass
Hernani Romantic play (1830) by Victor Hugo
héros *m.* hero
hésiter to hesitate, waver
heure *f.* hour, o'clock, time; à l'— on time, de bonne — early; quelle — avez-vous? what time do you have?; quelle — est-il? what time is it?; tout à l'— a little while ago, in a little while, shortly; une demi — half an hour

heureux, heureuse happy; être — de to be happy (+ *inf.*)
heureusement fortunately, happily
heurter to knock (strike) against; se — to collide, clash, bump, run into
hier yesterday; avant — the day before yesterday; — soir last night
histoire *f.* story, history
historique historical
hiver *m.* winter; en — in the winter
homard *m.* lobster
homme *m.* man; L'— révolté philosophical essay by Albert Camus; Les —s de bonne volonté vast series of novels (1932–1947) by Jules Romains; — politique politician, statesman
honneur *m.* honor
honteux, honteuse shamefaced, bashful, shy
hôpital *m.* hospital
horloge *f.* clock
horreur *f.* horror, dread, fright; avoir — de to abhor
hors-d'œuvre *m.* hors d'œuvre
hospitalier, hospitalière hospitable
hostie *f.* offering (for sacrifice), victim, host
hôtel *m.* hotel, mansion
hôtelier *m.* hotel keeper
housard *m.* synonyme for hussard *m.* hussar
houx *m.* holly
Hugo, Victor French poet, novelist, and dramatist (1802–1885)
huée *f.* cat-call, boo
huile *f.* oil; peinture à l'— *f.* oil painting
huitième eighth
humain human
humer to inhale
humeur *f.* humor, temperament, mood
humide damp, humid, moist; il fait — it's humid

ici here; d'— from here; par — over here, this way
idée *f.* idea
identifier to identify
identité *f.* identity; carte d'— identification card
idiot idiotic, stupid
if *m.* yew tree
ignorer to be ignorant of, not to know, not to be aware of
il he, it; — y a there is, there are; (with expression of time) ago; — y aura

there will be; — y **avait** there was, there were
illustrer to illustrate
image *f.* image, picture
imagé full of imagery, vivid, picturesque
imaginer to imagine, conceive, invent, devise
imitateur *m.*, **imitatrice** *f.* imitator
imiter to imitate, copy
immédiatement immediately
immeuble *m.* building, apartment house, tenement
immortaliser to immortalize
impatienter: s'— **de** to be impatient to
impérieusement imperiously
imperméable *m.* raincoat
importe: il — it's important; n' — **où** anywhere, no matter where
imposant imposing, striking, impressive
impressionnant impressive
impressionner to impress
impressionniste impressionist, impressionistic
imprévu unforeseen, unexpected
imprimé *m.* printed matter
imprudent imprudent, foolhardy, unwise
inaltérable unalterable, unchangeable, invariable
inapte inapt, unfit
incomparable uncomparable, unequalled
inconnu unknown
inconsolable disconsolate, inconsolable
incontestable indisputable, unquestionable
incrédule *m.* or *f.* unbeliever, infidel
incrédulité *f.* disbelief, incredulity
incroyable incredible, unbelievable
indiquer to indicate, show, point out
indispensable indispensable, absolutely necessary
individu *m.* individual, person
indolent indolent, sluggish, slothful
induire to induce, lead; — **en erreur** to lead into error
individuel, individuelle individual
infect infected, foul, stinking
infini infinite, boundless, endless
infiniment infinitely, immensely
infirme *m.* or *f.* invalid, cripple
influence *f.* influence, sway
informer to inform; s'— to inquire about s.t., make inquiries
ingénieur *m.* engineer
initiateur *m.* initiator
injustement unjustly, wrongly
innombrable innumerable

inouï unheard of
inquiet, inquiète disquieted, anxious, uneasy, worried
inscription *f.* registration; **prendre ses** —s to register
inscrire to enroll, inscribe, register, write down; s'— to register
insensé insane, mad
insignifiant insignificant, trivial, trifling
insolite unusual, unprecedented
inspirateur *m.* inspirer
inspirer to inspire; s'— (**de**) to draw one's inspiration (from)
installer to install, set up; s'— to get settled
instant *m.* moment, instant
instructif, instructive instructive
instruire to instruct
intellectuel, intellectuelle intellectual
intention *f.* intention; **avoir l'— de** to have the intention of, intend to
interdire to prohibit, forbid
intéressant interesting
intéresser to interest; s'— à to be interested in
intérêt *m.* interest
intérieur inside, inner; à l'— inside, indoors
Intermezzo play (1933) by Jean Giraudoux
interminable interminable, endless
interne *m.* intern (in hospital), boarder (in school)
interpréter to interpret
intime intimate
intimement intimately, closely
intimité *f.* intimacy, closeness, privacy
intituler to entitle, call, name
intrigue *f.* intrigue, plot
intrinsèque intrinsic
introduire to bring in, introduce
inverse *m.* the reverse, the contrary, the opposite
invité *m.* (invited) guest
inviter to invite
ironique ironical
irréfléchi thoughtless, rash
irréflexion *f.* thoughtlessness
irrégulier, irrégulière irregular
irriter to irritate, incense, anger
Italie *f.* Italy
italien *m.* Italian (language)
italien, italienne Italian
ivoire *m.* ivory; **la Côte d'Ivoire** *f.* Ivory Coast

jaloux, jalouse jealous
jambe f. leg
jamais ever, never; ne ... — never
jambon m. ham
Japon m. Japan
jardin m. garden
jardinier m. gardener
jasmin m. jasmine
jaune yellow
Jean John
jeter to throw; cast; — la ligne to cast
  the (fishing) line; — sa langue aux
  chiens to give up (guessing); — un
  coup d'œil sur to glance at, look at;
  se — to throw oneself, flow
jeu m. game, play
jeudi m. Thursday
jeune young; jeune fille f. girl
jeunesse f. youth
Jocelyn epic poem (1836) by Alphonse
  de Lamartine
Joconde f. Mona Lisa (painting by Leonardo da Vinci)
joie f. joy, delight, gladness
joindre to join
joli pretty
jouer to act, play; — à to play (a game,
  a sport); — de to play (an instru-
  ment); — un rôle to play (act) a part
joueur m. player
jouir (de) to enjoy
jour m. day; de nos —s nowadays;
  huit —s a week; par — a day, per day;
  quel — sommes-nous? what is the
  date?; quinze —s two weeks; tous les
  —s every day
journal m. (pl. journaux) newspaper;
  — de bord ship's newspaper
journalier m. day laborer
journaliste m. journalist, reporter
journée f. day; toute la — the whole
  day
joyeux, joyeuse joyful, merry, cheerful
juger to judge
juillet m. July
juin m. June
jument f. mare
juré sworn
jurer to swear, vow, take an oath
juron m. oath, swearword
jus m. juice; — d'orange orange juice
jusqu'à prep. as far as, until, up to;
  — ce que conj. until
juste just, right, fair; à — titre deservedly, justly, rightly; au — exactly,
  precisely; ça fait — it's a little close

(tight); il est — it's right; Les —s
  play by Albert Camus
justement precisely, exactly
justesse f. justness, exactness, accuracy
justifier to justify, vindicate

kilo, kilogramme m. kilo (2.2. lbs)
Knock comedy (1923) by Jules Romains

là there; — bas down there, over there
laboratoire m. laboratory
labyrinthe m. labyrinth, maze
lac m. lake; Le — poem by Alphonse
  de Lamartine
La Fontaine, Jean de French poet and
  writer of fables (1621–1695)
Laforgue, Jules French poet (1860–
  1887)
laid ugly
laine f. wool
laisser to leave (behind); to let; —
  tomber to drop; — aller to let go, let
  fall
lait m. milk; chocolat au — m. milk
  chocolate
laitage m. dairy product
Lamartine, Alphonse de French Romantic poet and statesman (1790–1869)
language m. language, speech
langue f. language, tongue; jeter sa —
  aux chiens to give up (guessing)
lapin m. rabbit
large broad, wide; au — de off
lasser to tire, exhaust; se — de to grow
  tired of
latin m. Latin (language)
lavabo m. washbasin
lavande f. lavender
laver to wash; se — to wash oneself
leçon f. lesson
Leconte de Lisle French poet (1818–
  1894)
lecteur m. reader
lecture f. reading
légende f. legend; La — des siècles a
  collection of poems (1859–1883) by
  Victor Hugo
léger, légère light
légèrement lightly, slightly
légume m. vegetable
lendemain m. next day
lent slow
lentement slowly
lequel, laquelle, lesquels, lesquelles
  which, which one, who, whom

lettre *f.* letter; — **recommandée** registered letter; —**s de noblesse** letters
patent of nobility
leur *pron.* to them
leur, leurs *adj.* their
leur, le leur, la leur, les leurs theirs
levant *m.* East, rising sun, Levant
levée *f.* collection (of mail)
lever *m.* getting up, rising; **au — du
soleil** at sunrise, at daybreak
lever to lift, raise; **se —** to get up, rise
lèvre *f.* lip
liberté *f.* liberty, freedom
libraire *f.* bookstore
libre free
librement freely
licence *f.* Master of Arts degree
lien *m.* bond, tie, link
lier to fasten, bend, join, link
lieu *m.* place; **au — de** instead of;
avoir — to take place
ligne *f.* line; — **de partage des eaux** *f.*
watershed; divide; **jeter la —** to cast
the (fishing) line
lilas *m.* lilac
limiter to limit, bound; **se —** to limit
oneself, be limited
linge *m.* linen, clothes (to be laun-
dered), laundry
lire to read
lit *m.* bed
litre *m.* liter (1.06 quarts)
littéraire literary
littéralement literally
littérature *f.* literature
livide livid, pale
livre *m.* book; *f.* pound; — **broché**
paperback book; — **de poche** *m.* pocketbook; — **d'occasion** *m.* second-hand
book; — **relié en cuir** leather-bound
book; — **relié en toile** cloth-bound
book
livrée *f.* uniform, livery
location *f.* hiring, renting, reservation;
billet de — *m.* reservation (ticket)
locution *f.* locution, expression
logement *m.* lodgings, dwelling, accom-
modations
logique *f.* logic; *adj.* logical
logis *m.* house, dwelling
loi *f.* law
loin far; **au —** in the distance
Loire *f.* longest river of France
Londres *f.* London
long, longue long; **le — de** along
longtemps a long time, long

loquacité *f.* talkativeness, loquacity
Lorenzaccio drama (1834) by Alfred
de Musset
Lorraine *f.* Lorraine province in eastern
France
lorsque when
loterie *f.* lottery, raffle; **billet de —** *m.*
lottery (raffle) ticket
louable laudable, commendable, praise-
worthy
louer to rent; **chambre à —** *f.* room for
rent
Louis XIV King of France 1643–1715
Louis XV King of France 1715–1774
loup *m.* wolf; **il fait un froid de —** it's
bitter cold
lourd heavy
Louvre: Le — famous museum in Paris
loyer *m.* rent, rental
lucide lucid, clear
lumière *f.* light; **mettre en —** to bring
to light
lundi *m.* Monday
lune *f.* moon
lutte *f.* struggle, strife
luxe *m.* luxury; **de —** luxurious
luxueux, luxueuse luxurious
lyrique lyric, lyrical
lyrisme *m.* lyricism

mâché chewed, jagged, **papier-—** *m.*
papier mâché
machine *f.* machine, engine; — **à calculer** adding machine, computer
mâchoir *f.* jawbone, jaw
madame, Mme madam, Mrs.
mademoiselle, Mlle miss
magasin *m.* store; **grand —** department
store
magnifique magnificent, splendid
magnifiquement magnificently
mai *m.* May
maigre thin, gaunt
main *f.* hand; **à la —** in your (his, her,
etc.) hand; **donner un coup de — à
qqn** to give s.o. a hand
maintenant now
mairie *f.* town hall
mais but; — **non** of course not
maison *f.* house; **à la —** at home
Maistre, Joseph de French writer and
philosopher (1753–1821)
maître *m.* master, teacher
maîtrise *f.* Master of Arts degree
mal badly, poorly; **pas trop —** pretty
well, all right, fine

mal *m.* ache, pain, trouble, evil; **avoir le — de mer** to be seasick; **faire — to** ache, be painful, hurt; **— de tête** headache

malade sick, ill; **tomber —** to fall ill, get sick

malade *m.* or *f.* patient; **Le — imaginaire** comedy (1673) by Molière

maladie *f.* illness, sickness

maladroit awkward, clumsy

mâle male, manly, masculine

malentendu *m.* misunderstanding; **Le —** play by Albert Camus

malgache Madagascan

malgré in spite of

malheureux *m.* unhappy person, wretched (unfortunate) creature

malle *f.* trunk

manche *f.* sleeve

mandat *m.* money order; **envoyer un —** to send a money order

mander to send news, send for, inform, acquaint, let know, summon

Manet, Edouard French painter (1832–1883)

manger to eat; **on y mange très bien** the food is very good there

manie *f.* mania, habit

manière *f.* manner, way, sort, kind; **d'une — générale** in a general way

manquer to be lacking, miss; come near

manteau *m.* (*pl.* **manteaux**) coat, cloak

manucure *f.* manicure, manicurist

marchand *m.*, **marchande** *f.* storekeeper, merchant, dealer; **— de journaux** newsdealer

marche *f.* step (of stairs); **mettre en — le téléviseur** to turn on the television set

marché *m.* market; **à bon —** cheap

marcher to walk, run; to work; **— bien** to keep good time (watch), run well

mari *m.* husband

marier to marry, blend; **se — avec qqn** to marry s.o., get married

Marne *f.* French river

marque *f.* brand, make, mark

marquer to mark, denote, tell

marquise *f.* (overhanging) shelter, glass porch or roof

mars *m.* March

marteau *m.* hammer

match *m.* match, game

matelot *m.* sailor, seaman

matériau *m.* material

matière *f.* matter, subject matter, subject, topic

matin *m.* morning; **ce —** this morning; **du —** in the morning; A.M.; **tous les —s** every morning

Maure *m.* Moor

mauvais bad; **il fait —** the weather is bad; **— numéro** wrong number

mécanicien *m.* mechanic

méconnu unrecognized, ignored

médecin *m.* doctor

médecine *f.* medicine; **étudiant en —** medical student

médicament *m.* medicine

Méditations poétiques a collection of lyrical poems (1820) by Alphonse de Lamartine

meilleur better, best

mélange *m.* mixture, mingling, mixing; **sans —** unmixed, unblended, pure

même even, same, self, very; **de — in** the same way, likewise; **en — temps** at the same time; **quand (bien) —** even if, anyhow, in spite of all; **tout de —** anyhow, just the same, all the same

mémoire *f.* memory

menacer to threaten

ménage *m.* housekeeping, household, married couple; **faire bon —** to live happily together

mener to lead, bring

mensonge *m.* lie, falsehood

menteur, menteuse lying

mentionner to mention, name

mentir to lie

menton *m.* chin; **— en galoche** turned up chin

menu *m.* complete dinner; menu, bill of fare; **dîner au —** to have the complete dinner

méprendre: se — to be mistaken

mer *f.* sea; **avoir le mal de —** to be seasick

merci thank you; **— bien** thank you very much

mère *f.* mother

méridional southern

mériter to deserve, merit, gain

merveille *f.* wonder, marvel

merveilleux, merveilleuse wonderful, marvellous

mesure *f.* measure; **dans quelle —** to what extent

météo *f.* weather report

métro *m.* subway; **carte de —** *f.* subway map; **en —** by subway

métropole *f.* metropolis, capital

mettre to place, put, put on (clothes); — **en évidence** to bring to light; — **en fureur** to annoy; — **en lumière** to bring to light; — **en marche le téléviseur** to turn on the television set; — **en valeur** to improve (land), enhance; — **la table** to set the table; — **la passerelle** to put up the gang-plank; — **le doigt sur qqch** to put one's finger on s.t.; pinpoint s.t.; — **les bigoudis** to put on curlers; — **les phares** to turn on the headlights; — **une lettre à la poste** to mail a letter; **se** — **à** to begin, start doing s.t.; **se** — **à table** to sit down (to eat)

meuble *m.* piece of furniture; **les meubles** furniture

meublé furnished

Mexique *m.* Mexico

microsillon *m.* long-playing record

midi *m.* noon

Midi: le — **de la France** the South of France

mien: le mien, la mienne, les miens, les miennes mine

mieux better, best; **ça va** — I'm better, I feel better; **faire de son** — to do one's best; **valoir** — to be better

mignardise *f.* affectation, delicacy, daintiness

milieu *m.* middle, environment; **au** — **de** in (to) the middle of, in the midst of

mille a thousand

Millet, Jean-François French painter (1815–1875)

mimer to mimic

minéral (*pl.* **minéraux**) mineral

minuit *m.* midnight

miraculeux, miraculeuse miraculous

miroir *m.* mirror

Misanthrope: Le — comedy (1666) by Molière

mise en plis *f.* hair set

Misérables: Les — novel (1862) by Victor Hugo

misère *f.* misery, poverty

miséricorde *f.* mercy, pardon; **crier** — to cry for mercy

mi-temps *f.* half-time

mi-voix: à — in an undertone, under one's breath, in a subdued voice

mobilier *m.* furniture

mode *m.* mode, mood

moi *m.* self, ego

moi *pron.* me, to me

moins less, least, fewer, fewest; **à** — **que** unless; **à** — **de** unless; **au** — at least; **du** — at least

mois *m.* month; **par** — a month, per month

moitié *f.* half

Molière French dramatist famed for his comedies (1622–1673)

moment *m.* moment; **en ce** — at this moment, right now

mon, ma, mes my

monarchie *f.* monarchy

monde *m.* world, people; **tout le** — everybody, everyone

monnaie *f.* change

monopole *m.* monopoly

monsieur, M. Mr., gentleman, sir

montagne *f.* mountain

Montaigne, Michel Eyquem de French moralist and essayist (1533–1592)

monter (**être**) to go up, climb, go up-stairs, get into; (**avoir**) to carry up; — **à bord** to go on board; — **dans le train** to get on the train

Montesquieu, (Charles de Secondat Baron de) French philosopher, historian, and novelist (1689–1755)

montre *f.* watch

montrer to show

moquer to ridicule; **se** — **de** to make fun of

morale *f.* ethics, morals, morality

morceau *m.* piece

mordre to bite, eat into

mort *f.* death; *past part.* of **mourir** died, dead; **tomber raide** — to fall stone-dead

mot *m.* word

moteur *m.* engine, motor; **faire tourner le** — to start the engine, let the motor (engine) run

motif *m.* motive, reason

mouchoir *m.* handkerchief

mourir to die; — **de faim** to be starving, famished; — **de peur** to be frightened to death

mouton *m.* sheep, mutton, lamb; **gigot de** — *m.* leg of lamb

mouvement *m.* movement

moyen *m.* means; **Moyen Age** Middle Ages; — **de transport** means of transportation

moyen, moyenne mean, medium, average

muet, muette silent, mute

mur *m.* wall

musée *m.* museum; **Musée du Jeu de Paume** museum in Paris
musicien *m.* musician
musique *f.* music
Musset, Alfred de French Romantic poet and dramatist (1810–1857)
Mythe de Sisyphe: Le — philosophical essay by Albert Camus

nager to swim
naguère lately, not long ago
naïf *m.* artless person, simpleton
naître to be born
Napoléon Ier Emperor of France (1804–1814)
nationaliste nationalistic
nationalité *f.* nationality
naturel, naturelle natural
navet *m.* turnip; **c'est un —** it's a flop
navire *m.* ship, vessel
ne not; **— ... aucun (nul)** no, not any; **— ... guère** hardly, scarcely; **— ... jamais** never; **— ... ni ... ni** neither ... nor; **— ... pas (du tout)** not (at all); **— ... personne** not ... anyone, nobody, no one; **— ... plus** not ... any more, no longer, no more; **— ... que** only; **— ... rien (du tout)** nothing (at all), not anything; **ni ... ni ... —** neither ... nor
né born
néanmoins nevertheless, however
nécessaire necessary
nécessairement necessarily
négliger to neglect, disregard
nègre *m.* negro; **Un — à Paris** novel (1959) by Bernard Dadié
négritude *f.* The sum cultural values of the Black World (People)
neige *f.* snow
neiger to snow
net, nette clean, clear, distinct, neat, net, plain
nettoyer to clean, dry-clean
neuf, neuve new
neutre neutral, neuter
neveu *m.* nephew
nez *m.* nose
ni: **ne ... — ... — (— ... — ... ne)** neither ... nor
nièce *f.* niece
neuvième ninth
noblesse *f.* nobility; **lettres de —** letters patent of nobility
Noël *m.* Christmas
noir black

nom *m.* name, noun
nombre *m.* number
nombreux, nombreuse numerous
nommer to name
non no, not; **— plus** either, neither
nord *m.* north
Normandie *f.* Normandy
Norvège *f.* Norway
note *f.* grade, mark, note
noter to note, set down, notice
notre, nos our
nôtre: **le nôtre, la nôtre, les nôtres** ours
Notre-Dame de Paris famous gothic cathedral in Paris, also a novel (1831) by Victor Hugo
nourri nourished, fed, full
nourrice *f.* wet nurse
nouveau, nouvel, nouvelle new
nouvelle *f.* short story, (often in *pl.*) news; **—s du jour** news of the day; **La — Héloïse** novel (1761) by Jean-Jacques Rousseau; **—s Méditations** a collection of lyrical poems (1823) by Alphonse de Lamartine
Nouvelle-Orléans *f.* New Orleans
noyer to drown
nu naked, nude, bare
nuancé blended, shaded, varied
nuée *f.* cloud
nuit *f.* night; **bonne —** good night
nul: **ne ... —** not ... any, no; **nulle part ailleurs** nowhere else
numéro *m.* number, size; **mauvais —** wrong number
numéroter to number
nuque *f.* nape (of the neck)
nu-tête bareheaded

obéir to obey
objet *m.* object, thing, article
obliger to oblige, compel
obtenir to get, obtain
occasion *f.* occasion, opportunity; bargain; **à quelle —** on what occasion; **c'est une —** it's a bargain; **livre d'—** *m.* second-hand book; **véritable —** real bargain
occupant *m.* occupant
occupé busy, occupied; **être —** to be busy, be occupied
occuper to occupy; **s'— de** to attend to, look after, take care (charge) of
octroi *m.* concession
odeur *f.* odor, smell, scent
œil *m.* (*pl.* yeux) eye; **coup d'—** *m.*

glance, look; **jeter un coup d'— sur** to glance at, look at

œuf *m.* egg; **— dur** hard-boiled egg

œuvre *f.* work (of art, literature)

offenser to offend, give offense to; **s'—** to be offended

offrir to offer

oiseau *m.* bird

oisiveté *f.* idleness, leisure

ombragé shaded, shady

ombre *f.* shade, shadow

omettre to omit

omnibus *m.* bus, local (train)

on one, you, they, we, people

oncle *m.* uncle

onze eleven

onzième eleventh

opéra *m.* opera, opera house

opposer to oppose, put in opposition

or *m.* gold; **l'âge d'—** golden age

or *conj.* now, well

oral (*pl.* oraux) oral

orchestre *m.* orchestra; **une place à l'—** an orchestra seat

ordinaire ordinary; **d'—** ordinarily; **vin — ** *m.* dinner wine

ordonner to command, order

ordre *m.* order

oreille *f.* ear

Orientales: Les — a collection of poems (1829) by Victor Hugo

origine *f.* origine, descent, extraction

orthographe *f.* orthography, spelling

os *m.* bone

oser to dare

ou or; **— bien** or else

où where; **par —** (by) which way

oublier to forget

oui yes

ouvert open, opened

ouverture *f.* opening; **— de la chasse** opening of the hunting season

ouvrage *m.* work

ouvreuse *f.* usher

ouvrier *m.* workman, laborer

ouvrir to open; **— un compte** to open an account

pacifier to pacify, appease, calm

pagne *m.* loin-cloth; **Le — noir** poem (1955) by Bernard Dadié

pain *m.* bread; **— grillé** toast; **petits —s** rolls; **une flûte de —** a long (thin) loaf of bread

paisible peaceful, quiet, still, calm

paix *f.* peace

palais *m.* palace

palper to feel, touch

panne *f.* breakdown; **être en —** to have a breakdown, be stuck

pantoufle *f.* slipper

papier *m.* paper; **—-mâché** *m.* papier mâché

paquebot *m.* liner, steamer

paquet *m.* pack, package

par by, through; **— avion** (by) airmail; **— ici** over here, this way; **— où** which way

paraître to appear, seem

parapluie *m.* umbrella

parc *m.* park

parce que because

parcourir to run through, glance over, travel through, go over

pardessus *m.* overcoat

par-dessus over, above

pardon excuse me, pardon me

pareil, pareille alike, like, similar, such

parent *m.* parent, relative

paresseux, paresseuse lazy

parfait fine, perfect

parfois sometimes

parfum *m.* perfume, scent, fragrance

parisien, parisienne Parisian

parler to speak, talk; **entendre — de** to hear of, hear spoken of

parmi among

Parnasse *m.* Parnassus; **Le —** Parnassian School of French poetry

parnassien, parnassienne Parnassian

parole *f.* (spoken) word, utterance, speech; **ma —!** upon my word!; **prendre la —** to begin to speak, take the floor

part *f.* part; **à — cela** aside from that, apart from that; **de la — de** from, on the part of; **se faire une place à —** to be in a class by oneself

partage *m.* sharing, division, share; **ligne de — des eaux** *f.* watershed, divide

partager to divide, share

parti *m.* (political) party, side

participer to participate (in), take part (in)

particulier, particulière distinctive, particular, private

partie *f.* part, party; **faire — de** to be a member of, belong to, be a part of

partir to leave, depart, go away; **à — de** from, beginning with

partout everywhere

parvenir to attain; succeed in

pas *m.* step; **à quelques — d'ici** a few steps (a stone's throw) from here

pas no, not; **ne . . . —** not; **— du tout** not at all; **— encore** not yet

Pascal, Blaise French writer, philosopher, mathematician, and physicist (1623–1662)

passage *m.* passage, crossing, passing; **retenir un —** to book passage

passager *m.* passenger

passé last, past; **le mois —** last month

passeport *m.* passport

passer to pass, pass by, spend (time), go (out); **— à la douane** to pass (through) customs; **— sur le quai** to go (out) on the platform; **— un examen** to take an examination; **j'en passe** I omit (skip) the rest; **qu'est-ce qui se passe?** what's happening?; **se —** to happen; **se — de** to do without

passerelle *f.* gangplank; **mettre (retirer) la —** to put up (withdraw) the gangplank

passion *f.* passion

passionnel, passionnelle pertaining to the passions, under the influence of the passions, especially love

Pasteur, Louis French scientist (1822–1895)

pathétique pathetic, moving

patience *f.* patience

patin *m.* skate; **faire du —** to skate, go skating; **faire du — à glace** to iceskate, go ice skating

patiner to skate

pâtisserie *f.* pastry, pastry shop

patricien *m.*, **patricienne** *f.* Patrician

patriotisme *m.* patriotism

patte *f.* paw; sideburn

pauvre poor

payer to pay (for)

pays *m.* country

paysage *m.* landscape, scenery

paysan *m.* peasant, farmer

pêche *f.* fishing; peach; **aller à la —** to go fishing

pêcheur *m.* fisherman

pédalo *m.* water-cycling; **faire du —** to go water cycling

peigne *m.* comb; **avoir un coup de —** to get a comb out

peigner to comb; **se —** to comb (one's hair)

peignoir *m.* (dressing) gown

peindre to paint

peine *f.* grief, pain, sorrow, trouble; **à —** hardly, scarcely; **être en —** to be anxious about, be uneasy about

peintre *m.* painter

peinture *f.* painting; **— à l'huile** oil painting

pèlerinage *m.* pilgrimage

pélican *m.* pelican

peloton *m.* ball

pénates *m. pl.* household gods (of the Romans); **porter ses — chez qqn** to install (settle) oneself in s.o.'s house

penchant *m.* slope, side

pencher to incline, bend; **se —** to stoop, lean towards

pendant during, while; **— que** while

pendre to hang

pensant thinking

pensée *f.* thought; **Pensées** philosophical work (1670) by Blaise Pascal

penser to think, expect; **— à** to think about (of); **— de** to think of, have an opinion about

penseur *m.* thinker

pension *f.* boardinghouse, room and board

pente *f.* slope, side

percevoir to perceive

percuter to tap, percuss

perdre to lose, waste; **— son temps** to waste one's time; **se —** to lose one's way, be lost; go astray

père *m.* father; **Le — Goriot** novel (1834) by Honoré de Balzac

permanente *f.* permanent wave; **avoir une —** to have (get) a permanent wave

permettre to allow, let, permit; **se — de** to take the liberty to, allow oneself to

permis *m.* permit; **— de conduire** driver's license

Pérou *m.* Peru

personnage *m.* character (in novel, play), personnage

personne *f.* person; **chambre pour une (deux) —(s)** single (double) room: **ne . . . —** not . . . anyone, nobody, no one

personnel, personnelle personal

persuader to persuade

peser to weigh

pessimiste pessimistic

peste *f.* plague; **La —** novel (1947) by Albert Camus

petit little, small; **— déjeuner** *m.* breakfast

petitesse *f.* smallness, littleness

peu few, little; **à — près** about, approximately, nearly, almost; **un petit — a** bit

peuple *m.* people, nation

peuplé populated

peur *f.* fear; **avoir —** to be afraid; **de — que** for fear that

peut: il se — it's possible, it may be

peut-être perhaps

phare *m.* headlight; **allumer** (**mettre**) **les —s** to turn on the headlights

Phèdre tragedy (1677) by Jean Racine

philosophe *m.* philosopher

philosophie *f.* philosophy

philosophique philosophical

photo *f.* photo; **prendre une —** to take (snap) a picture

photographique photographic; **appareil — ** *m.* camera

phrase *f.* phrase, sentence

physionomie *f.* countenance, aspect, look, appearance, physiognomy

physique physical

pièce *f.* play; room; piece; coin; **donner une —** to present a play; **— de théâtre** play

pied *m.* foot **aller à —** to go on foot

pierre *f.* stone

piété *f.* piety

pique-nique *m.* picnic; **faire un —** to go on a picnic, have a picnic

pique-niquer to have a picnic, picnic; **aller —** to go on a picnic

piquer to prick, sting, prod, spur

pis *adv.* worse, worst

piscine *f.* swimming pool

Pissaro, Camille French painter (1831–1903)

pistolet *m.* pistol

piteux, piteuse piteous, pitiable, woeful

piteusement piteously, woefully, sadly

pitié *f.* pity, compassion; **par —** for pity's sake

pittoresque picturesque

place *f.* position, room, seat, square, place; **à votre —** in your place, if I were you; **retenir une —** to reserve a seat (place); **se faire une — à part** to be in a class by oneself

placer to place, put; **se —** to place oneself, take one's place (seat)

plaideur *m.* litigant

plaindre to pity, be sorry for; **se — de** to complain

plaire to be pleasing, please; **il me plaît** I like it; **s'il vous plaît** please; **se —** to take pleasure, be pleased, be happy; **se — à** to delight in

plaisant pleasant, amusing, humorous

plaisanterie *f.* joke, jest, joking, jesting

plaisir *m.* pleasure; **avec —** gladly, with pleasure; **faire — à** to give pleasure, please

plan *m.* plan, scheme, level; **— d'em-ménagement** deck plan

planche *f.* board, plank

planer to hover, soar; to plane

planter to plant, drive in

plat *m.* dish, plate, flat tire; **— du jour** today's special

plat flat, level; dull, insipid

plateau *m.* scale, tray

plein full; **en — air** in the open air, outdoors; **faire le —** to fill up (gasoline tank)

pleinement fully, entirely, thoroughly

pleurer to weep, cry

pleuvoir to rain; **il pleut** it's raining

pluie *f.* rain

plumer to pluck; **— les asperges** to peel the asparagus

plupart: la — de (+ *def. art.*) most, greater part, majority

plus more; **de —** moreover, besides; **de — en —** more and more; **en —** in addition; **ne ... —** not ... any more, no longer; **non —** either, neither

plusieurs several

plus-que-parfait *m.* pluperfect

plutôt rather

pneu *m.* tire; **avoir un — crevé** to have a flat tire, have a blowout; **vérifier les —s** to check the tires

poche *f.* pocket; **livre de —** *m.* pocketbook

poème *m.* poem

poésie *f.* poetry

poète *m.* poet

poétique poetic, poetical

poids *m.* weight

point *m.* period, point; **à —** medium; **au — de vue** from the point of view, from the standpoint; **ne ... —** not at all

pointu pointed

poire *f.* pear

pois *m.* pea; **petits —** green peas

poisson *m.* fish

poli polite

police *f.* police; **agent de —** *m.* police-

man; **préfecture de —** *f.* police head-
quarters
poliment politely
politesse *f.* politeness
politique political
pomme *f.* apple; **— de terre** potato;
tarte aux —s *f.* apple pie
pompier *m.* fireman
pont *m.* bridge, deck (of boat), (automobile) rack; **— principal** main deck;
— promenade promenade deck; **—
supérieur** upper deck; **— véranda** veranda deck
porc *m.* pork, pig; **côtelette de —** *f.*
pork chop
port *m.* harbor, port
Port Royal monastery for women near
Chevreuse, founded in 1204. Reformed
in 1608 by Angélique Arnaud, it became the seat for Jansenism
porte *f.* door; **grande —** main door
portée *f.* reach, range, scope
portefeuille *m.* billfold, pocketbook,
wallet
porter to carry, wear, bring, bear, sus-
tain
porteur *m.* porter
portraitiste *m.* portrait painter
Portugal *m.* Portugal
poser to lay, place, put, pose; **— un
problème** to set (state) a problem,
pose a problem; **— une question** to
ask a question
posséder to own, possess
possible: faire tout son — to do everything possible
poste *m.* post, station; **— émetteur** *m.*
broadcasting station; **— de télévision**
television set
poste *f.* post office; mail; **bureau de —**
post office; **mettre une lettre à la —**
to mail a letter; **— restante** general
delivery
posthume posthumous
postière *f.* post-office employee, mail
clerk
pot *m.* jar, pot
potable drinkable
potage *m.* soup
potager *m.* vegetable garden
poulain *m.* colt, foal
poulet *m.* chicken; **— rôti** roast chicken
pour for, in order to (+ *inf.*); **— ainsi
dire** so to speak, as it were; **— que** in
order that, so that
pourboire *m.* gratuity, tip

pourquoi why
poursuivre to pursue, follow
pourtant however, yet, still, nevertheless
pourvoir to provide
pourvu que provided that
pousser to push, urge
pouvoir *m.* power
pouvoir to be able, can, may
pratique practical
préambule *m.* preamble, preface
précédent preceding, former
précieux, précieuse precious; **Les précieuses ridicules** comedy (1659) by
Molière
précipiter: se — to precipitate, throw
(hurl) oneself, rush forward, dart
précis exact, precise, sharp
précisément exactly, precisely
préciser to specify, state
préféré favorite
préférer to prefer
premier, première first
prendre to take; **— qqch** to have s.t.
to eat or drink; **— qqn (qqch) comme
témoin** to take s.o. (s.t.) as a witness;
— rendez-vous to make an appointment; **— ses inscriptions** to register;
— un billet to buy a ticket; **— une
photo** to take (snap) a picture
prénom *m.* first name
préparer to prepare
près (de) near; **à peu —** about, approximately, nearly, almost; **c'est tout
—** it's very near
présent *m.* present, present time; **à —**
at present
présenter to introduce, offer, present
présider to preside over
présumer to presume, suppose
presque almost
pressé: être — to be in a hurry
prêt ready
prêter to lend
prétendre to pretend, claim
prévaloir to prevail
prévenir to prevent, warn
Prévert, Jacques French poet (1900–
. . .)
prévoir to foresee
prier to ask, beg, request; **je vous en
prie** you're welcome, please, I beg of
you, don't mention it; **se faire —** to
require much persuading
prière *f.* prayer
primeur *f.* (early) vegetables
princier, princière princely

principal (*pl.* **principaux**) main, principal

principe *m.* element, basis, principle

printemps *m.* spring; **au —** in the spring

privé private

priver to deprive

prix *m.* price, prize; **baisser le —** to lower the price

probable probable, likely

probablement probably

probité *f.* probity, honesty, integrity

problème *m.* problem; **poser un —** to set (state) a problem, pose a problem

prochain next

prochainement shortly, soon

proche near

procurer to procure, get; **se —** to procure (get) for oneself

produire to produce

produit *m.* product, produce; **—s congelés** frozen products (foods); **—s laitiers** dairy products

professeur *m.* professor

profit *m.* profit, gain, benefit

profiter (**de**) to take advantage (of)

profond deep, profound

profondément deeply, profoundly

programme *m.* program

progrès *m.* progress, advancement

projet *m.* project, plan

promenade *f.* walk, drive, ride; **faire une —** to take a walk

promener to take s.o. out for a walk (ride); **se —** to go for a walk (ride)

promesse *f.* promise; **tenir sa —** to keep one's promise

promettre to promise

pronom *m.* pronoun

prononcer to pronounce

propice propitious, favorable, kind

proposer to propose, offer

propre clean; own; good; proper

proprement properly, appropriately; **— dit** itself, properly (so) called

propriétaire *m.* or *f.* landlord, landlady

propriété *f.* property, estate

protéger protect, defend, shield

Proust, Marcel French novelist (1871–1922)

prouver to prove, substantiate, give proof of

Provence *f.* Provence

Provinciales: Les — 18 letters (1656–1657) written by Blaise Pascal to defend Port-Royal and the Jansenists against the Jesuits

province *f.* province, country (rural)

provoquer to provoke, incite, bring on

prudent prudent, discreet

psychologiquement psychologically

psychologue *m.* psychologist

public, publique public

publier to publish

puis next, then

puiser to draw, take

puisque since

puissance *f.* power, force

punir to punish

quai *m.* quay, pier, platform, street along a river, track; **passer sur le —** to go (out) on the platform; **ticket de —** *m.* platform ticket

qualité *f.* quality

quand when; **— (bien) même** even if, anyhow, in spite of all

quant à as for

quarante forty

quart *m.* quarter; **un — d'heure** a quarter of an hour

quartier *m.* quarter, district, section

quatorzième fourteenth

quatrain *m.* quatrain, a stanza or poem of four lines, usually with alternate rhymes

quatre-vingt-cinq eighty-five

quatrième fourth

que what, which, that, whom; than, as; **ne ... —** only; **qui —** whoever, no matter who; **quoi —** whatever, no matter what

quel, quelle what, which; **quel!** what a!

quelque some, any, a little, a few; **à —s pas d'ici** a few steps from here, a stone's throw from here; **— chose** something; **— chose d'autre?** something else?, anything else?

quelquefois sometimes, now and then

quelqu'un, quelqu'une, quelques-uns, quelques-unes someone, some

qu'est-ce que? what?, what is?

qu'est-ce que c'est que? What is?

qu'est-ce qui? what?

question *f.* question, matter; **poser une —** to ask a question

queue *f.* tail, line; **faire la —** to stand in line

qui who, whom, which, that; **à —** whose (ownership); **de —** whose

(authorship, relationship); — **que** whoever, no matter who
qui est-ce que? whom?
qui est-ce qui? who?
quinzième fifteenth
quitter to leave, go away from; **ne quitte pas** hold on
quoi what; — **que** whatever, no matter what
quoique although

raccrocher to hang up
Racine, Jean French dramatist (1639–1699)
raconter to relate, tell
rafraîchir to cool, refresh, trim; — **les cheveux à qqn** to trim s.o.'s hair, give s.o. a trim
raide stiff, rigid; **tomber — mort** to fall stone-dead
raie *f.* part (of the hair), line; **faire la —** to part one's hair
raison *f.* reason; **avoir —** to be right
raisonnable reasonable, sensible
raisonnement *m.* reasoning, argument
râlant with the death rattle
ramasser to collect, gather, pick up
ramper to crawl, creep
ranger to put in order, arrange; **se —** to draw (pull) up, line up, place oneself
rapide *m,* through express
rapide rapid, quick, swift
rapidement rapidly
rappeler to call back, remind; **se —** to recall, remember
rapport *m.* report, relationship; **par — à** in proportion to, in regard to, in comparison to
rapporter to bring back, bring in; **se —** (**à**) to refer, relate
rapprocher to bring together, bring near; **se —** to come (draw) nearer, approach
rare rare, scarce
rarement rarely
raser to shave; **se —** to shave oneself
rater to miss, fail; — **son train (avion)** to miss one's train (plane)
ravissant ravishing, delightful, charming
rayon *m.* shelf, department (in a store); — **boucherie-charcuterie** meat and pork department; — **crémerie-fromagerie** dairy department; — **épicerie** grocery department; — **vins et spiritueux** wine and liquor department; **Les**

—s et les ombres a collection of poems (1840) by Victor Hugo
rayonnement *m.* radiance
réagir to react
réaliser to realize; **se —** to be realized, to come true
réaliste realistic
réalité *f.* reality
récemment recently
recevoir to receive
réchauffer to warm up
recherche *f.* search, pursuit, research, quest; **se mettre à la — de** to set off in search of; **A la — du temps perdu** general title given to a vast novel by Marcel Proust (1913–1927) of which the main volumes are: **Du côté de chez Swann** (1913), **A l'ombre des jeunes filles en fleur** (1918), **Le côté de Guermantes** (1920), **Le temps retrouvé** (posthumous 1927)
rechercher to seek (look for) again, search for
récit *m.* narration, recital, account, story
réciter to recite
recommander to recommend; register; **faire — une lettre** to register a letter
recommencer to begin again, repeat (a course)
reconduire to drive back, take back, see home
reconnaître to recognize, identify; to claim
reconstruire to rebuild, reconstruct
recopier to recopy
recours *m.* recourse; **avoir — à** to have recourse to, resort to
rectiligne rectilinear
recueil *m.* collection
recueillir to collect, gather, get together
redescendre to step (come) down again
réduire to reduce
rééduquer to re-educate
réel, réelle real, actual
réélire to reelect
refaire to do again
refermer to shut again, close up
réfléchir to reflect, ponder
refléter to reflect
refuser to refuse, deny, decline
regarder to look (at)
régime *m.* regime, object
règle *f.* rule
réglé fixed; **être —** to be fixed (arranged), be set (of time)
régler to regulate, set, adjust

règne *m.* reign
régner to reign, rule
regretter to be sorry, regret
régulièrement regularly
rein *m.* kidney; **les —s** lower back
rejeter to reject, set aside
rejoindre to meet, join (again), reunite, rejoin
relever to raise (again), lift up (again), pick out; **se —** to rise again, get up (again)
relier to bind (a book), connect
religieux, religieuse religious, pious
relire to reread
reliure *f.* binding
remarquer to notice
remerciement *m.* thanks
remercier to thank
remettre to put back (again), defer; to hand over
remorquer to tow
remplacer to fill in, replace
remplir to fill
rencontre *f.* meeting, encounter
rencontrer to encounter, meet
rendez-vous *m.* appointment, date; **prendre —** to make an appointment
rendre to bring back, make, render, return; **— visite à qqn** to pay a visit to s.o.; **— compte de** to account for, render an account of; **se —** to go; **se — compte de** to realize
renflé swollen, inflated, puffed out
Renoir, Auguste French painter (1841–1919)
renoncer (à) to abandon, give up
renseignements *m. pl.* information; **bureau de —** *m.* information bureau (office)
rentrée *f.* reopening (of school), homecoming
rentrer to reenter, come back, go back (home)
renverse: **à la —** backwards, upon one's back
renverser to overthrow, turn upside down, overturn
répandre to spread, scatter, diffuse
répandu widespread, widely prevalent
réparer to repair
repas *m.* meal
répéter to repeat
répondre to answer, reply
réponse *f.* answer, reply, response
reportage *m.* reporting, broadcast

reposer to place again, replace, rest; **se —** to rest, take a rest
reprendre to continue, resume, take back, retake; **— la parole** to continue to speak
représentant *m.* representative, delegate
représentation *f.* performance
représenter to give (a play), perform, represent
reproche *m.* reproach; **faire un — à qqn de qqch** to reproach s.o. for s.t.
reprocher to reproach
reproduire to reproduce
république *f.* republic
réserver to reserve
résidence *f.* residence, dwelling
résonance *f.* resonance
résoudre to resolve, solve, work out; **se —** (à) to make up one's mind (to)
respecter to respect
respirer to breathe
ressembler to resemble, be like, look like
resserrer to tighten
ressortir to go (come) out again, stand out; **faire —** to bring out
restaurant *m.* restaurant; **wagon —** *m.* dining car
restaurer to restore, re-establish
rester to be left, remain, stay; **il me reste** I have left
résultat *m.* result
résulter to result, follow, be the consequence
retard: **avoir . . . minutes de —** to be . . . minutes late; **en —** late; **il n'y a pas de —** there's no delay
retarder to delay, run slow (watch)
retenir to detain, hold back, keep, reserve; **— un passage** to book passage; **— une place** to reserve a seat (place)
retirer to withdraw, take away; **— la passerelle** to withdraw the gangplank
retour *m.* return; **aller et — *m.*** round-trip ticket; **être de —** to be back
retourner to go back, return; **se —** to turn around
retrouver to find again, to meet (again)
réunion *f.* get-together, meeting, reunion
réunir to reunite, join (again), bring together; **se —** to assemble again, meet
réussir (à) to succeed (in); **— à un examen** to pass an examination
revanche *f.* revenge; return

rêve m. dream
réveiller to awaken, wake; se — to wake up
révéler to reveal, disclose
revenir to come back
rêver to dream
Rêveries d'un promeneur solitaire work of an autobiographical nature (written 1776–1778) by Jean-Jacques Rousseau and published posthumously 1782
rêveur m. dreamer
réviser to review, revise
revoir to see again; au — good-by
revue f. magazine
rhum m. rum
rhume m. cold; attraper un — to catch (a) cold
riant smiling, cheerful, pleasant
riche rich, wealthy
richesse f. riches, wealth, richness
ridé wrinkled
ridiculiser to ridicule
rien nothing; ça ne fait — it makes no difference, it (that) doesn't matter; de — don't mention it, you're welcome; — d'autre? anything else?, nothing else?; ne . . . — (du tout) nothing (at all), not anything
rire m. laughter, laughing
rire to laugh; se — de to laugh at, poke fun at, make fun of
risquer to risk, run the risk of
Rivarol, Antoine de French writer and journalist (1753–1801)
rive f. bank, shore
rivière f. river
robe f. dress
roi m. king
rôle m. roll, part; jouer un — to play (act) a part
Romains, Jules Contemporary French novelist and dramatist (1885– . . .)
roman m. novel
romancier m. novelist
romantique romantic
romantisme m. Romanticism
rompre to break
rond m. round, ring, circle
ronde f. round, patrol, beat; La — des jours poem by Bernard Dadié
rosbif m. roastbeef
rose rosy, pink, rose-colored
rosé pale pink, rosy; vin — light red wine
roseau m. reed
rosée f. dew

rôtir to roast
roue f. wheel; — de secours spare tire
rouge red
rougir to redden
rouler to roll, ride, drive
roulis m. rolling, roll (of waves or ship)
Rousseau, Jean-Jacques French philosopher, educator, and novelist (1712–1778)
route f. direction, road, route, way
roux, rousse reddish
royaume m. kingdom, realm
rue f. street
rusé m. (f. rusée) crafty, sly, wily person
Russie f. Russia
Ruy Blas Romantic play (1838) by Victor Hugo
rythmé rhythmical

sachet m. small bag; — de thé tea bag
sagacité f. sagacity, shrewdness
sage wise, good
saignant rare (of meat)
sain, saine sound, wholesome, healthy, hale
saisissant striking, thrilling, impressive
saisir to seize, grasp
saison f. season; la belle — summer months
salade f. salad
sale dirty
salé salted, briny; eau —(e) salt water, brine
salle f. hall, room; — de bains bathroom; — de sports gymnasium, sports center
salon m. drawing room; parlor; literary circle, salon; exhibition hall; — de coiffure barbershop, beauty parlor
saluer to greet, salute, hail
samedi m. Saturday
sang m. blood
sanglant bleeding
sans prep. without; — que conj. without
santé f. health; à sa — to his (her) health
Sartre, Jean-Paul French philosopher, novelist and playwright (b. 1905)
satirique satirical; m. satirist
satisfaire to satisfy
satisfaisant satisfactory
saucisson m. sausage
sauf except
saur smoked, salted

sauvetage *m.* rescue
savant *m.* scholar, scientist
saveur *f.* flavor, taste
savoir to know, know how
savon *m.* soap
savourer to savor, relish, enjoy
savoureux, savoureuse tasty
scène *f.* scene, stage
science *f.* science, knowledge
sculpture *f.* sculpture
sec, sèche dry, dried up
seconde *f.* second-class; **voyager en —** to travel second-class
secourir to help, succor
secours *m.* help, assistance, aid; **roue de —** spare tire
secret, secrète secret
secrétaire *f.* secretary
séduisant seductive, alluring, fascinating; tempting, enticing
seigneur *m.* lord, nobleman
seize sixteen
seizième sixteenth
séjour stay, sojourn, abode, dwelling
sel *m.* salt
selle *f.* saddle
selon according to; **— que** according as, according to whether
semaine *f.* week; **il y a une —** a week ago; **par —** a week, per week
semblable like, similar, alike
sembler to seem
semer to sow, spread
semestre *m.* semester
Senghor, Léopold Sedar Senegalese statesman and writer (1906– . . .)
sens *m.* sense, meaning; **le — commun** common sense
sensation *f.* sensation, feeling
sensationnel, sensationnelle sensational, thrilling
sensibilité *f.* sensibility, feeling
sensible sensible, sensitive, perceptible, responsive, sympathetic
sentiment *m.* feeling, sentiment
sentir to feel, smell; **se —** to feel
septembre *m.* September
septième seventh
série *f.* series
sérieusement seriously
sérieux, sérieuse serious
serveur *m.*, serveuse *f.* clerk
serviette *f.* napkin, towel; **— de toilette** towel
servir to serve, wait on; **— à** to be used for, serve as; **se — de** to make use of,

use; **servez-vous!** help yourself!, serve yourself!
seul alone, only, single
seulement only, solely
sévèrement severely, sternly, strictly
Sévigné, Mme de French writer famous for her letters (1626–1696)
Shakespeare, William English dramatist (1564–1616)
shampooing *m.* shampoo
si if, so, whether; yes (in answer to negative question); **pas — . . . que** not so . . . as
sicilien, sicilienne Sicilian
siècle *m.* century
Siegfried play (1928) by Jean Giraudoux
Siegfried et le Limousin novel (1922) by Jean Giraudoux
sien: **le sien, la sienne, les siens, les siennes** his, hers, its
signe *m.* sign
signer to sign
signification *f.* meaning
Simon le Pathétique novel (1918) by Jean Giraudoux
simplement simply
simplicité *f.* simplicity, artlessness, plainness, silliness
singulier, singulière singular, odd, strange, queer
sinon otherwise, if not, or else
sinueux, sinueuse winding, meandering
situation *f.* job, situation, position, state, condition
situé located, situated
situer to place, situate, locate
sixième sixth
ski *m.* ski, skiing; **faire du —** to ski, go skiing
sœur *f.* sister
soi oneself
soie *f.* silk
soif *f.* thirst; **avoir —** to be thirsty
soigner to take care of, look after, attend to; **se —** to take care of oneself, care for oneself
soigneusement carefully
soin *m.* care, attention; **aux bons —s de** in care of; **avec —** carefully; **avoir — de qqn** to care for s.o.
soir *m.* evening; **ce —** tonight; **du —** in the evening, P.M.; **hier —** last night
soirée *f.* ball, evening, evening party; **— dansante** dance, **Les —s de Saint**

Pétersbourg a polemic work (1821) by Joseph de Maistre

sol *m.* ground, soil

soldat *m.* soldier

soleil *m.* sun; **au coucher du —** at sunset; **au lever du —** at sunrise, at daybreak; **il fait du —** it's sunny

solitude *f.* solitude

solliciter to solicit, request, urge

sombre dark, somber; **il fait —** it's dark

somme *f.* amount, sum; **— toute** finally, in short, on the whole

son, sa, ses his, her, its

Son et Lumière Sound and Light

songer to dream, think of

sonner to strike, sound, ring; **— faux** to ring false

sonorité *f.* resonance, sonorousness

Sorbonne: La — Division of Letters and Science of the University of Paris

sorte *f.* kind, manner, way; **de telle —** in such a way; **de toutes —s** all kinds of

sortie *f.* exit; **à la —** at the exit

sortir (**être**) to go out, leave; (**avoir**) to get out, take out

sot, sotte foolish, silly, stupid

souci *m.* care, worry

soudain sudden, suddenly, all of a sudden

soudainement suddenly, all of a sudden

souffrance *f.* pain, suffering

souffrir to endure, put up with, suffer

souhaiter to wish

souligner to underline, emphasize

soumettre to submit

Soupault, Philippe contemporary French poet (1897– . . .)

souple supple, flexible

sourd deaf

sourire *m.* smile

sourire to smile

sous under

souterrain underground, subterranean

souvenir *m.* remembrance, souvenir, memory

souvenir: se — de to remember

souvent often

souverain *m.* sovereign, monarch

spécial (*pl.* **spéciaux**) special

spécialiser: se — dans to specialize in; **se — dans une matière** to major in a subject

spécialité *f.* specialty

spécificité *f.* specific feature

spectacle *m.* spectacle, play, sight

spirituel, spirituelle spiritual, witty, intelligent

spiritueux *m.* liquor

splendeur *f.* splendor

stabilisateur *m.* stabilizer

station *f.* station, resort; **— service** *f.* service station, gasoline station

strophe *f.* stanza

studieux, studieuse studious

stupéfaction *f.* stupefaction, great astonishment

stylo *m.* fountain pen

subdiviser to subdivide

subordonné *m.* subordinate, dependent

substituer to substitute

subtilité *f.* subtlety

suc *m.* juice

succès *m.* success

sucre *m.* sugar

suffire to suffice, be sufficient, be enough

suggérer to suggest

Suisse *f.* Switzerland

suite *f.* series; rest; **par la —** later on, afterwards; **tout de —** immediately

suivant following; **le — de ces messieurs?** who's next?

suivre to follow; **— un cours** to take a course

sujet *m.* subject, theme; **au — de** about

supérieur superior

supermarché *m.* supermarket

superstitieux, superstitieuse superstitious

supportable bearable, tolerable, supportable

supposer to suppose

sur on, upon

sûr sure; **bien —** surely, certainly, of course; yes indeed

sûrement surely, certainly

surprenant surprising, astonishing

surprendre to surprise

surpris surprised

surtout above all, especially

surveiller to supervise, watch over, keep an eye on

survenir to happen unexpectedly, befall

survolver to fly over

suspendre to suspend, delay, postpone

Suzanne et le Pacifique novel (1921) by Jean Giraudoux

symbole *m.* symbol

symbolisme *m.* Symbolism

symboliste symbolistic

symphonie *f.* symphony

Syndicat d'Initiative *m*. Tourists' Information Bureau

tabac *m*. tobacco; **bureau de — *m*.** tobacco shop

table *f*. table; **A—!** Dinner is served!, **mettre la —** to set the table; **se mettre à —** to sit down (to eat)

tableau (*pl*. **tableaux**) *m*. board, picture, painting

tablette *f*. tablet, bar (of chocolate)

tâcher (de) to try, strive

taille *f*. size, shape, waist, stature

tailler to cut, trim

taire: se — to be silent

tant so many, so much; **— que** as long as

tante *f*. aunt

tapis *m*. carpet, rug

tard late; **au plus —** at the latest; **il se fait —** it's getting late

tarder (à) to delay (in)

tarif *m*. rate, scale of prices

tarte *f*. tart; **— aux fraises** strawberry pie (tart); **— aux pommes** apple pie

Tartuffe comedy (1669) by Molière

tasse *f*. cup

taureau *m*. bull

taxi *m*. taxi; **en —** by cab

teindre to dye

tel, telle such

Télé 7 jours *m*. T.V. guide

télégramme *m*. telegram

télégraphier to telegraph, wire, cable

téléphone *m*. telephone; **donner un coup de — à qqn** to phone s.o.

téléphoner to telephone, phone

téléphoniste *m*. or *f*. telephone operator

téléviseur *m*. television set; **mettre en marche le —** to turn on the television set

télévision *f*. television; **à la —** on television; **arrêter la —** to turn off the television; **poste de — *m*.** television set

tellement so, so much

témoignage *m*. testimony, evidence

témoigner to bear witness to; to show, evince

témoin *m*. witness; **prendre qqn (qqch) comme —** to take s.o. (s.t.) as a witness

tempête *f*. storm

temps *m*. tense, time, weather; **à —** on time; **avoir le — de** to have time to; **de — en —** from time to time; **depuis combien de —?** how long?; **en**

même — at the same time; **perdre son —** to waste one's time; **quel — fait-il?** what is the weather?

tendance *f*. tendency, leaning, inclination

tendre to tend, hand

tendrement tenderly, affectionately

tenir to hold, keep, have, adhere; **tenez! tiens!** well!, look here!; **— à** to be anxious, insist upon, be due to; **— sa promesse** to keep one's promise; **se — au courant de qqch** to keep oneself informed about s.t.; **s'en — à** to abide by; to confine onself to; **se — à** to remain, stand

tenter to attempt, try

tercet *m*. tercet, triplet, a group of three lines rhyming together

terminer to end, finish

ternir to tarnish

terrain *m*. field, course

terrasse *f*. terrace, sidewalk (in front of a café)

terre *f*. earth, land; **aller à —** to go ashore; **par —** on the floor; **Terre-Neuve *f*.** Newfoundland

tête *f*. head; **mal de — *m*.** headache

thé *m*. tea; **sachet de — *m*.** tea bag

théâtre *m*. theater

thème *m*. theme, topic, composition

théorie *f*. theory

thèse *f*. thesis

thym *m*. thyme

ticket *m*. ticket; **— de quai** platform ticket

tien: le tien, la tienne, les tiens, les tiennes yours

tiers: **un —** a third

tilleul *m*. linden tree

timbre *m*. stamp; **— poste** postage stamp

tirage *m*. drawing, pulling

tirer to pull, take; **— un profit de qqch** to reap advantage from s.t.; make use of s.t.

tiroir *m*. drawer

titre *m*. title; **à juste —** deservedly, justly, rightly

toc tap, rap

toi you, to you, yourself: **Toi et Moi** a collection of poems (1920) by Paul Géraldy

toile *f*. canvas, cloth; **livre relié en — *m*.** cloth-bound book

toit *m*. roof

tomate *f*. tomato

tombe *f.* tomb, grave
tomber to fall; **laisser —** to drop; **— malade** to fall ill, get sick
ton *m.* tone
ton, ta, tes your
tondeuse *f.* shearer, clipper
tort *m.* wrong; **à —** wrongly, unjustly; **avoir —** to be wrong
tôt early, soon
toucher to touch; **— un chèque** to cash a check
toujours always, still
toupet *m.* effrontery, cheek, impudence
tour *m.* turn, stroll; *f.* tower; **à qui le —?** whose turn is it?
touriste *m.* or *f.* tourist; **classe —** *f.* tourist class
tourmenter to torment, torture, harass
tournedos *m.* fillet steak
tourner to turn, turn on; **faire — le moteur** to start the engine, let the motor (engine) run
tournure *f.* turn, course; shape
tousser to cough
tout, toute, tous, toutes all, any, everything, whole; **après —** after all; **c'est — près** it's very near; **c'est — that's** all; **en —** in all; **en — cas** at any rate, in any case, in any event; **on trouve de —** one finds everything; **pas du —** not at all; **— à coup** all of a sudden, suddenly; **— à fait** entirely, quite, altogether; **— à la fois** all at the same time; **— à l'heure** a little while ago, in a little while, shortly; **— de même** anyhow, just the same, all the same; **— de suite** immediately; **— en haut** way up high; **— le monde** everyone, everybody; **— e la journée** the whole day; **tous les deux** both; **tous les jours** every day
toutefois yet, nevertheless, however
traduire to translate
tragédie *f.* tragedy
tragique tragic, tragical
train *m.* train; **être en— de** to be (doing s.t.) just now, be engaged in, be in the act of
traîner to drag, pull, trail; **se —** to crawl (along), creep, drag oneself
trait *m.* trait, feature
traité *m.* treaty, treatise, dissertation
traiter (de) to deal with, treat
tranche *f.* slice
tranquille calm, quiet, still

tranquilliser to tranquillize, make easy, soothe
transcrire to transcribe, copy out
transformer to transform, change, convert
transmettre to transmit
transpercer to pierce (through), run through
transport *m.* transportation
travail (*pl.* **travaux**) *m.* work
travailler to work
travers: à — through, across
traversée *f.* crossing, sea voyage
traverser to cross
treizième thirteenth
trente thirty
très very
triste sad, sorrowful
tristesse *f.* sadness; **Tristesse** sonnet (1841) by Alfred de Musset
troisième third
tromper to deceive; **se —** to be mistaken
trompette *f.* trumpet; **sans —** quickly and without noise
trompeur, trompeuse deceiving
trône *m.* throne
trop too, too many, too much
trotter to trot, run about
trottoir *m.* sidewalk
trou *m.* hole
troupe *f.* (theatrical) company, troupe
trouver to find, think; **on trouve de tout** one finds everything; **se —** to be (located), be found
truite *f.* trout
tuer to kill
tuile *f.* tile
typique typical
tyranniser to tyrannize (over), oppress

uniformité *f.* uniformity
univers *m.* universe
universalité *f.* universality
universel, universelle universal
universellement universally
université *f.* university
usage *m.* custom, practice, usage
usine *f.* factory
utile useful
utilement usefully
utiliser to employ, use
utilité *f.* usefulness, utility

vacances *f. pl.* vacation; **passer les —** to spend the vacation

vacciner to vaccinate; se faire — to have oneself vaccinated
vache f. cow
valeur f. value, worth, price; mettre en — to improve (land), enhance
valise f. valise, suitcase
vallée f. valley
valoir to be worth; — mieux to be better; faire — qqch to make the most of s.t.
vanité f. vanity
vapeur f. vapor, steam, fume
varié varied, diversified
variété f. variety, diversity
variole f. smallpox
vaste vast, wide, spacious
veau m. calf
vedette f. star (film or theater)
véhiculer to convey, carry
vendeuse f. salesgirl, salesclerk
vendre to sell
vendredi m. Friday
venir to come; faire — to send for; — chercher to come for; — de (+ inf.) to have just (done s.t.)
vent m. wind; il fait du — it's windy
Vénus de Milo famous ancient statue now in the Louvre museum
vérandah f. veranda
verger m. orchard
vérifier to check, examine, inspect, verify
véritable true, real
véritablement really, truly
vérité f. truth
verre m. glass, lens
vers m. verse, line (of poetry)
vers toward, about
verser to pour (out)
vert green
vertu f. virtue
vestiaire m. checkroom; cloakroom; déposer au — to check (in the cloakroom)
veule ugly, weak, feeble
viande f. meat
victoire f. victory; Victoire de Samothrace Winged Victory (famous ancient statue now in the Louvre museum)
vidange f. oil change
vide empty, vacant, devoid
vie f. life, living
vieux, vieil, vieille old; mon — pal, old man
Vigny, Alfred de French Romantic poet, novelist and dramatist (1794–1863)
vigoureusement vigorously
ville f. city, town; en — downtown
vin m. wine; — ordinaire dinner wine; — rosé light red wine
vingtaine about twenty
vingt-deuxième twenty-second
vingt et unième twenty-first
vingtième twentieth
vingt-quatrième twenty-fourth
vingt-troisième twenty-third
visage m. face, countenance
vis-à-vis opposite; towards, with respect (regard) to; in relation to
viser to take aim (at)
visite f. visit; rendre — à qqn to pay s.o. a visit
visiter to visit
visiteur m. visitor
violet, violette violet
vite fast, quickly, rapidly
vitrail m. (pl. vitraux) stained-glass window
vitrine f. showcase, shopwindow
Vittel important spa in eastern France
vivacité f. vivacity, liveliness
vivant living, alive
vivre to live; une façon de — a manner (way) of living, a way of life
voici here is, here are
voie f. road, route, track (railroad)
voilà there is, there are
voile f. sail
voilé husky, muffled, veiled
voir to see
voisin, voisine neighboring, adjoining
voiture f. car, automobile, coach; en — by automobile, by car
voix f. voice, sound; à haute — aloud, loudly; Les — intérieures a collection of poems (1837) by Victor Hugo
vol m. theft, robbery; flight
volaille f. poultry, fowls
voler to fly; steal
volet m. shutter
volonté f. will; Les hommes de bonne — a vast series of novels (1932–1947) by Jules Romains
Voltaire French philosopher, poet, dramatist, and novelist (1694–1778)
votre, vos your
vôtre: le vôtre, la vôtre, les vôtres yours
vouloir to want, wish, desire; — dire to mean

voyage *m.* trip, traveling; **avez-vous fait bon** —? did you have a pleasant journey?, did you have a nice trip?; **bon** —! pleasant journey!; **faire un** — to take a trip

voyager to travel; — **en seconde** to travel second-class

voyageur *m.* traveler

voyelle *f.* vowel

vrai *m.* truth; **à** — **dire** to tell the truth

vrai real, true

vraiment really, truly

vue *f.* view; **au point de** — from the point of view, from the standpoint

wagon *m.* (railroad) car, coach; — **restaurant** *m.* dining-car

y there, to it, in it, about it, on it, etc.

yaourt *m.* yogurt

a un, une
able: be — pouvoir
about environ, vers; **speak (talk)** —
  parler de
above au-dessus de, par-dessus; — **all**
  avant tout, surtout
absolutely absolument
accept accepter
accompany accompagner
according to selon, d'après
account compte *m*.; **open an** — ouvrir
  un compte
acquaintance connaissance *f*.; **make**
  s.o.'s — faire la connaissance de qqn
act acte *m*.; **be in the** — **of** être en
  train de
action action *f*.
actor acteur *m*.
actress actrice *f*.
address adresse *f*.
adjust régler
admirable admirable
admission admission *f*., entrée *f*.; —
  ticket billet d'entrée *m*.
afraid: be — avoir peur, craindre
after après; — **all** après tout
afternoon après-midi *m*. or *f*.
again encore, encore une fois, de nouveau
against contre
age âge *m*.; **golden** — l'âge d'or
agency agence *f*.; **travel** — agence de
  voyages *f*.
agent agent *m*.; **travel** — agent de voyages *m*.
agglomeration agglomération *f*.
ago il y a; **a week** — il y a une semaine
air air *m*.
air-conditioned climatisé; **be** — être
  climatisé
alike semblable, pareil; **be** — se ressembler
all tout (*m*. *pl*. tous); **above** — avant
  tout, surtout; **not at** — pas du tout
almost presque
alone seul
along le long de; — **with** avec
already déjà
also aussi
although bien que (+ *subj*.), quoique
  (+ *subj*.)
always toujours
A.M. du matin
America Amérique *f*.; **South** — Amérique
  du Sud *f*.
American Américain *m*., Américaine *f*.

American *adj*. américain
amusing amusant, divertissant
an un, une
and et
angelic angélique
animated animé
another un autre, une autre; **one** — l'un
  l'autre, les uns les autres
answer répondre
anthology anthologie *f*.
any de (+ *def*. *art*.), de, en
anyhow tout de même, quand même,
  en tout cas
anymore: not ... — ne ... plus
anything quelque chose; **not** — ne ...
  rien
apartment appartement *m*.
application demande *f*.
April avril *m*.
arm bras *m*.; **with open** —**s** à bras
  ouverts
arrival arrivée *f*. **lobby (entrance hall)**
  of — **Building** Hall des Arrivées *m*.
arrive *arriver*
as comme; —...— aussi ... que; —
  for quant à; — **many (much)** autant;
  — **soon** aussitôt que, dès que; —
  though comme si
ask (for) demander; — **a question**
  poser une question
aspect aspect *m*.
at à, chez
attached attaché, lié; **be** — **to** être
  attaché à
attend assister à
August août *m*.
aunt tante *f*.
author auteur *m*., écrivain *m*.
avarice avarice *f*.
await attendre
award bourse *f*.

back: be — être de retour
bad mauvais; **not too** — pas trop mal;
  the weather is — il fait mauvais
baggage bagages *m*. *pl*.; — **room** consigne *f*.
bank banque *f*.
barber coiffeur *m*.; **to the** —**'s** chez le
  coiffeur
bargain occasion *f*.; **real** — véritable
  occasion
basis base *f*.
bath bain *m*.; **bathroom** salle de bains
  f.; **a room with (a)** — une chambre
  avec salle de bains

bathing: go — se baigner
be être; — afraid avoir peur, craindre;
— back être de retour; — cold (of
weather) faire froid; — glad to être
content de (+ inf.); — hungry avoir
faim; — ill être malade, être souf-
frant(e); — in the act of être en train
de; — late être en retard; — lucky
avoir de la chance; — right avoir
raison; — (supposed to) devoir; —
thirsty avoir soif; had I been you à
votre place; how are you? comment
allez-vous?; isn't she (he, it, etc.)?
n'est-ce pas?
bear porter
beautiful beau, bel, belle, beaux, belles
because parce que
become devenir; — seasick avoir le mal
de mer
bed lit m.; go to — se coucher
beer bière f.
before (time) avant, avant de (+ inf.),
avant que (+ subj.); (place) devant;
day — veille f.
beg prier
begin commencer, se mettre à
beginning début m.; in (at) the — au
début
believe croire, penser
belong (to) appartenir à, être à
beside à côté de
best adj. le meilleur; adv. le mieux
better adj. meilleur; adv. mieux; like —
aimer mieux; we had — nous ferions
bien de
between entre
big grand; gros, grosse
binding reliure f.
bitter amer, aigre; it's — cold il fait
un froid de loup
black noir
blanket couverture f.
blond blond
blue bleu
blurred flou
board bord m.; on — à bord
bone os m.
book livre m.
book: — passage retenir un passage
bookdealer bouquiniste m.
bore ennuyer
born: be — naître
borrow emprunter
both tous les deux, tous deux, l'un et
l'autre
bother ennuyer

bottle bouteille f., flacon m.
bottom fond m.; on the — of au bas
de
box boîte f., carton m.
brand marque f.
brandy cognac m.
Brazil Brésil m.
bread pain m.
breakfast petit déjeuner m.
brick brique f.
bridge pont m.
bring apporter; — back rapporter, ra-
mener
brother frère m.
building bâtiment m., édifice m.; lobby
(entrance hall) of arrival — Hall des
Arrivées m.
bureau bureau m. (pl. bureaux)
busy occupé, affairé; be — être occupé
but mais
buy acheter; — a ticket prendre un
billet
by de, par; (+ pres. part.) en; — the
way à propos

cab taxi m.
cabin cabine f.
café café m.
call appeler; to be called s'appeler; —
s.o. (on the phone) téléphoner à qqn,
appeler qqn au téléphone, donner un
coup de téléphone à qqn
calm calme
can pouvoir; one — on peut
car voiture f.
carburetor carburateur m.
card carte f. identification — carte
d'identité
cardinal cardinal (pl. cardinaux)
care soin m.; in — of aux bons soins
de
carry porter
cartoon dessin m.; animated — dessin
animé
case cas m.; in — au cas où
cash (a check) toucher (un chèque)
cashier caissier m., caissière f. —'s window caisse f.
castle château m.
catastrophe catastrophe f.
catch attraper; — (a) cold attraper un
rhume
cedar tree cèdre m.
century siècle m.
certain certain
chambermaid femme de chambre f.

change changer (de); — a tire changer de pneu

channel (television) chaîne f.

character personnage m., caractère m.

characterize caractériser

charming charmant

chat bavarder, causer

château château m.

check chèque m.; cash a — toucher un chèque

check (in cloakroom) déposer (au vestiaire); — (baggage) faire enregistrer (les bagages)

checkroom consigne f., vestiaire m.

cheese fromage m.

cherish chérir

chicken poulet m.

child enfant m. or f.

choose choisir

church église f.

cigar cigare m.

cigarette cigarette f.

city ville f.

clarity clarté f.

classical classique

classroom salle de classe f.

clean nettoyer; adj. propre

clear clair

clerk serveur m., serveuse f.

close (to) près de; too — trop près de

closed fermé

clumsy gauche, maladroit

coat manteau m., pardessus m.

coffee café m.

cognac cognac m.

coin pièce f., pièce de monnaie f.

cold rhume m., froid m.; be — (of people) avoir froid, (of weather) faire froid; catch (a) — attraper un rhume; have a — avoir un rhume; it's bitter — il fait un froid de loup; it's — (weather) il fait froid

collection collection f.; mail — levée f.

colored en couleur

combine combiner, réunir

come venir; — back revenir; — in entrer; — down descendre; — out faire son entrée, sortir

common commun; — sense sens commun m.

compare comparer

complete complet, complète

completely complètement

concert concert m.

conflict conflit m.

consider considérer, tenir (pour)

construction construction f.

contemporary contemporain

continue continuer

contrary contraire

copy (of a book) exemplaire m.

corridor couloir m., corridor m.

could (pouvoir): I — je pouvais, j'ai pu, je pourrais

country campagne f.; pays m.

course cours m.; of — bien sûr, bien entendu, mais oui, naturellement; take a — suivre un cours

courtyard cour f.

creator créateur m.

cross traverser

crossing traversée f.

crowd foule f., monde m.

cry crier, s'écrier, pleurer

customs douane f.; — office douane; — officer douanier m.; pass through — passer à la douane

cut couper, tailler; have one's hair — se faire couper les cheveux

damaged abîmé

dance bal m., danse f., soirée dansante f.

daughter fille f.

dawn aurore f., aube f.; at — au lever du soleil

day jour m., journée f.; a (per) — par jour; the — before la veille

dealer marchand m., marchande f.; news — marchand de journaux

dear cher, chère

decide décider

deck pont m. upper — pont supérieur m.

declare déclarer

deep profond, extrême

delicate délicat

delight délices f. pl.

denote indiquer, signifier, dénoter, désigner

dented abîmé

department rayon m., département m.; grocery — rayon épicerie m.

deserve mériter

desire désirer

dessert dessert m.

dictionary dictionnaire m.

die mourir

different différent

difficult difficile

diligently diligemment, avec application

dine dîner

dining room salle à manger f.

dinner dîner *m.*; **have —** dîner; **let's go for —** allons dîner
direct direct
disguise déguiser
display étalage *m.*
disposal disposition *f.*; **at the — of** à la disposition de
distinguish distinguer
diversion distraction *f.*
do faire; **doesn't he?, don't you?, don't they?, etc.** n'est-ce pas?
doctor docteur *m.*, médecin *m.*
documentary documentaire *m.*
dollar dollar *m.*
done: well — bien cuit
door porte *f.*
doubt douter
dramatist dramaturge *m.*
dress robe *f.*
dress habiller; **get dressed** s'habiller
dried (up) sec, sèche
drink boire
drive conduire
driver automobiliste *m.* or *f.*; **—'s license** permis de conduire *m.*
during pendant

each chaque
early de bonne heure, tôt
earth terre *f.*
easily facilement
easy facile
eat manger
effrontery toupet *m.*, effronterie *f.*
egg. œuf *m.*; **hard-boiled —** œuf dur
eight huit
elevator ascenseur *m.*
eleven onze
elsewhere ailleurs, autre part
end fin *f.*, bout *m.*; **at the — of** au bout de
England Angleterre *f.*
English (language) anglais *m.*
enjoy jouir de, aimer, goûter; **— oneself** s'amuser
enough assez
equal égal (*m. pl.* égaux)
equality égalité *f.*
Europe Europe *f.*
even même; **— if** quand (bien) même
event événement *m.*; **in any —** en tout cas
ever jamais
every chaque, tout
everything tout
everywhere partout

evident évident; **it's —** il est évident
examination examen *m.*
examine examiner
example exemple *m.*; **for —** par exemple
excellent excellent
exercise exercice *m.*
exist exister
expect attendre; **(intend to)** penser, avoir l'intention de; **(look forward to)** s'attendre à
expensive cher, chère; **be —** coûter cher
explain expliquer
express: through — rapide *m.*; **limited — express** *m.*
extremely extrêmement
eye œil *m.* (*pl.* yeux)

face figure *f.*, visage *m.*; **— (on)** donner sur
faithful fidèle
fall tomber
false faux, fausse
family famille *f.*
famous célèbre; fameux, fameuse
farther plus éloigné, plus loin
fast vite
father père *m.*
favorable favorable
favorite favori, favorite; préféré
fear crainte *f.*, peur *f.*; **for — that** de crainte que (+ *subj.*), de peur que (+ *subj.*)
feeling sensation *f.*, sentiment *m.*
fender aile *f.*
few peu; **a —** *adj.* quelques; *pron.* quelques-uns, quelques-unes; **a — more moments** quelques moments encore
field champ *m.*, terrain *m.*
fifteen quinze
fifty cinquante
fifty-five cinquante-cinq
fill (out) remplir; **— up (gasoline tank)** faire le plein
fillet steak tournedos *m.*
film film *m.*; **feature —** grand film *m.*; **turn out (make) —s** tourner des films
finally enfin, finalement
find trouver; **— a place to park** trouver une place pour garer
fine beau, bel, belle, beaux, belles; parfait, très bien; **the weather is —** il fait beau
finger doigt *m.*; **put one's — on s.t.** mettre le doigt sur qqch
finish finir, terminer
first premier, première; d'abord

fishing   pêche *f*.; go — aller à la pêche
five   cinq
flat: have a — avoir un pneu crevé, avoir une crevaison
fleeting   fugitif, fugitive
flight   vol *m*.
flop: it's a — c'est un navet
floor   étage *m*.; on the second — au premier étage
fluently   couramment
folder   dossier *m*.
follow   suivre
following   suivant
food (cooking)   cuisine *f*., nourriture *f*., aliment *m*.; frozen —s produits congelés *m*.; the — is good there on y mange très bien
football   football *m*.
for   pour; (because) car: (since) depuis, il y a ... que; as — que; quant à; go — aller chercher
forehead   front *m*.
foreign   étranger, étrangère
forget   oublier
former   ancien, ancienne; the — celui-là, celle-là, ceux-là, celles-là
forty   quarante
forty-five   quarante-cinq
four   quatre
fourteenth   quatorzième
franc   franc *m*.
France   France *f*.
Francis   François; — the first François Ier
freestone   pierre de taille *f*.
French (language)   français *m*.
French *adj*.   français
friend   ami *m*., amie *f*.; a — of mine un de mes amis
from   de; (with cities) de; (with feminine singular countries) de: (with other countries) de (+ *def. art*.)
front: in — of devant
frozen   glacé, gelé; — foods produits congelés *m*.
fruit   fruit *m*.
furious   furieux, furieuse

game   jeu *m*., match *m*.
garden   jardin *m*.
gasoline   essence *f*.: — station station-service *f*., poste d'essence *m*.
gate   porte *f*.; main — grande porte *f*.
general   général; in — en général, généralement
generally   en général, généralement

gentleness   douceur *f*., bonté *f*.
German (language)   allemand *m*.
Germany   Allemagne *f*.
get   obtenir, prendre; arriver; recevoir, avoir; — home rentrer; — stuck être en panne; — to bed se coucher; — up se lever; go — aller chercher; it's getting late il se fait tard
gift   cadeau *m*., don *m*.
girl   (jeune) fille *f*.
give   donner; — s.o. a hand donner un coup de main à qqn
glad   content, heureux; be — to être content de (+ *inf*.); I'm — to meet you très heureux de faire votre connaissance
glance (at)   jeter un coup d'œil (sur)
go   aller; — (and) get aller chercher; — bathing se baigner; — fishing aller à la pêche; — for aller chercher; — on a picnic aller pique-niquer, faire un pique-nique; — (out) on the platform passer sur le quai; — out sortir; — water-cycling faire du pédalo; let's — for dinner allons dîner
golden   d'or; — age l'âge d'or
good   bon, bonne; have a — time s'amuser; — morning bonjour
goodness   bonté *f*.; a — of heart un bon cœur
govern   gouverner
grandmother   grand-mère *f*.
gray   gris
great   grand
Greek (language)   grec *m*.
green   vert
grocery   épicerie *f*.; — department rayon épicerie *m*.

hair   cheveu *m*. (*pl*. cheveux); have one's — cut se faire couper les cheveux
half   demi *m*., demie *f*.; moitié *f*.
half-time   mi-temps *f*.
ham   jambon *m*.
hand   main *f*.; give s.o. a — donner un coup de main à qqn
hang (up)   raccrocher
happen   arriver, avoir lieu, se passer
happy   heureux, heureuse; content
harbor   port *m*.
hard   dur, ferme, difficile
hard-boiled   dur; — egg œuf dur *m*.
hardly   à peine, ne ... guère
haute couture shop   maison de haute couture *f*.
have   avoir; — a flat avoir un pneu

crevé, avoir une crevaison; — **a good time** s'amuser; — **dinner** dîner; — **just** venir de (+ *inf.*); — **one's hair cut** se faire couper les cheveux; — **(s.t.) left** rester; — **s.t. to eat or drink** prendre qqch; — **time to** avoir le temps de; — **to** devoir, falloir
he il, ce; lui
head tête *f.*; — **of state** chef d'état *m.*; homme d'état *m.*
hear entendre
heart cœur *m.*; **a goodness of** — un bon cœur
help aider
her *adj.* son, sa, ses; *pron.* la, lui, elle; **herself** se, elle-même
here ici; **from** — d'ici; — **and there** çà et là; — **is (are)** voici; **over** — par ici
hers le sien, la sienne, les siens, les siennes; **(after être)** à elle
high haut, élevé
him le, lui
his *adj.* son, sa, ses; *pron.* le sien, la sienne, les siens, les siennes; **(after être)** à lui
home maison *f.*; **at** — à la maison, chez soi; **get (go)** — rentrer
honor honneur *m.*
hope espérer
hospital hôpital *m.*
hot chaud; **be** — **(person)** avoir chaud; **it is** — **(weather)** il fait chaud
hotel hôtel *m.*
hour heure *f.*
house maison *f.*; **at (to) my (her, your)** — chez moi (elle, vous, toi); **at whose** —? chez qui?
how comment; — **are you?** comment allez-vous?; — **long?** depuis combien de temps?
however cependant
human humain
hungry: be — avoir faim
hurry se dépêcher
husband mari *m.*

I je, moi
ice cream glace *f.*; **chocolate** — glace au chocolat
ice skating patin à glace *m.*; **go** — faire du patin à glace
idea idée *f.*
if si; **even** — quand (bien) même
ill malade, souffrant; **be** — être malade, être souffrant
imagination imagination *f.*

immediately tout de suite, immédiatement, à l'instant
imperiously impérieusement
important important; **it's** — il est important
improve améliorer, faire des progrès; s'améliorer
in dans; **(with cities)** à; **(with feminine singular countries)** en; **(with other countries)** à (+ *def. art.*); — **front of** devant
incident incident *m.*; événement *m.*
incidentally au fait
incorruptible incorruptible
influence influence *f.*
inhabitant habitant *m.*
insofar as en tant que, dans la mesure où
instance: for — par exemple
instead (of) au lieu de
interest intérêt *m.*
interest intéresser; **be interested in** s'intéresser à
interesting intéressant
introduce présenter; introduire; — **oneself to s.o.** se présenter; à qqn; **permit me to** — **myself** permettez-moi de me présenter
inversion inversion *f.*
invitation invitation *f.*
invite inviter
invoke invoquer
it il, elle, ce; le, la, y, en
Italian (language) italien *m.*
Italy Italie *f.*
itself lui-même, elle-même

July juillet *m.*
just juste; **have** — venir de (+ *inf.*)

keep garder, tenir; — **s.o. waiting** faire attendre qqn
key clé, clef *f.*
kind sorte *f.*, espèce *f.*
king roi *m.*
knife couteau *m.*
knob bouton *m.*
know (facts) savoir; **(be acquainted with)** connaître

lady dame *f.*
lake lac *m.*
language langue *f.*
large grand; gros, grosse
last dernier, dernière; — **night** hier soir; — **week** la semaine dernière

late en retard, tard; **be** — être en retard; **it's getting** — il se fait tard
latest dernier; **at the** — au plus tard
Latin (language) latin *m.*
latter: **the** — celui-ci, celle-ci, ceux-ci,
celles-ci
layout tracé *m.*, dessin *m.*
lazy paresseux, paresseuse
learn apprendre
least le moins; **at** — au moins, du moins
leave laisser, partir, quitter, s'en aller
left gauche; **have (s.t.)** — rester; **to
the** — à gauche
lend prêter
Leonardo da Vinci Léonard de Vinci
less moins
lesson leçon *f.*
let laisser, permettre; — **the motor run**
faire tourner le moteur
letter lettre *f.*
liberty liberté *f.*; **take the** — **to** se permettre de
library bibliothèque *f.*
like aimer; — **better** aimer mieux; **I'd
like** je voudrais
limited (express train) express *m.*
linden tree tilleul *m.*
line ligne *f.*; **stand in** — faire la queue
liner paquebot *m.*
Lisbon Lisbonne *f.*
listen (to) écouter
literature littérature *f.*
little petit, peu
live demeurer, habiter, vivre
living vivant, vif
lobby (entrance hall) hall *m.*
lobster homard *m.*
logic logique *f.*
long long, longue; **as** — **as** tant que;
how —? depuis combien de temps?
longer *adv.* plus longtemps; **no** ... —
ne ... plus
look (at) regarder; — **(for)** chercher
lose perdre
love amour *m.*
love aimer
lubrication graissage *m.*
lucky: **be** — avoir de la chance
luggage bagage(s) *m.* (*pl.*)
lunch déjeuner *m.*; **have** — déjeuner

made fait
magazine revue *f.*
magnificent magnifique
mail courrier *m.*, poste *f.*; — **collection**
levée *f.*

mail mettre (une lettre) à la poste
main principal, premier, grand; — **gate**
grande porte *f.*
major (in a subject) se spécialiser (dans
une matière)
make faire; — **s.o.'s acquaintance** faire
la connaissance de qqn
man homme *m.*
many beaucoup, bien; **as** — autant; **so**
— tant; **too** — trop
map carte *f.*; **subway** — carte de métro
maple tree érable *m.*
marvelous merveilleux, merveilleuse
Master of Arts degree maîtrise *f.*
match allumette *f.*
matter matière; **it doesn't** — ce n'est
rien, ça ne fait rien; **no** — **how** n'importe comment
me me, moi
mean vouloir dire, signifier
mean bas, vil, désagréable; **say** — **things**
dire des choses désagréables
meat viande *f.*
meet (encounter) rencontrer; (**make the
acquaintance of**) faire la connaissance
de; — **(again)** retrouver, rejoindre
menu menu *m.*, carte *f.*; **on the** — au
menu
midnight minuit *m.*
mine le mien, la mienne, les miens, les
miennes; (**after** être) à moi; **a friend
of** — un de mes amis
mineral minéral, (*pl.* minéraux); —
water eau minérale *f.*
minute minute *f.*
miss manquer, rater; — **one's train**
rater son train
Mister monsieur, M.
moment moment *m.*, instant *m.*; **a few
more** —**s** quelques moments encore
Mona Lisa Joconde *f.*, Monna Lisa *f.*
money argent *m.*
month mois *m.*
monument monument *m.*
moon lune *f.*
more davantage, plus
morning matin *m.*; **good** — bonjour; **in
the** — le matin
most le plus; — **of** la plupart de (+
def. art.); — **of them** la plupart d'entre
eux (elles)
mother mère *f.*
motor moteur *m.*; **let the** — **run** faire
tourner le moteur
mouth bouche *f.*
movement mouvement *m.*

movie-house cinéma *m.*
movies cinéma *m.*
Mrs. madame, Mme
much beaucoup; **as —** autant; **as — as possible** autant que possible; **so —** tant, tellement; **very —** beaucoup
museum musée *m.*
music musique *f.*
must devoir, falloir; **he —** il doit, il faut qu'il
my mon, ma, mes

name nom *m.*; **her — is** elle s'appelle; **what is her —?** comment s'appelle-t-elle?
natural naturel, naturelle
near près (*de + noun*)
necessarily nécessairement
necessary nécessaire; **it's —** il faut, il est nécessaire; **it's absolutely —** il est indispensable
need avoir besoin de
neighbor voisin *m.*, voisine *f.*
neither ... nor ne ... ni ... ni, ni ... ni ... ne
never jamais, ne ... jamais
new nouveau, nouvel, nouvelle; neuf, neuve
Newfoundland Terre-Neuve *f.*
news nouvelle *f.*, nouvelles *f. pl.*
newsdealer marchand de journaux *m.*
newspaper journal *m.*
next *adj.* prochain; *adv.* ensuite, puis; **— summer** l'été prochain; **— to** à côté de; **— to one another** l'un près de l'autre
nice gentil, gentille; agréable; beau, bel, belle; brave
night soir *m.*, nuit *f.*; **last —** hier soir
nine neuf
nineteenth dix-neuvième
no non; **— one** ne ... personne
noon midi *m.*
north nord *m.*
nose nez *m.*
not ne ... pas; **— at all** pas du tout; **— ... yet** (ne ...) pas encore
nothing rien, ne ... rien; **— at all** ne ... rien du tout
novel roman *m.*
novelist romancier *m.*
now maintenant
number nombre *m.*, chiffre *m.*, numéro *m.*
number compter, numéroter

object objet *m.*; régime *m.*
obvious évident, clair; **it's —** il est évident, il est clair
o'clock heure *f.*
of de
off au large de
offer offrir
office bureau *m.*; **customs —** douane *f.*
often souvent
oil huile *f.*; **— change** vidange *f.*; **— painting** peinture à l'huile *f.*
old vieux, vieil, vieille
on sur, (+ *pres. part.*) en
one un, une; on; **no —** ne ... personne; **the —** celui, celle; **the —s** ceux, celles
only *adj.* seul; *adv.* ne ... que, seulement
open ouvrir; **— an account** ouvrir un compte; **with — arms** à bras ouverts
opposite en face de
or ou
oral oral (*pl.* oraux)
order ordre *m.*
order commander
origin origine *f.*
other autre
ought devoir (*cond.*)
our notre, nos
ours—le nôtre, la nôtre, les nôtres; (**after** être) à nous
over: — there là-bas
overcoat pardessus *m.*
own propre

pack paquet *m.*
package colis *m.*, paquet *m.*
page page *f.*
painting peinture *f.*, tableau *m.*; **oil —** peinture à l'huile *f.*
parent parent *m.*
Parisian Parisien *m.*, Parisienne *f.*
park garer; **— a car** garer une voiture; **find a place to —** trouver une place pour garer
part partie *f.*, part *f.*
pass passer, réussir à; **— through customs** passer à la douane
passage passage *m.*; **book —** retenir un passage
passenger passager *m.*
passion passion *f.*
passport passeport *m.*
pastry pâtisserie *f.*
patience patience *f.*
peace paix *f.*

peas (petits) pois *m. pl.*
people peuple *m.*, gens *m. pl.*
performance représentation *f.*
perhaps peut-être
period période *f.*, époque *f.*
permit permettre; — me to introduce myself permettez-moi de me présenter
Peru Pérou *m.*
pessimistic pessimiste
Peter Pierre
phone téléphone *m.*; — booth cabine téléphonique *f.*
phone téléphoner, donner un coup de téléphone (à)
photo photo *f.*
physical physique
pickle cornichon *m.*
picnic pique-nique *m.*; go on a — aller pique-niquer, faire un pique-nique
picture image *f.*, photo *f.*, tableau *m.*; take (snap) a — prendre une photo
picturesque pittoresque
pier (dock) quai *m.*
piety piété *f.*
pity plaindre; it's a — c'est dommage
place endroit *m.*, lieu *m.*; in my — à ma place; to find a — to park trouver une place pour garer
place placer, mettre
plane avion *m.*
platform quai *m.*; go (out) on the — passer sur le quai; — ticket ticket (de quai) *m.*
play pièce *f.*
pleasantly agréablement
please plaire à qqn, faire plaisir à qqn
please s'il vous plaît
P.M. de l'après-midi, du soir
poem poème *m.*, poésie *f.*
poet poète *m.*
poetic poétique
point point *m.*
pompously pompeusement, fastueusement
pool piscine *f.*
population population *f.*; the — numbers la population compte
Portugal Portugal *m.*
possible possible; as much as — autant que possible; it's — il est possible
postcard carte postale *f.*
post office bureau de poste *m.*, poste *f.*, bureau des P.T.T. *m.*
potato pomme de terre *f.*; baked —s pommes de terre au four; fried —s frites *f. pl.*

power pouvoir *m.*, puissance *f.*; the Great Powers les grandes puissances *f. pl.*
precisely précisément
prefer préférer, aimer mieux
present présenter; (a play) représenter
preserve(s) confiture *f.*, conserve *f.*
pretty joli
prevail prévaloir, l'emporter (sur)
price prix *m.*
print estampe *f.*, gravure *f.*
probably probablement
problem problème *m.*
professor professeur *m.*
program programme *m.*
promise promettre
pronunciation prononciation *f.*
propitious propice
proud fier, fière
provided (that) pourvu que (+ *subj.*)
province province *f.*
public public, publique
put mettre; — one's finger on s.t. mettre le doigt sur qqch

quality qualité *f.*
Quebec Québec
question question *f.*; ask a — poser une question; be a — of s'agir de
quickly vite
quince coing *m.*

radio radio *f.*
raincoat imperméable *m.*
rare rare; (of meat) saignant
reach arriver (à)
react réagir
read lire
ready prêt
real vrai, véritable; — bargain véritable occasion
realize se rendre compte de
really vraiment, réellement
reason raison *f.*, raisonnement *m.*, it's the — why voilà pourquoi
reasoning raisonnement *m.*
receive recevoir
recently récemment
recommend recommander
record disque *m.*
red rouge
region région *f.*
register prendre ses inscriptions, s'inscrire
regrettable regrettable; it's — il est regrettable

reign régner
relative parent *m.*
remain rester
remember se rappeler, se souvenir de
rent louer
replace remplacer
reserve réserver, retenir; — **a room** réserver une chambre; — **a seat (place)** retenir une place
reside résider
respect respecter
rest reposer
restaurant restaurant *m.*
return (come back) revenir; **(go back)** retourner; **(bring back)** rendre
rich riche
right droit; **be** — avoir raison; — **away** immédiatement, tout de suite; **to the** — à droite
road chemin *m.*, route *f.*
roastbeef rosbif *m.*
romantic romantique
Romanticism romantisme *m.*
room chambre *f.*, salle *f.*; **a double** — une chambre pour deux personnes; **a single** — une chambre pour une personne; **a** — **with (a) bath** une chambre avec salle de bains; **baggage** — consigne *f.*
round rond; — **trip ticket** aller et retour *m.*
rude grossier, grossière; impoli
rule règle *f.*
run courir; **let the motor** — faire tourner le moteur

sailing (departure) départ *m.*
salad salade *f.*
same même; **at the** — **time** en même temps, tout à la fois
Saturday samedi *m.*
say dire; — **mean things** dire des choses désagréables
scarcely ne . . . guère
scatter dissiper, disperser
scholarship bourse *f.*
school école *f.*
screen écran *m.*; — **star** vedette de l'écran *f.*
sculpture sculpture *f.*
sea mer *f.*
seasick: be (become) — avoir le mal de mer
season saison *f.*
seat place *f.*; **reserve a** — retenir une place

second deuxième, **(of two)** second
secretary secrétaire *f.*
see voir; — **again** revoir
seed semence *f.*; **sow the** — **of** semer
sell vendre
send envoyer, expédier; — **a telegram** envoyer un télégramme
sense sens *m.*; **common** — sens commun *m.*
sentence phrase *f.*
September septembre *m.*
serious sérieux, sérieuse
seriously sérieusement
serve servir; — **as** servir de
set (off) placer, situer
seven sept
seventeenth dix-septième
shake bouleverser, secouer
shape forme *f.*, configuration *f.*
she elle, ce
sheet drap *m.*
ship bateau *m.*, navire *m.*, paquebot *m.*
shop boutique *f.*, magasin *m.*; **haute couture** — maison de haute couture *f.*; **tobacco** — bureau de tabac *m.*
shore rive *f.*, bord *m.*
short court
should (= ought) devoir *(cond.)*; **I** — je devrais
show montrer
shrimp crevette *f.*
sideburn patte *f.*
similar semblable, pareil
since depuis, puisque
sing chanter
sir monsieur, M.
sister sœur *f.*
sit s'asseoir, se placer; — **down (at the table)** se mettre à table
six six
sixth sixième
skiing ski *m.*; **go** — faire du ski
skin peau *m.*
skinny maigre
sleep dormir
slightly légèrement, **(un)** peu
slip fiche *f.*
slow lent
slowly lentement
smallpox variole *f.*
smoke fumer
snap: — **a picture** prendre une photo
snow neige *f.*
snow neiger; **it's snowing** il neige
so ainsi, aussi, si; — **many (much)**

tant; — **that** de sorte que, de manière que, pour que, afin que

soap savon *m.*

solicit solliciter

some de (+ *def. art.*), en, quelque(s)

someone quelqu'un, quelqu'une

something quelque chose; — **else** quelque chose d'autre

son fils *m.*

soon bientôt, tôt; **as — as** aussitôt que, dès que

sorry; be — regretter, être désolé

sort espèce *f.*, sorte *f.*

sow semer; —**the seed of** semer

Spain Espagne *f.*

Spanish (language) espagnol *m.*

spark plug bougie *f.*

speak parler

special spécial, spéciaux

spend (time) passer; **(money)** dépenser

splendid épatant, splendide, superbe, magnifique

sport sport *m.*; **winter —** sport d'hiver

spring printemps *m.*; **in (the) —** au printemps

square place *f.*

stable fixe, stable, solide

stain-glass window vitrail *m.* (*pl.* vitraux)

staircase escalier *m.*; **winding —** escalier en spirale

stall caler

stamp timbre *m.*; **postage —** timbre-poste *m.*

stand être debout, rester debout, se tenir debout; **— in line** faire la queue

stanza strophe *f.*

star étoile *f.*; **(film or theater)** vedette *f.*; **screen —** vedette de l'écran *f.*

start commencer, se mettre à

state état *m.*; **head of —** chef d'état *m.*, homme d'état *m.*

station gare *f.*; **gasoline —** station-service *f.*, poste d'essence *m.*

statue statue *f.*

stay rester

steak bifteck *m.*

steamer paquebot *m.*

steeple clocher *m.*

still encore, toujours

stop arrêter, s'arrêter

store magasin *m.*

storm tempête *f.*

straight droit; **— ahead** tout droit

strawberry fraise *f.*; **— pie (tart)** tarte aux fraises

street rue *f.*

stuck: be (get) — être en panne

student étudiant *m.*, étudiante *f.*; **medical —** étudiant en médecine

studious studieux, studieuse

study étude *f.*

study étudier

subject sujet *m.*

substantial substantiel, solide, important

subway métro *m.*; **— map** carte de métro *f.*

succeed réussir, parvenir

suit convenir

summer été *m.*, **in the —** en été; **next —** l'été prochain

sun soleil *m.*

sunset coucher du soleil *m.*

supermarket supermarché *m.*

supply fournir; **— s.o. with s.t.** fournir qqch à qqn

suppose supposer; **be supposed to** devoir

sure sûr

surprise surprise *f.*

surprise étonner, surprendre; **be surprised** être étonné, s'étonner

suspend suspendre

sweet doux, douce

swift rapide

Switzerland Suisse *f.*

syntax syntaxe *f.*

table table *f.*; **sit down at the —** se mettre à table

take prendre, **(a person)** emmener; **— a course** suivre un cours; **— a picture** prendre une photo; **— the liberty to** se permettre de

talk parler; **— about** parler de

tart tarte *f.*; **strawberry —** tarte aux fraises

task tâche *f.*, besogne *f.*, devoir *m.*

taste savourer, goûter

teacher professeur *m.*

team équipe *f.*

telegram télégramme *m.*; **send a —** envoyer un télégramme

telephone téléphone *m.*

televise téléviser

televised télévisé; **(the game) will be —** on aura le reportage du (match)

television télévision *f.*; **on —** à la télévision

television set téléviseur *m.*, poste de télévision *m.*; **turn on the —** mettre en marche le téléviseur

tell dire, (relate) raconter; **to — the truth** à vrai dire
ten dix
tenderly tendrement
terribly terriblement
than que; (before number) de
that *adj.* ce, cet, cette; *pron.* celui, celle, cela; **— one** celui(-là), celle(-là)
that (*rel. pron.*) que, qui
the le, la, l', les
theater théâtre *m.*
their leur, leurs
theirs le leur, la leur, les leurs; *after* être) à eux, à elles
them les, leur; eux, elles
then alors, ensuite, puis
there là, y; **here and —** çà et là; **— is (are)** il y a, voilà; **— was (were)** il y avait; **— would be** il y aurait
therefore donc, par conséquent
therein là-dedans, en cela
these *adj.* ces; *pron.* ceux(-ci), celles(-ci)
they ils, elles; on; ce; eux, elles
thing chose *f.*
think penser; **— of (about)** penser à; **— of, have an opinion about** penser de
thinker penseur *m.*
thirsty: be — avoir soif
thirty trente
this *adj.* ce, cet, cette; *pron.* celui, celle, ceci; **— one** celui-ci, celle-ci
those *adj.* ces; *pron.* ceux(-là), celles (-là)
though: as — comme si
thought pensée *f.*
thousand mille
three trois
through à travers; **— (express train)** rapide *m.*
thus ainsi
ticket billet *m.*; **admission —** billet d'entrée *m.*; **buy a —** prendre un billet; **one-way —** aller simple *m.*; **(platform) — ticket** (de quai) *m.*; **round-trip —** aller et retour *m.*; **(traffic) —** contravention *f.*
time fois *f.*, heure *f.*, temps *m.*; **at the same —** en même temps, tout à la fois; **at what —?** à quelle heure?; **have a good —** s'amuser; **have — to** avoir le temps de; **on (in) —** à l'heure, à temps
tire pneu *m.*; **change a —** changer de pneu
tired fatigué
to à; (with cities) à; (with feminine countries) en; (with masculine countries) à (+ *def. art.*)
tobacco tabac *m.*; **— shop** bureau de tabac *m.*
tobacconist buraliste *m.*
today aujourd'hui; **a week from —** d'aujourd'hui en huit; **—'s special** le plat du jour
together ensemble
tomorrow demain
tonight ce soir
too trop, aussi; **— many (much)** trop
tooth dent *f.*
tow (away) remorquer
towel serviette (de toilette) *f.*
town ville *f.*; **— hall** mairie *f.*, hôtel de ville *m.*
track voie *f.*
tragedy tragédie *f.*
train train *m.*; **miss one's —** rater son train
travel voyager; **— agency** agence de voyages *f.*; **— agent** agent de voyages *m.*
traveler voyageur *m.*
treaty traité *m.*
tree arbre *m.*
trim rafraîchir; **— s.o.'s hair** rafraîchir les cheveux à qqn
trip voyage *m.*; **did you have a nice —?** avez-vous fait bon voyage?; **take a —** faire un voyage
true vrai; **it's —** il est vrai; **that's —** c'est vrai
truth vérité *f.*; **to tell the —** à vrai dire
try essayer, tâcher (de)
turn tourner; **— around** se retourner; **— on the television (T.V.) set** mettre en marche le téléviseur; **— out films** tourner des films
T.V. télévision *f.*; **on —** à la télévision; **— set** téléviseur *m.*, poste de télévision *m.*; **turn on the — set** mettre en marche le téléviseur
twelve douze
twenty vingt
twenty-first vingt et unième
twenty-five vingt-cinq
two deux
tyrannized tyrannisé

umbrella parapluie *m.*
uncle oncle *m.*
understand comprendre
United States États-Unis *m.*
universal universel, universelle

universally universellement
universe univers *m.*
university université *f.*
unless à moins que (+ *subj.*)
upon sur; (+ *pres. part.*) en
upper deck pont supérieur *m.*
us nous
usually d'habitude, d'ordinaire
use employer, se servir de, user, utiliser

vaccinate vacciner; **have oneself vaccinated** se faire vacciner
vaccination vaccination *f.*; — **certificate**
certificat de vaccination *m.*
vain vain; **in—** en vain
valise valise *f.*
verb verbe *m.*
verse vers *m.*
very *adv.* bien, très; — **much** beaucoup
view vue *f.*
village village *m.*
visit visite *f.*
visit (**people**) faire une visite à, rendre
visite à; (**things**) visiter
voice voix *f.*

wait (**for**) attendre
waiter garçon *m.*
walk marcher, aller à pied
want désirer, vouloir
war guerre *f.*
warm up réchauffer
wash laver, se laver
washbasin lavabo *m.*
watch regarder
water eau *f.*; **mineral —** eau minérale *f.*
water-cycling pédalo *m.*; **go —** faire du
pédalo
way chemin *m.*. route *f.*, côté *m.*, voie
f.; **by the —** à propos; **in this —** de
cette manière, de cette façon, ainsi
we nous, on
weather temps *m.*; **the — is bad** il fait
mauvais; **the — is fine** il fait beau
week semaine *f.*; **a —** huit jours, une
semaine; **a — ago** il y a une semaine;
a — from today d'aujourd'hui en huit;
last — la semaine dernière
well bien; — **done** bien cuit
what (**that which**) ce que, ce qui
what *adj.* quel, quelle; *pron.* que, qu'est-
ce que, qu'est-ce qui, quoi; — **a!**

quel!, quelle!; — **is** qu'est-ce que,
qu'est-ce que c'est que
when quand, lorsque
where où
whether si
which *adj.* quel, quelle; *pron.* qui, que,
lequel, laquelle, lesquels, lesquelles; **of**
— dont; — **one** lequel, laquelle
while pendant que, tandis que, en
(+ *pres. part.*)
white blanc, blanche
who qui, qui est-ce qui
whole tout, toute
whom *interr. pron.* qui?, qui est-ce que?;
rel. pron. que, lequel, laquelle, lesquels,
lesquelles; (*after prep.*) qui; **of —** dont
whose *interr. pron.* à qui? (**ownership**);
de qui? (**authorship, relationship**); *rel.*
pron. dont; **at — house?** chez qui?
why pourquoi
will volonté *f.*
window fenêtre *f.*
wine vin *m.*
winter hiver *m.*; **in (the) —** en hiver;
— **sport** sport d'hiver *m.*
wish désirer, vouloir
with avec
without sans, sans que (+ *subj.*)
woman femme *f.*
wonder se demander
wonderful merveilleux, merveilleuse; admirable, épatant, excellent
word mot *m.*, parole *f.*
work travail *m.* (*pl.* travaux), œuvre;
public —s travaux publics
work travailler; (**run, function**) marcher
wrinkled ridé
write écrire
writer écrivain *m.*
written écrit

year an *m.*, année *f.*
yellow jaune
yes oui
yesterday hier
yet cependant, encore, toujours; **not . . .**
— (ne . . .) pas encore
you vous; (*familiar*) tu; te, toi
young jeune
your votre, vos; (*familiar*) ton, ta, tes
yours le vôtre, la vôtre, les vôtres; le
tien, la tienne, les tiens, les tiennes;
(*after* être) à vous, à toi

Index

(Numbers refer to pages)